意外或偶然
——报人读史札记

田东江 著

商务印书馆
2006年·北京

图书在版编目(CIP)数据

意外或偶然：报人读史札记/田东江著.—北京：商务印书馆，2006
 ISBN 7-100-04685-8

Ⅰ.意… Ⅱ.田… Ⅲ.中国－古代史－文集
Ⅳ.K220.7-53

中国版本图书馆 CIP 数据核字（2005）第 106610 号

所有权利保留。
未经许可，不得以任何方式使用。

意 外 或 偶 然
——报人读史札记

田东江 著

商 务 印 书 馆 出 版
(北京王府井大街36号 邮政编码100710)
商 务 印 书 馆 发 行
北 京 民 族 印 刷 厂 印 刷
ISBN 7-100-04685-8/Z·54

2006年3月第1版	开本 787×960 1/16
2006年3月北京第1次印刷	印张 20 3/4
印数 5 000 册	

定价：30.00元

序

鄢烈山

东江兄嘱我为他的这部书稿作序,我迟迟不敢下笔。文章在报上发表时,我大多认真地看过,收获颇多,写读后感没问题,作序又是一回事了。不是畏他学位比我高,我才疏学浅有自知之明,却也不乏粪土当今某些博士专家的狂傲;不是畏他饱读"三色书"(我知他十多年来,苦读完中华书局版《二十四史》等"绿皮书",《资治通鉴》等"黄皮书"和《历代史料笔记丛刊》等"白皮书"),文史政经非生光化电,见仁见智,普通人都可以掺和几句意见。而是总觉得,作序是一件太端庄不可不慎的事,何况这书是由"商务"出的。

东江说你不是给一些杂文和时评集子写过序吗?我的这个集子也不是什么学术专著,是杂文集,不过是历史杂文罢了。这样说来,我作为一个资深写手,把他当作一个写杂文与时评的文友,互相品评一番,那就未尝不可了。

这本书稿选自作者1998年初至2004年底的作品。上编选于《野史新说》专栏文章,都是古人古事,却一望而知不是发思古之幽情。你看这些标题:《流产的"裁汰胥吏"》《"上计",官出数字之始》《"言路虽开犹未开"》《"省官不如省事"》《索贿的方式》《不可不问,不可深问"》《当"名片"左右办案》《官与妓》……哪篇不是讲的当下眼底事?作者的感触来自今天的生活,典故只是"起兴"的触媒和观点的载体。之所以有这种"似古实今"的文章,从社会客观条件方面讲,是因为中国尚未走出"前现代",借用鲁迅的话说,人心依然"古"得很,因而古今可以互相参证,互相发明;从人性(本于兽性,文明赋于人一定的"神性")这个根本点讲,别说三千年五千年,恐怕三万年五万年,古今也是相通的,通古今之变才能究天人之际(有一种说法,

"天人之际"即"道心"与"人心"的关系）。而东江兄之所以爱拿野史做文章，一方面野史是他的嗜好，谈史是他的看家本领；另一方面，他也是有意为之。他曾借用明人叶盛《水东日记》里的话说，"信（正）史诚未足信者矣"，"有欲书而不得书，有欲书而不敢书"，而野史在某些方面可以纠正史之偏，补正史之不足。比如这篇《文彦博的逸事》，说的是宋相文彦博在成都知府任上时，为掩饰他的风流丑闻，设美人计搞定钦点"伺察"使者的故事，生动地表现了官场监督的局限性。这种故事，在正史中为尊者讳掉了，从野史中拿来开讲，在令人会心一笑之余，难免心有所动，亦或有所思。东江兄有篇《只恐有人还笑君》，取材宋人范浚的《六笑》诗："客言莫谩笑古人，笑人未必不受嗔。螳螂袭蝉雀在后，只恐有人还笑君。"他以古人为鉴，怕的是后人还要笑今天的我们！

与上编的读史笔记体例不同，下编露出了时评的本相，多是从今天的新闻说起，给人一种追根溯源的历史纵深感，用他的话说，这叫"今古齐观"。

今古齐观，打通古今，可以开阔我们的视野，可以丰富我们的思想文化资源。这种文化资源，在较浅的层面，博闻多识，可以增进我们的智慧，有助于我们克服褊狭、固陋和愚黯。比如：读《文身》一文，我们知道，文身乃古已有之，动机有高下，功用有正邪，不可一概否定，应以平常心视之；读《前苏联·故明》，我们知道"前苏联"的用语一如"故明"之可笑，识见还不如康熙皇帝；读《之乎者也》，我们知道强作古人（古文）之滑稽，不会赞成今人搞文言文编纂清史这种贻笑后人的荒唐事；而读《家仆·权仆》这样的文章，能给我们一双洞明世事、辨奸识恶的慧眼。

在较高的层面，"今古齐观"是我们的精神资源，有助于提升我们的思维水平和道德层次。比如，这本书的书名叫《意外或偶然》，取之于下编同名文章的标题和立意，作者以古今事例阐明了这样一个哲理："'意外'或'偶然'之中，往往蕴涵着某种必然。"其实，本书中不少篇什，比如，开卷《可以避免的恶果》、《流产的"裁汰胥吏"》也隐隐阐述了这样一条富于哲理的历史规律,有助于我们今天加深对现代文明制度建设必要性的认识。而《是非之心》(明人魏骥说过:"无是非之心,非人也")、《关于"包二奶"》(在容许一夫多妻、有官妓的封建时代,好色悖义亦为王安石、司马光这样的正人君子所不屑)这样的一些文章,为我们树立了做一个大写的"人"的道德标杆。

我非常欣赏东江兄的一句自我表白,即"六经皆我注脚"。就个人智慧而言,我们绝大多数现代人比不上孔孟庄韩,比不上李杜苏辛;即便博雅好古赛过东江兄,论经史子集的古文功底,也难比百年以前青春作赋、皓首穷经的一般读书人。但是我们有幸生活在没有皇上的中国,有幸生活在华夷混同的"地球村"和万里无碍的信息时代,民主、科学、自由、平等、博爱、法治、人权,这些基于普遍人性的具有普世价值的观念已经不可抑制地在我们心田生根发芽。正是有了这样的符合人类文明发展方向的观念垫底,我们才能以全新视角解读中国的文化典籍,古为今用。

这两年,神州大地又掀起了新一轮的国学热、"读经"热。这当然不是坏事,但看热为什么热,读又怎样去读。我们不能数典忘祖,挖断自己的文化根脉,也不能妄自尊大,逆世界文明潮流而动。我愿有更多人像东江兄一样,秉持"一个纯正的现代中国知识分子的良心"(林毓生评鲁迅语),"心正则笔正"(田东江引唐人柳公权语)地写下更多的"今古齐观"文章,发掘和用好中国传统文化的宝贵资源,为中化民族的崛起服务。

2005 年 8 月 26 日

目 录

上 编

可以避免的恶果 …………………………………… 1
流产的"裁汰胥吏" ………………………………… 2
公孙轨的"独不探把" ……………………………… 4
唐朝的一次"跑官" ………………………………… 5
琼之"陋"俗与贪泉冤案 …………………………… 7
"以酬廉吏"与"量增官俸" ………………………… 8
武三思的"善恶"逻辑 ……………………………… 10
"上计",官出数字之始 …………………………… 12
"居官以正己为先" ………………………………… 13
朱全忠的"指柳为毂" ……………………………… 15
官场的猜疑 ………………………………………… 17
曾铣"上疏"的悲剧 ………………………………… 18
腹中物 ……………………………………………… 20
"青词宰相" ………………………………………… 22
"言路虽开犹未开" ………………………………… 23
反躬自责 …………………………………………… 25
"恐人知"与"恐人不知" …………………………… 27
"省官不如省事" …………………………………… 28
官员的科场舞弊 …………………………………… 30
崔暹遇骂与陆岩挨打 ……………………………… 32
挑地方当官 ………………………………………… 33

1

省察"杯中物" ……………………………………	35
王世充的工作作风 ………………………………	37
索贿的方式 …………………………………………	39
取悦之道 ……………………………………………	40
"万世辨奸之要" ……………………………………	42
书法是门艺术 ………………………………………	44
"不可不问,不可深问" ……………………………	45
有所惧 ………………………………………………	47
印把子 ………………………………………………	49
"能说话者" …………………………………………	50
张綵的门面话 ………………………………………	52
"平生要识琼崖面" …………………………………	54
祖珽的"不负身" ……………………………………	56
文彦博的逸事 ………………………………………	57
关于"包二奶" ………………………………………	59
科举中的"竞争"种种 ………………………………	61
杨荣的"进谏之方" …………………………………	62
赵大鲸的"劾贪"态度 ………………………………	64
"未有无士之时" ……………………………………	66
"润笔"中的人生 ……………………………………	68
"不与徐凝洗恶诗" …………………………………	69
邓绾的"笑骂从汝" …………………………………	71
王安礼眼中的"小人" ………………………………	73
碑刻的时运 …………………………………………	75
吃河豚之争 …………………………………………	76
洁癖 …………………………………………………	78
耐弹的"刘棉花" ……………………………………	80
"居官必如颜真卿" …………………………………	82
下臣为何"以货事君" ………………………………	84

2

诈与诚 ……………………………………	86
"热官"还须"冷做" ……………………	88
范仲淹的"自计" ………………………	90
不能欺、不忍欺与不敢欺 ……………	92
"贪不在多" ……………………………	94
做官与做贼 ……………………………	96
话外音 …………………………………	98
"谥"之褒贬 ……………………………	100
提倡"语简事备" ………………………	102
能、逞能、劝人逞能 …………………	104
"何用碑为?" …………………………	106
"声色"事 ………………………………	108
"悻门如鼠穴" …………………………	110
"清白信居官之要" ……………………	112
"推下廾磨" ……………………………	114
官讳 ……………………………………	116
科举录取之怪状 ………………………	119
居家之俭与居官之廉 …………………	121
政绩的考察问题 ………………………	123
出行未必得"警跸" ……………………	125
不敢、不敢 ……………………………	127
窥"哭" …………………………………	129
当"名片"左右办案 ……………………	131
"谣言"漫议 ……………………………	133
周锡恩的"无行" ………………………	135
阮大铖的"推之不去" …………………	137
正己之难 ………………………………	139
孝行的名与实 …………………………	141
王恕的"指窖止贪" ……………………	143

3

"人无百事皆行"……………………………… 145

官与妓……………………………………… 147

阎立本的"伏地吮毫"……………………… 149

裴宽自律的可贵…………………………… 151

荔枝叹……………………………………… 154

"枪手"考…………………………………… 156

奔竞之风…………………………………… 158

名人崇拜…………………………………… 160

下　编

意外或偶然………………………………… 163

设誓………………………………………… 165

胥吏的能量………………………………… 167

纪晓岚……………………………………… 169

取名………………………………………… 171

贬损与虚誉………………………………… 173

考试录取…………………………………… 175

是非之心…………………………………… 178

暧昧之事…………………………………… 180

只恐有人还笑君…………………………… 182

睡…………………………………………… 184

丑女………………………………………… 186

改名………………………………………… 188

互嘲………………………………………… 190

无知者无畏………………………………… 192

文身………………………………………… 194

无聊的闹剧………………………………… 196

象牙笔……………………………………… 199

景点之争	201
过目不忘	203
下围棋	205
虢国夫人拆迁	207
家仆·权仆	209
须知痛痒切吾身	211
古人诗句犯师兄	213
封杀	215
酬恩报怨	218
醉乡别有一天地	220
考绩	222
元旦	224
山口百惠与杨贵妃	226
言清行浊	228
之乎者也	230
影射	232
杀情妇	234
外号	236
秦桧墓·疑冢·闹剧	238
自比	240
长相	242
假冒	244
助哭	246
叶公好龙	248
印文	250
陶侃癖	253
天×星	255
诚	257
绍兴酒	259

改名（续）	262
端午节	264
酷暑	266
剽窃	268
赝品	271
口碑	273
庸医	275
不认识	277
前世	279
直言·多言	282
胡子	284
借书·还书	286
陋吏铭	288
中秋	291
重名	293
憾事	295
乐坊	297
文字何曾值一钱	300
鸦片	302
前苏联·故明	304
鹦鹉	306
六字箴言	309
做事·做官	311
下围棋（续）	313
读书	315
后记	318

上　编

可以避免的恶果

　　官吏的任免、升迁，是国家政府行使职能的一个常态。虽然在不同的时代，选拔官吏的准则各有不同，但只要那个时代还算得上正常的话，总是有章可循的，或奖优罚劣，或新陈代谢。提拔什么样的人，该人将来为官一任，对一方造福还是贻害，可能无法预料；但在提拔之前，该人的现有品质如何却是可以考察到的。作为相对客观的标准，提拔准则较之单纯的长官意志，毕竟"保险"得多。但是，如我们从历史中所窥见的，许多原本可以避免的恶果，却恰恰因为长官意志而由人民吞咽苦果。唐德宗提拔严砺，是为一例。

　　唐德宗是把严砺由州刺史兼监察御史"超授"为兴元尹兼御史大夫。超授，也就是越等授官，而非"按部就班"。兴元尹不是个小官，德宗曾避难于兴元，那里起过"陪都"的作用，所以他"将还京师"时下诏此地升格，"官名品制同京兆"。但是严砺的问题不在官大官小，是否破格，也不在于他是否"资历甚浅"，而在于其人"人望素轻"，"多奸谋，以便佞在军"，完全是个德行俱差的人物。声誉先已不堪，又焉能委以重任？所以拾遗李繁带头向皇帝直陈："昨除拜严砺，众官以为不当。"某官云何，又有谁人在场，一一列举。皇帝与大臣的意见不统一，甚至遭到强烈的反对，这种情况下，皇帝当然可以继续贯彻自己的意志，可怕的倒是作出一副民主的样子，假惺惺地要听取民意。德宗遣三司核实李繁的汇报，实际上是去抠李繁的字眼，转移问题的焦点。比如李繁说谏议大夫苗拯"云已三度表论，未见听允"，他们就在苗拯究竟说了几次上做文章；调查结果苗拯承认"未言三度"，许孟容

1

等作证"实言两度"。但连苗拯本人都认为问题不在于他说了"几度",而在于自己的观点是不该提拔严砺,所以他坚持"请依众状"。

严砺最终还是被提拔了。《旧唐书》载,他"在位贪残,士民不堪其苦";别说百姓了,即使为官者与之不睦,亦诬奏贬之,十足暴露了本性。而这些,原本是可以避免的后果。在他死后,御史元稹奉使按察,"纠劾砺在任日赃罪数十万"。而严砺在任,不过才十年时间。

严砺这样的小人物能够青云直上,得到皇帝直接提拔,他本人显然力有不逮,全仗着他的宗人严震充当"保护伞"。严震于德宗立有大功,他死的时候,德宗曾"令百官以次赴宅吊哭"。这样一个号称"纯臣"的人物,却起了非常不好的作用,"遗表荐砺才堪委任"。一纸"遗表",准则的大厦轰然倾塌。严砺事发,"诏徵其赃,以死恕其罪"。死了,倒成了好事,不用负什么责了。

客观地看,严砺的提拔亦与封建国家本身的阶级意志相违背。谏臣之设,在于直言,触动"龙颜",实不可免,但维护的仍是本集团的利益。然而苗拯、李繁等因为直言,第二天即被贬出京师,此种事实,足以助长后来者曲意阿从,尸位素餐。不过,从封建国家"人治"的本质来分析,像提拔严砺这种貌似可以避免的恶果,实际上很难避免。

1998年1月19日

流产的"裁汰胥吏"

宋朝的官吏之多在历史上是出了名的。其"冗吏"问题不仅为后人所诟病,就是当时,也为有识之士所意识。宋哲宗时翟思奏道:"昔以一官治之者,今析为四、五。昔以一吏主之者,今增为六、七。官愈多,吏愈众,禄愈广,事愈繁。"官吏多了,不仅是财政支出的增加问题,事情反而更不好办了。但是具体到怎样精兵简政,却是诸多努力都不成功。决心大的,方法不合国情;合国情的,犹犹豫豫,躲躲闪闪,又几乎没有变革。哲宗元祐年间有过一次。

以吕大防为代表的主张"趣废其半",把官吏处理的日常事务"以难易"分为七等,每等定出一个分值,"积若干分而为一人"。这种办法是按工作量设职位,多余的一概裁去,立竿见影。以范百禄、苏辙为代表的则主张"渐消",慢慢来,所谓"阙吏勿补"。这种办法要求单位部门先"据实立额","俟吏之年满转出,或事故死亡者勿补,及额而止"。这就是说,别管你是什么素质的人,既然已经占了这个位置,没出什么事,又活得好好的,那就慢慢耗着,耗下一个少一个,反正终有耗到"及额"的那一天。

面对积重难返的问题,吕大防是果敢的,况且当时大权在握,断然否决了拖泥带水的后者。然而没过多久他却不得不屈服于"阙吏勿补",因为他犯了众怒,只知道大刀阔斧,全然未顾及国情。

"阙吏勿补"照顾了所有现职人员的切身利益,是讲"情"的。范百禄说,"功虽稍缓",但"废半则失职者众"。苏辙说:"若以分数为人数,必大有所损,将大致纷诉,虽朝廷亦不能守。"这一个"众"字两个"大"字,道出了可能的严重后果:那么多养尊处优的人一下子饭碗没了,不闹起来才怪!而"阙吏勿补"的好处,正可使"现吏知非身患,不复怨"!反正改革不到自己头上,不会致人惊慌,相安无事,社会也能因之安定。所以此法尽管消极了些,却又不失为一副"良方"。

其实,吕大防不该忘记,此前几十年范仲淹已经碰过类似的钉子。仲淹提出有名的《十事疏》,前五项就属于澄清吏治。他选监司,取过班簿,"视不才者一笔勾之",干脆得很。有人敲边鼓说:"一笔勾之甚易,焉知一家哭矣。"仲淹反问:"一家哭何如一路哭邪?"(路,宋行政区域名,犹明清时的省。)一家丢官的损失总比一地百姓的可能受害要小得多吧。道理是这个道理,然而仅仅不到一年,仲淹就在因此而产生的强大反对声浪中不得不"仓皇乞身而去",仁宗心里明白,却保护不了他。范仲淹是想痛下决心,行不通罢了。

"渐消"法"裁汰胥吏",当然也没能奏效,讲"情"的事不可能寄予希望。但是"冗吏"问题必须解决,回避不得。它不仅是"财政之蠹",而且是政治的绊脚石,北宋仅有的两次大的变革,均因之而失败。范仲淹庆历变政,矛头直指,不行;王安石熙宁变法,从经济入手,试图绕过去,同样不行。且"宋之不振,始终病于官冗"(钱穆《国史大纲》)。可见这个必须解决的问题解决不了,带来的是何种惨痛的后果。

1998年2月9日

公孙轨的"独不探把"

  皇帝要干什么,有时纯粹是心血来潮,兴之所至,但这种无意之举在客观上往往连带出意想不到的效果。比如说皇帝的赏赐,就并无什么标准可言,却可能如同给大臣们出了一道测试的题目,不同的举动代表了不同的答案。

  北魏世祖拓跋焘平掉赫连昌,令手下任取其府藏金玉,结果,"诸将取之盈怀",而公孙轨"独不探把"。"独不探把",也就是一文不要。无独有偶,隋文帝杨坚有次赏赐公卿,也是干脆让他们自己到"左藏"(即国库)里面去拿。多数人同样极尽所能,能拿多少就拿多少,惟有厍狄士文只拿三匹绢,"口衔一匹,两手各持一匹"。文帝问其故,士文曰:"臣口手俱足,余无所须。"意思是说,这么多就足够了。

  公孙轨和厍狄士文,两个人的所为都出乎当时人们的意料,但这种行为无疑很受赏识。因此,隋文帝是"别赉遗之",另外又给了厍狄士文补偿;世祖则被感动得不得了,当众对公孙轨"探金赐之",并夸奖道:"卿可谓临财不苟得,朕所以增赐者,欲显廉于众人。"显廉于人,是要把公孙轨树为廉洁的榜样,期望值可谓不低,其意义已经不在于鼓励个人而在于示范全社会了。

  这样看来,在财物的诱惑面前起码有了三种答案,因为有"任取"的特定前提,怎样的答案其实都不为过。然而比较起来,公孙轨"独不探把"的境界无疑还是最高,甚至高过厍狄士文的"口手俱足"。但这毕竟是一种"测试",拿多拿少甚至不拿,还只是在皇帝面前的表现,实际做得如何还有待日后行动的验证。公孙轨的行为证明,他恰是寡廉鲜耻之辈。

"取之盈怀"的人不用讲了,即使要说他们"贪",他们也是"贪"在表面,假如一定要防范这样的人,也有明确的目标。库狄士文呢?不仅当时"手口俱足",而且日后也表里如一。他上任至州,发摘奸吏,尺布斗粟之赃,无所宽贷,连自己的儿子"唉官厨饼",也"枷之于狱累日,杖之二百,步送还京"。公私分明,绝不含糊,实践印证了库狄士文的品行高尚,是真正意义上的榜样人物。公孙轨则不然,他的"廉"只是廉给皇帝看的,在实际工作中,与"廉"字根本了不相涉。世祖北征,让他组织雍州的民驴运粮,他趁机"令驴主皆加绢一匹,乃与受之"。在上党,他"为受货"而"纵贼","使至今余奸不除"。他的"受货"程度又怎样?"其初来,单马执鞭;返去,从车百辆,载物而南。"从"单马执鞭"发展到"从车百辆",公孙轨哪里还是一般意义上的贪官,算得上大贪、巨贪了!这个当初作为"廉吏"推介的人物,令拓跋焘后来难堪得很,他咬牙切齿地说:"轨幸而早死,至今在者,吾必族而诛之。"

可见,官吏的廉与不廉,首先不是凭自己说了算的;公孙轨的事例又告诉人们,即便是自己做的,也要考察时间场合之类的背景。像公孙轨这样的沽名钓誉之徒,在皇帝、同僚面前"独不探把",暗地里极尽贪赃枉法之能事,非常具有欺骗性,不可不防。

1998年3月23日

唐朝的一次"跑官"

"跑官"之名是今人的提法,行其实者代不乏人。唐朝的陈少游便深谙此道。所谓"跑官",当然是通过非正常的渠道当官。魏人裴植尝曰:"非我需尚书,尚书亦需我。"此等豪迈与自信,是"跑官"人的致命伤。他们想当官,想当更大的官,想按自己的意愿当官,或者想当有油水的官,因为正常的渠道行不通,便只有施展自己的"活动"本领，干些偷偷摸摸或者干脆明目张胆的勾当。

据《旧唐书》记载，唐代宗永泰年间，陈少游得了"桂州（今广西桂林）刺史、桂管观察使"的差使。换上个老实规矩的人，可能就去了，但陈少游不然。他认为那地方太远，天热，瘴气重，只是个打发左迁官吏的地方，不合他的意。不愿去就可以不去，"跑官"的人有的就是这种"本事"。在"交结权悻"方面，陈少游早有自己的一手，并曾"以是频获迁擢"，可谓屡试不爽；那么，摆平面前的事情，不过是重祭"杀手锏"而已。当时董秀"掌枢密用事"，直接分管这类事，黑夜里他就找到了董秀的家，先不提自己的要求，而是跟董秀嘘寒问暖拉家常。他问董秀家几口人，日常花费怎么样。董秀说："久忝近职，家累甚重，又属时物腾贵，一月过千余贯。"董秀懂得陈氏干什么来，知道他的用意；陈少游也正需要这样的"叫穷"。他说这么算下来，你那点俸禄岂不是"不足支数日"？几天就花完了，怎么办呢？靠朋友帮忙吧。他给董秀出主意："倘有输诚供亿者，但留心庇覆之，固易为力耳。"就是说，如果有人愿意在金钱上资助你，你也能（用手中的权力）关照一下人家，解决这点花费是很简单的事。董秀开的价码显然没出陈少游的预料，他干脆把身上带的钱立刻掏了出来，拍胸脯说："少游虽不才，请以一身独供七郎之费。"你不是每月要花千余贯吗？我一年送你五万，平均下来每月四千多；这里是一大半，"请即受纳，余到官续送"。董秀没想到陈少游这么大方，"欣惬颇甚，因与之厚相结"。此刻该轮到陈少游摊牌了，他哭着说，我要是去到桂州，恐怕有命去没命回。董秀也知道此时自己的"责任"，赶忙开解，说以你这样的美才，"不当远官"，给我几天时间，"冀竭蹇分"，帮你调剂一下。果然几天之后，陈少游"拜宣州（今安徽宣城）刺史，宣歙池都团练观察使"。一出"跑官"曲目至此告终，当事双方完成了一次满意的交易。

终陈少游之一生，"跑官"始终是他奉行的宗旨。这结果，使他十余年间"三总大藩，皆天下殷厚处"，哪里容易发财就去哪里，因此而"敛积财宝，累巨亿万"。反过来，这些不义之财除了自己挥霍享受，又使他得以"赂遗权贵"，吹出不俗的"政绩"，甚至使"美声达于禁中"。"跑官"出身的人，伎俩就是如此，辖下的真情如何，可想而知。然而陈少游之流能将"官位"跑成，换言之，奸佞之风能得以助长，全赖掌管"官位"的董秀们。此种权钱交易的存在，足以把朝政推向腐败的深渊。

1998年6月22日

琼之"陋"俗与贪泉冤案

《明史·刘仕貆传》记载："琼俗善蛊。"琼，指的是琼州（今海南）；蛊，是一种害人的巫术，两千多年前的《左传》已载此法。《红楼梦》里，赵姨娘欲置凤姐、宝玉于死地，就请马道婆放蛊，结果差点儿"把他两个绝了"。放蛊之事在今人眼里未免荒诞不经，但是古人无疑迷信得很。

据说琼州人放的蛊很怪，不仅害敌，而且害清官。所以每逢官员到任，当地人就要带上"所产珍货"去拜见，官员接受了，他们就高兴；反之则要"蛊杀之"。这么一来，搞得"仕琼者多为所污"，移橘成枳，好端端的一个官，到了那儿就变坏了。

琼俗"陋"至如此，令人不可思议，然而作个参照似乎能得些启示。再以《红楼梦》为例。贾政放外任离京，一心想当好官，凡州县馈赠，一概不受，对上司也不巴结，结果却上责下怨。上责很好理解，如何会有下怨？衙役李十儿为他道破了天机："百姓说，凡有新到任的老爷，告示出得越厉害，愈是想钱的法儿。"所以"那些乡民心里愿意花几个钱早早了事"；你这般举动，叫百姓莫测你的胃口，反而不知所措，"所以那些人不说老爷好，反说不谙民情"。在李十儿看来，装样子的官早把百姓装怕了，根本不能产生信任感。这就对了，琼俗之"陋"并非民贱，实乃无奈！刘仕貆司琼州，什么也不接受，照旧平安无事，真正的原因不是"夷人不忍害"，而是刘仕貆"轻徭理枉，大得民和"，属于真正"廉且惠"的一类。这样的好官，百姓纵能加害，又岂有加害之理？

由此想到广州那眼"饮之辄使人贪"的贪泉。泉水能使人"易心为墨"，亦可称奇，然晋人吴隐之及唐人冯立诸辈何以能够例外？吴隐之就任广州刺史，专门跑到泉所"酌而饮之"，并赋诗曰："试使夷齐饮，终当不易心。"冯立任广州都督时，也表达了相同的志向，他说："饮一杯水，何足道哉！吾当汲而为食，岂止一杯耶，安能易吾性乎！"说罢"毕饮而去"。结果二人在职数年，均"甚有惠政"。吴隐之"常食不过菜及干鱼"，一开始人们没见过这些，还说他矫情，装样子，然吴隐之"终始不易"。晋安帝知道后，非常满意，称赞他"处可欲之地而能不改其操"，因为当初派他前来，正是"欲革岭南之弊"。

岭南之弊，唐相房玄龄有过一说：岭南珍异所出，"一箧之宝，可资数世"，"故前后刺史皆多黩货"。第一个从岭南满载而归的，大约是西汉时的大夫陆贾。南越回归，陆贾功劳不菲，赵佗他们送了他不少钱财，借此他置办了田地，一车驷马，"从歌鼓瑟侍者十人"，过着悠哉游哉的日子。这一切令士大夫们看在眼里，"莫不艳之"，乃至"至(广州)则甘心"。清代学者屈大均是广东人，他对家乡的贪泉负此恶名十分不服。他说这不过是历史上来岭南做官的人，捞得脑满肠肥之后，无法向粤民交代的一种托词罢了。东莞有廉泉，怎么就没有喝了变得廉洁的呢？为什么同样是泉水，"廉者不能使人廉，贪者乃独使人贪？其人累泉乎？泉累人乎？"此问真是振聋发聩。

不受则蛊杀与饮之辄贪，实有异曲同工之妙。所谓琼之"陋"俗，未尝不是贪泉冤案的变体，明了后者，也就不难理喻前者了。

1998年8月3日

"以酬廉吏"与"量增官俸"

如何杜绝官吏的贪污腐化，是一个世世代代议论不休的话题。官吏要贪的无非是钱财，所以开具的"药方"往往就在俸禄上打主意。

的约束，其中包括：禁止官吏之间相互馈赠礼物，纯粹出自私情而非索取的也不例外，如果发现收受他人帛一匹的，即定死罪；同时，对因受贿而枉法量刑的官吏，受贿无论多少，均处死刑。令下之后，先处决了我行我素的外戚、秦益二州刺史李洪之，因此案牵连而处死的，前后达40多人。此举既出，朝野为之一震，"受禄者无不蹐蹐，赇赂殆绝"。反观明代孔、陈的建议，均无保障机制。孔以为"重加旌赏"廉洁之士，就可以使"贪者知戒"，陈以为厚禄则"贪风自息"，都太过理想化。他们的这一套，倘若用在高允身上，当然可以行得通，但是换了另外一种人呢？厚禄照拿，钱财照贪，又怎么办？"和珅跌倒，嘉庆吃饱"，一人的财富抵得上国家两年的财政收入，以和氏的胃口，怎样的厚禄才能满足其所需？由此可见，缺乏法律及其实施作后盾，所谓"量增官俸"只能算是空谈的一种，并不可行，大约当时的人们也意识到这一点了吧。

1998年8月24日

武三思的"善恶"逻辑

每个人都有自己的行为逻辑。一定文化模式塑造出的价值取向，仅仅是种取向，具体到该模式下的个体，效果不会等同，甚至可能大相径庭。

唐太宗说："凡有功于我者，必不能忘；有恶于我者，终亦不记。"一国之君有这样的胸襟和气度，实乃百姓之幸，这样看，"贞观之治"的出现就不是偶然的。北齐魏收持的是另一种态度，他写《魏书》时公开宣称："何物小子，敢共魏收作色，举之则使上天，按之当使入地！"意思是说，哪个朝臣的祖宗想在青史上留下什么样的声名，取决于他的笔，让你香就香，让你臭就臭。他把撰写史书当成了酬恩报怨的工具，以致书成之后，被称为"秽史"，即使偏向他的皇帝也只好下令"且不施行"，修改两次，方成今天的样子。"人称魏收之才而鄙其行",《北齐书》中的这句评价深中肯綮。这也可见,不同的行为逻辑对于做人及其事业成败是有直接影响的。

武三思是武则天的侄子,他没有魏收那么嚣张,但其行为逻辑同样是令人鄙夷的。用他自己的话说,叫做"于我善者则为善人,于我恶者则为恶人"。完全以自我的利害得失作为价值取舍的标准,极具功利性。这句话在《资治通鉴》和新旧《唐书》中有不同的版本,字句出入也较大,但意思一般无二。

武三思很有野心,时人比之曹孟德、司马仲达,不是说他的智慧如何,而是说他想"篡逆"。古人对曹操一向颇有看法,所以把他和武三思并列,实在是委屈甚至侮辱了他。武则天当上大周的皇帝后,曾经"数幸其第,赏赐甚厚"。武则天无疑于其最"善",所以武三思便竭尽所能讨姑姑的欢心,在大山之中迭修宫观,要姑姑"每岁临幸",至于是不是"工役甚众,百姓怨之",不在他的考虑之列。不仅如此,薛怀义、张易之兄弟等因为深受武则天之宠,对他有现实的或潜在的"善",也都小心翼翼地伺候。他给张氏兄弟献些马屁诗,"盛称"之后,还令"朝士递相属和",跟着起哄。薛怀义本是"以鬻台货为业"的市井之徒,武则天给他改了姓,又取了名,硬把他拉入士族行列。被宠到这个份上的人,武三思当然更不会怠慢,竟至每每"折节事之"。"折节事之",即是说可以全然不顾颜面。当啥头衔也没有的薛怀义要骑马时,早已为朝廷命官的武三思兄弟"必为之执辔",拉好马缰绳,一副毕恭毕敬、低三下四的样子。

与武三思交恶者,则是另一番结局了。趁武则天病重,桓彦范、敬晖等诛杀张氏兄弟,恢复了李家天下。这对于武三思而言,无疑是搅了他的好梦。韦皇后干政之后,武三思重又"威权日盛",这就使他有条件除掉已"掌知国政"的"恶人"。他是靠与韦氏"奸通"重新起家的,却不惜以之作为利器置对手于死地。他先让人暗地里写好皇后的"秽行",张贴出来,把皇帝惹怒,借追查后台之机,诬陷桓、敬等人,然后将他俩一一刺杀于流放途中。

武三思已为历史所不齿。实际上,不论是不是武三思,也不论是什么时代,握有大小权力的官员如果把这样的逻辑付诸生活之中,都注定要为历史所不齿。人问与武三思同时期的张昌仪:"一日丝能作几日络?"——能够张狂到几时。张昌仪说:"一日亦足。"本着这样心态的话,一切就另当别论了。

1998年10月12日

"上计",官出数字之始

这里所说的"上计",不是兵法三十六计中的"走为上计",而是古代中央对地方官员政绩考核的一种制度。"上计"盛行于战国、秦、汉,它要求每到年终岁尾,地方官要将本地全年的人口状况、财政状况、粮草状况、治安状况、狱讼状况等事项编制成簿籍(名曰"计簿"),然后逐级上报,奏呈朝廷。一般来说,地方都设有"上计吏"专司此事,掌管簿籍并负责上计。但是在感觉到有必要时,地方官本人也可能亲自出马,以整治"为河伯娶妇"而闻名的西门豹就曾作为邺令晋京"上计"。

"上计"的初衷是为国家全面了解地方现状提供依据,其中的统计数据无疑是关键,必须真实、准确。然而这数据是来自地方的,偏偏又用作考核地方官政绩的凭证,所以在实际操作中,就免不了背离本意,导致"官出数字"。《汉书》中的两处记载很能说明问题。

《宣帝纪》载:"上计簿,具文而已,务为欺谩,以避其课。""具文而已",即有名无实。这就是说,汉宣帝已经知道有的地方为了逃避责任,不惜干出欺骗中央的勾当,对计簿已经产生了不信任感。在《贡禹传》中,贡禹则直接向元帝指出,郡国为了达到谎报实情的目的,"择便巧史书习于计簿能欺上府者,以为右职"。颜师古在此处注曰:"右职,高职也。""习于计簿",就是在文字或数字上会做文章——这显然也是需要一点"学问"的。于是,有了这"能欺上府"的一技之长,竟然成了飞黄腾达的资本!值得一提的是,宣帝在明了真相的同时,责御史核查计簿,"疑非实者,按之,使真伪毋相乱"。汉宣一朝,史称"中兴",中兴的前提,与其"信赏必罚"恐怕是密不可分的。遗憾的是,接下来的元帝便又回归了老路。剔除痼疾是艰难的,政策行之有效是前提,若不能持之以恒便会前功尽弃。

"上计"的"具文而已",是一种自下而上的主动欺瞒;但是还有一种对"上计"的践踏却是自上而下,同样不能忽视。前者的漏洞在制度本身,后者的漏洞则在掌握制度的人。说回西门豹。他当邺令,"秋毫之端无私利也",但他这样严格要求自己可以,推己及人就不见得行,因为别人不一定具备他的素质和境界。西门豹只知道埋头苦干,不懂得巴结讨好,结果竟致魏文侯的左右"因相与比周而恶之"。比周,即结党营私,就是说西门豹只要怠慢了一个官员,等于得罪了一大片。这样一来,西门豹工作干得再好也没有用了。第一年来上计簿,"左右"先使了坏,魏文侯对他颇不满意,要收他的印,罢他的官。西门豹这才似乎明白了什么,就恳求文侯再给他一年的机会,如果还不胜任,情愿"伏斧质之罪"。这回西门豹"重敛百姓",但却"急事左右",把他们打点得好好的,果然第二年再来上计簿时,文侯"迎而拜之"。西门豹失望至极:"往年臣为君治邺,而君夺臣玺;今臣为左右治邺,而君拜臣。臣不能治矣。"(《韩非子·外储说左下》)

西门豹以国家利益至上,反而碰得头破血流,此种悲剧发生在正常的社会乃是极不正常的现象。它说明,坏的制度固然会使好人变坏,但是好的制度一旦遇上"歪嘴和尚",同样不能体现出好的功效。

1998 年 10 月 26 日

"居官以正己为先"

"居官以正己为先",明臣刘大夏语。这话表达的是一个很浅显的道理。不幸的是,这个浅显的道理要由世人反复提及。比如晋代豫州刺史王沈曾悬赏征求"逆耳之言",手下人说:"冰炭不言,而冷热之质自明者,以其有实也。"你是什么样的官,别人不会看你怎么说,而是看你怎么做;自己如果行不正,失信于人,"虽悬重赏,忠谏之言未可至也"。又比如唐太宗在庄稼还没收完的时候就忙着要去打猎,刘仁轨进谏曰:"屋漏在上,知之者在下。"居庙堂之高,对自己的行为不觉得什么,老百姓可是要倒霉的。诸如此类,说法不同,讲的都是同一道理,而刘大夏的话更加干脆、直接、明了。

居官者倘能"以正己为先",许多棘手的事情也就好办了。唐大历十三年(778年),代宗诏令"毁除白渠水支流碾硙"。碾硙,是利用水力启动的石磨。动力取代人力,是生产力的极大进步,但碾硙的负面作用也不小,就是"妨民溉田"。《通典·食货二》记载:"往日郑白渠溉田四(万)余顷,今为富商大贾竞造碾硙,堰遏费水,渠流梗涩,止溉一万许顷。"有了碾硙,灌溉率只有原来的1/4,在当时没有其他办法的情况下,看起来不毁碾硙是不行的。但是毁一般人的好办,毁权贵的如何?比如郭暧家有碾硙四轮,可他父亲是"安史之乱"中领军收复两京的功臣郭子仪,他妻子是当代皇帝的四女儿,谁敢动他家的?因此,"所司未敢毁撤"是必然的,那就只有依赖他家"正己"的态度和程度如何了。好在代宗告诫女儿:"吾行此诏,盖为苍生,尔岂不识我意耶?可率为众先。"你说他假惺惺也罢,毕竟要求公主作出了"正己为先"的姿态。果然,公主即日命毁自家碾硙之后,"势门碾硙八十余所,皆毁之"。这说明,别的权贵人家也在等着看你。倘若代宗与公主没有这个认识,这纸政令恐怕就形同"白条"了。

古人云:政者,正也。其身正,不令而行;其身不正,虽令不行。但"居官以正己为先",道理简单,实际上是一个很高的要求。尤其在封建社会,许多人是做不到的,它不仅取决于为官者的个人修养,而且更需要一种示范——居大官者的垂范作用,如同上例。明嘉靖时的王廷相对此曾一针见血地指出:"大臣法而后小臣廉","大臣污则小臣悉效,京官贪则外臣无畏"。况且对有些大臣而言,"正己"无异奢望,他们不去害人已经是万幸了。明武宗南巡扬州,"权悻以扬繁华,要求无所不至",陪同的同时,准备大捞一把。扬州知府蒋瑶不能满足他们，他们竟在蒋瑶护送"驾旋"的路上，"用铁缍系瑶"，把他用铁索拴起来以泄愤，"数日始释"。这样的大臣"示范"了什么？意志坚定非如蒋瑶者，定会与之同流合污了。刘大夏位居高官，所以他这话无疑也是说给自己和同僚的，他们这个层次的尤需"正己为先"。刘大夏本人做到了，而且做得很好。奸臣刘瑾想搞倒他，以为抄他的家，资财必"可当边费十二"，结果发现他"实贫"，鸡蛋里挑不出骨头。

换个角度想想，倘若居官者自己不正，而有法律能够正之，法律有一种强大的威慑力量令其不敢不正，也就不必过于强调修养的重要了。那么，这句"居官以正己为先"，颇有种退而求其次的无奈味道。

1998年11月16日

朱全忠的"指柳为毂"

秦相赵高"指鹿为马"的故事可谓尽人皆知。无独有偶，《资治通鉴》上还有个朱全忠"指柳为毂"的故事。讲的是有一天，朱全忠与僚佐等人"坐于大柳之下"，全忠貌似自言自语地说："此柳宜为车毂。"长官说话而没人应答，该是件十分尴尬的事，但如何作答，却令下属十分为难：柳树的材质是否适宜做车毂，亦即车轮中心装轴的那部分，问题太过专业，不好懂；而且最弄不清的，是大家不知朱全忠在征战喘息之余，为什么无端冒出这么一句。于是好半天也没人吭声，既然长官意志未明，那就琢磨琢磨吧。终于有数人或是记起了前典，"起应曰：'宜为车毂。'"不料朱全忠勃然厉声喝道："车毂须用夹榆，柳木岂可为之！"然后他下令将言"宜为车毂"者"悉为扑杀之"。

指鹿为马，"言马以阿顺赵高"者得以幸免；指柳为毂，逢迎者却掉了脑袋。外表差不多的问题，"正确"答案截然相左。或曰，唯唯诺诺，盲目顺从者都是拍马屁的谀佞之徒，都该杀。此言谬矣。无他，赵、朱的这两"指"，性质不完全一样。赵高有意颠倒是非，所以落得遗臭万年的下场；而朱全忠的含含糊糊，亦无可褒的成分。朱全忠本名朱温,在唐王朝行将崩溃之际"归顺",被赐名"全忠"。唐本来是要借助他的一臂之力,稳定政权,他却瞅准时机,占据了唐的江山,代之以后梁,后人因此讥之为"全不忠"。他的这一次"测试",就是他行将夺取政权之际,与赵高时的背景一般无二。但对鹿言马,答案泾渭分明,所以赵高的目的明确,就是要诛戮异己。而朱全忠想干什么?甄别骨鲠之士,杜绝盲从者的谀佞之途?说不通。柳木宜毂与否,没有那么绝对,且不是武将必备的知识。即便有逢迎的成分,也不一定为"谀佞",它所反衬出的,更多的是下属诚惶诚恐的心态,这倒十分值得长官们深思。那么朱全忠此举,体现出的委实是一种飘忽不定的长官意志,因此而草菅人命,除了要展示一下威严,实在找不出其他的理由。

骨鲠之士,不是一两件小事可以甄别的,在原则问题上才能体现出来。汉朝的汲黯、唐朝的魏徵等莫不如是。明朝嘉靖初年还有件闹得举朝不宁的"争大礼"亦可一窥。嘉靖是继明武宗朱厚照为帝的,二人乃同祖父的堂兄弟,朱厚照既无子息也无兄弟,这才轮到了嘉靖。但嘉靖一上台,却想把自己已去世了的父亲追封为帝并入祀太庙,把生母也尊为皇太后。这就违背了自古以来封建正统礼法。所以首辅杨廷和倡言抗争,群臣相率跪伏,"撼门大哭",修撰杨慎甚至说:"国家养士百五十年,仗节死义,正在今日。"此间"逆龙鳞"的朝臣最后大都招致了杀身、谪戍之祸。因为这里长官的意志明确,结局如何人们都预料得到,嘉靖杀得明白,群臣死得也明白,所以尽管"哭大礼"有维护封建礼教的前提,但从宏观着眼,杨廷和等人的举动仍是十分难得,值得称道的。

值得一提的是,赵高时的那些"左右或默"者,朱全忠时的那些没有起而作答者,都完好地保住了头颅。看起来,对付飘忽不定的长官意志,只有封住自己的嘴巴才最保险。当然,这要有允许你可以不表态的前提在先。

1998年11月30日

官场的猜疑

封建社会的官场中,往往存在诸多猜疑。猜疑什么?官吏升迁贬免的因素是为其一。这不奇怪,因为虽然有明文的准则存在,但是掌铨衡者或拍板算数的人素质不同,"口味"不同,执行起来标准也就不一。该上去的没有上去,该下来的没有下来,或者莫名其妙地上去或下来,能不让人生出联想吗?

唐朝御史中丞李夷简为徐晦请官,徐晦就感到不能理解:"生平不践公门,公何取信而见奖拔?"在他看来,我连你家都没去过,没打过交道,你怎么能了解我呢?其实李夷简的理由很简单:杨凭被贬官出京,亲朋好友怕受连累,没人敢去送行,独徐晦"不顾犯难",李据此便认定徐必不肯负国。这种提拔逻辑,别说徐晦,谁又能想得到?宋朝王俊义的境遇则相反,徽宗已经钦点他"宜即超用"了,但是因为没有登太师蔡京的门,结果使他"仅拜国子博士"。不同的是,王俊义犯不着猜,因为蔡京对他早已经有言在先:"一见我,左右史可立得。"话挑得这么明,不来当然就拉倒。蔡京负责具体事务,给谁什么职位他说了算。这也可见,制度掌握得如何,还有个"良心"因素。

不过,取决于"良心"的制度同样是靠不住的。蔡京之类的奸贼不用说了,李夷简何尝又有私心,举荐徐晦还不是让人感到荒谬?再比如唐朝名相姚崇、卢怀慎这样"良心"绝对不坏的人物,在触及自身利益时亦不免拨动个人算盘。姚崇的儿子"广纳贿赂",监察御史宋宣远仗着是卢怀慎的亲戚,"颇犯法",崔沔刚有依法处理他们的想法,姚、卢二人就"遽荐沔有史才,转为著作郎",把他调离"检校监察御史"这个岗位,让他干不成。姚、卢自以为做得巧妙,但时人皆知"其实去(沔)权也"。工作需要,理由何其冠冕堂皇!还有唐德宗时的窦参,"每议除授",爱跟族子窦申商量,大约是有意通过他透点风声。窦申就此有了"招权受赂"的资本,走到哪里,"人目之为喜鹊",谁肯出钱,谁就能达到目的。窦参的"良心"为"贪心"所取代,能指望通过他选拔出德才兼备的官员来？

正是有了这很多客观存在的事实，才极大地丰富了人们的想象空间。这样一来，那些在用官原则上坚持客观公正的人就有可能因猜疑而被冤枉。宋真宗时有个宰相王旦非常正直，朝士多其所荐，但这是他死后人们查阅档案才知道的。他生前从来不借此居功，只是按原则行事，以致"宾客满堂，无敢以私请"。寇准曾经托人"私求为使相"，王旦正告他："将相之任，岂可求耶！"王旦比较看重寇准，不能接受的只是他的这套做法，所以寇准后来位居宰相，还是王旦力拔之功。然而寇准按照"正常"推理，恨透了王旦，弄得真宗也看不过眼，对王旦说："卿虽称其美，彼专谈卿恶。"寇准的这类猜疑，史多所见，极具代表性，极端者甚至雇请杀手，"夜持弓矢"伺人门外寻机报复。倘若王旦心胸褊狭一些，非但就此不荐，反而再踩上几脚，则王旦不去，寇准便很可能不会再有出头之日。达不到目的而迁怒于人，"忠直"如寇准者亦有这般劣性，可见其他了。

官场的猜疑往往超出了个人恩怨的范畴，其危害可能误事，也可能误国。猜疑之源，由上可见一斑。事实上，倘若把用人的公正与否只寄托在用人的人而不是用人的制度上，是很可让人"想入非非"的。

1998 年 12 月 21 日

曾铣"上疏"的悲剧

曾铣是明朝的大臣。嘉靖年间，他有过一个"上疏"，讲的是收复西北河套地区的作战方略。令曾铣始料不及的是，这个"上疏"最终竟招来了杀身之祸。悲剧的起因并不在于方略本身如何，而在于皇帝对此前后不同的态度及其所决定的官员的行为取向。

曾铣虽然是进士出身，但是很懂得打仗。他巡抚山西，"经岁寇不犯边"，因此荣升兵部侍郎；总督陕西三边军务后，外敌或十万之众或轻骑入掠，均能击之却之，因此又"增俸一级，赐银币有加"。朝廷这样重视战功,是因为自明初以来,北部边防一直虚弱得很。比如河套地区虽已被划入版图,但早就为左近游牧之人侵占了去,有名无实,而将领的御敌招术往往只有大筑"边墙",试图一挡了事。曾铣既屡蒙恩宠,更欲有所作为。他在做了一番调研之后,认为把河套重新夺回来并不是什么难事,只要"以锐卒六万,益以山东枪手二千,每当春夏交,携五十日饷,水陆交进,直捣其巢",就可以一劳永逸。曾铣的方略是否切实可行,不在本文的讨论之列,但他的命运正是随着这个"上疏"发生了戏剧性的变化。

对于曾铣的"上疏",起初不是没有人反对。在兵部,首先有"部臣难之",但他们没有号准皇帝的脉搏,并不急于表态,把问题先推给地方,"令诸镇文武将吏协议",拖延时间。果然,皇帝不久后发话了,他说占据河套之贼久为祸患,使他"宵旰念之",而"边臣无分主忧者"。话说到这个地步,分明对不少边臣颇有责备的味道,潜台词是在褒扬曾铣,因为曾铣的"上疏"为他分了忧,后来更明确地定性为"甚壮"。然而西北边陲的几个巡抚,如延绥的张问行、陕西的谢兰、宁夏的王邦瑞等表现得不大知趣,仍"以为(曾铣之策)难,久不会奏"。从后面发生的事情看来,这里的所谓不知趣,就是不骑墙,倒颇有些可贵的成分在内。

中央的官员们是知趣的。他们见嘉靖站在曾铣一边,毫不犹豫地"一如铣言",纷纷投赞成票。偏偏嘉靖"复套"的兴致虽有,却又时怀隐忧,特别是想到"土木之变",生怕一旦不成而引起祸端。有一天,他"忽出手诏"于辅臣,动摇了:"今逐套贼,师果有名否?兵食果有余,成功可必否?一铣何足言,如生民荼毒何。"皇帝的态度一变,倏忽之间,朝臣也纷纷倒戈——事情的可悲之处正在这里。先前"主之甚力"的原首辅夏言先害怕了,"请帝自裁断";兵部尚书王以旂则"尽反前说";给事中齐誉等后来见嘉靖愈发怒甚,干脆"请(将曾铣)早正刑章"……

更可悲的是,嘉靖对曾铣的将信将疑,给首辅严嵩提供了斗倒夏言的有利契机。夏言与严嵩本是同乡,严嵩还是他引入内阁的。但严、夏两人后来的争斗,此起彼伏,反复之多、历时之久、手段之阴毒,在明代的阁臣争夺中可谓达到了顶峰。严嵩利用曾铣的"上疏",不仅终于致夏言于死地,而且连带曾铣也被判了斩刑,死在法场。曾铣之冤,直到其后的隆庆朝仍有人在鸣不平,说是"识(曾铣)与不识,痛悼至今"。再后的万历朝,终于为之建祠陕西,因为曾铣还是个"家无余赀"的廉官。但身后的正名对于曾铣本人已经毫无意义了。

一道出自良好意愿的"上疏",就这样折射出朝臣的肮脏丑陋。那么,曾铣的悲剧,实际上是当时朝政的悲剧。

1999年1月4日

腹中物

腹,通俗地说是肚子。人的肚子中装些什么东西,从生理学的意义来说,并没有本质上的不同。但是撇开生理学的不谈,从社会学或是别的什么学科角度来观察,则是另外一种视野。北齐徐之才曾在周舍的家里听过一堂《老子》,之才那时只有七八岁,边听边吃,周舍看不下去,想要训诫一下他,乃戏之曰:"徐郎不用心思义,而但事食乎?"不料小孩子答道:"盖闻圣人虚其心而实其腹。"圣人的"实腹"当然并不是果腹阶段的"实腹",而是不耻下问,日有所知。徐之才理解这层弦外之音,但是有意错用,显示出他的机智,同时也令周舍"嗟赏"不已。

生理学意义之外的"腹中物"是五花八门的,略举几例。"边氏腹"在今天是学问的代名词,边氏,指东汉的边韶。他的学生曾嘲笑他"腹便便",他说"腹便便,五经笥"。边韶认为,自己腹大不假,但里面装的是学问。《世说新语·排调》载,七月七日古有"曝经书及衣裳"的民俗,郝隆则躺在太阳底下晒肚皮,人家问他怎么回事,他说:"我晒书。"像边韶一样,郝隆也自负满腹诗书。《资治通鉴·唐纪》云,安禄山这个人特别胖,尤其是"腹垂过膝",自称"腹重三百斤"。

唐明皇有一天拿他开玩笑,说:"此胡腹中何所有?其大乃如此尔!"安禄山答得极妙:"更无余物,正有赤心耳!"这么大的一颗"赤心",该是何等忠心耿耿?《明史》记,轩輗被同僚拉去赴宴,"归抚其腹"说:"此中有赃物也。"轩輗意识到,自己吃的是民脂民膏。

这几个人的"腹中物"不就是各具千秋吗?

"腹中物"因人而异,往往在于个人的修养不同及其所决定的境界不同。比如轩輗能说出腹内有赃物的话,就不是偶然的。他与耿九畴,俱以清操闻名天下,时人"语廉吏必曰轩、耿"。正统年间,他任浙江按察使,力矫前任的奢汰之风,"寒暑一青布袍,补缀殆遍,居常蔬食,妻子亲操井臼",以致过了十几年,复辟成功、年号已改为天顺的英宗还记得他:"昔浙江廉使考满归,行李仅一簏,乃卿耶?"因而轩輗之言,发自肺腑,以搜刮为能事的贪官岂能产生这样的认识?即使说得出口,充其量也是一时的矫情。

安禄山腹中的"赤心",完全是应时的产物。史载安氏"外若痴直,内实狡黠"。他把部将刘骆谷专门留在京师,刺探"朝廷旨趣",以能"动静皆报之"。为此他每年都把大量的奇禽、异兽、珍玩运往京师,弄得"郡县疲于递运"。一句"赤心",令玄宗何等欢喜!但是结果呢?正是安禄山发动的"安史之乱"直接导致了唐的由盛及衰,并最终灭亡。起兵之后,安禄山自己恐怕也会觉得当年"赤心"说得可笑。

讲到"赤心",还有一典。武则天怀疑儿子也就是皇嗣李旦要谋反,使来俊臣穷鞫其左右。安金藏见有口难辩,干脆"请剖心以明皇嗣不反",言毕即以佩刀自剖其胸,致使"五脏并出,流血被地"。武则天为之感动,叹曰:"吾子……不如尔之忠也。"即令来俊臣停推。安金藏腹中跳动的"赤心"较其后世本家安禄山的,绝对货真价实。安禄山因为暗藏的是一颗"祸心",所以别说主动,就是让他剖开也是不敢的。

由此看来,探究人的"腹中物",是件挺有意思和挺有意义的事,它能够折射出的东西很多,尤其是人的品性。

1999年1月18日

"青词宰相"

青词是道士上奏天庭的符箓。他们相信,用朱笔把自己的心愿书写在青藤纸上,然后焚化,心愿就能实现。这种信仰在一定的历史时期内盛行于民间,不值得大惊小怪,但是如果一个国家的主宰不仅笃信而且沉溺其中,是值得忧虑的;如果他身边的臣子推波助澜,并借此争功邀宠,争权夺利,那就十分可怕了。明朝的嘉靖皇帝及其身边的"青词宰相"们,则的的确确为历史上演了这样一幕闹剧。

明朝取消了宰相一职。太祖朱元璋为了增重自己的权势,并为子孙建立起稳固的基业,把明初设置的左右丞相不久就废除了,职能分散给了吏、户、礼、兵、刑、工六部。嘉靖时没有宰相,何称"青词宰相"?当然这并不是实指,而是借指撰写青词而达到宰相这样一种地位的人。嘉靖从其执政的中期开始,迷恋于服食成仙之道,每日除去征伐诛杀的事情过问一下,便只与方士混在一起。由于青词是一种赋体文章,要能以极其华丽的文笔表达出求仙的诚意和对上苍的要求,要写好并不是件容易的事。正因为不容易,皇帝本人写不出来,又求仙心切,对青词的要求既多且急,捉刀代笔的人写好了,也就有了扶摇直上、平步青云的前提条件。嘉靖时的许多阁臣,如李春芳、严讷、郭朴及袁炜等,都有这样一手本事,他们因擅写青词而入阁,时人就把他们称为"青词宰相"。这句话,既是直陈,又颇有讽意。

人们讥讽"青词宰相",不仅是他们入阁的手段,而且在于许多人入阁之后,专写青词,不干别的。"撰青词,最称旨"的首推袁炜。史载袁炜才思敏捷,嘉靖即使半夜里拿出点新思路,他也能"举笔立成"。嘉靖养的一只猫死了,在袁炜的笔下是它已"化狮作龙",令嘉靖高兴得不得了。对这种所谓的人才,尽管嘉靖平常还舍不得多用,急需的时候才搬出来,但于国事显然丝毫无补。另一方面,"青词宰相"带坏了风气。为了取悦皇帝,撰写青词便成了许多人不得不下的功夫,而且谁的功夫好,谁还可能在权力斗争中占据上风。明朝无宰相但是有首辅,地位与宰相相当,一直都是阁臣争夺的目标。严嵩斗倒夏言,徐阶又斗倒严嵩,都曾以青词作为利器之一。夏言对求仙有点不屑一顾,"进青词往往失帝旨",严嵩闻而"益精治其事";徐阶则对青词精益求精,"应制之文未尝逾顷刻期"。青词这诸种功能,把嘉靖朝政的不堪暴露得淋漓尽致。

敢于发表反对声音的,大约只有海瑞。海瑞知道自己可能会有生命危险,上疏之前干脆把棺材一起带上。他直截了当地指出:"陛下之误多矣,其大端在于斋醮。"嘉靖对天师道士陶仲文崇拜得不得了,"以师称之"。海瑞问道,陶仲文不是死了吗,连他都长生不了,"而陛下何独求之"?什么得道升仙,"此左右奸人,造为妄诞以欺陛下,而陛下误信之,以为实然,过矣!"海瑞的声音是振聋发聩的,但在大臣们"争上符瑞"的强大现实面前,即使这样的声音也还是太弱,弱得可以忽略不计。

宋臣有言:"平居无极言敢谏之臣,则临难无敌忾致命之士。"说得十分精辟。的确,只是一身媚骨,关键时刻如何慷慨悲歌!但"极言敢谏之臣"与"青词宰相",其实历代均不乏人,朝政及社会风气如何,关键是看哪一种能够占据上风。

1999年2月8日

"言路虽开犹未开"

"求言非难,听之难;听之非难,察而用之难。"宋徽宗时大臣王涣之的这番话颇能令人回味。

求言,无疑是求真言,阿谀之言不求自至;而真言往往是直言,就是听着可能不大舒服的那种。"听之难",实际上是听直言难。求言的确不难,古时每逢日食地震,帝王们都要"诏求直言",但直言真的来了,态度往往也就变了。比如明朝永乐皇帝时,"及言者多斥时政",成祖就很不高兴;"于是发怒,谓言事者谤讪",转而"下诏严禁之,犯者不赦"。嘉靖皇帝则干脆说人家的直言是"胁君取誉",为自己获取直臣的声名而胁迫君主,这项罪名可是不轻。

　　大名鼎鼎的王安石也属于"听之难"的一类。熙宁变法,那么大的事情,触动方方面面的利益,有不同甚至激烈反对的声音肯定是正常的。况且,任何一种理论上完善的政令,都有可能在实践中暴露出种种问题,及时修正十分必要。可惜,安石却是只捡好话来听。他的学生陆佃直截了当地批评道:"公乐闻善,古所未有。"因而他提醒老师要注意纳谏,比如青苗法,"法非不善,但推行不能如初意,还为扰民"。扰民,无疑失去了变法的本意,不改进不行。王安石很不以为然,说自己不是拒谏的人,不过如果"邪说营营",当然也就"顾无足听"。把不好听的、不愿听的话都视为"邪说","听之难"的关键恐怕就在这里。但对不同意见不屑,往往是要付出代价的,"新政"的夭折,可以说王安石自己首先就种下了前因。可叹的是,秉承其衣钵的大有人在。明朝万历时,顾宪成疏论时弊谪官,大学士王锡爵的理由就是:"彼执书生之言,徇道旁之口。"陈瓒问他,书生之言当不当信,道旁之口当不当察?"锡爵默然",他心里清楚,陈瓒指责得确实有理。

　　求言了,姿态摆了,听不进也就罢了,实不必陷言者以罪,因为这里面有个很重要的前提:你让人家说人家才说。陷人以罪,惟令天下忠直之士寒心。唐人颜真卿质问宰相元载:"用舍在相公耳,言者何罪?"宋人王严叟说自己身为谏官即当直言,难道是我"好为高论,喜忤大臣"? 还不是"恐命令斜出,尤损纪纲"!明人王家屏说自己但知尽言效忠,"岂意激主怒哉?"但是,如同历史记载告诉我们的,很多人,尤其是握有绝对或相当权力的人不这么认为。他们把逆耳之言,无论言者是否忠心耿耿,也无论所建之言是否积极且富于建设性,统统敌对起来,无情打击,人为地酿就悲剧。

　　当然,凡事没有那么绝对。唐朝那个因著有《元和郡县图志》而名闻后世的李吉甫,听到代宗"察而用"了他的建议,高兴得"拜贺"。代宗却觉得没有什么:"卿,此岂是难事。"他告诉吉甫:"但勤匡正,无谓朕不能行。"只是这样的人和事,得不到什么保证,完全视乎帝王自身的素质和彼时的心境,连以开明而著称的唐太宗不是也气得几次想轰走进谏不休的魏徵吗?"察而用之",当然是有的,只是如王涣之所说:"难!"

明朝景泰时尚褫的另一番话,似乎能使人对诸多"求言"的本质认识产生启示。这话是:"忠直之士,冒死陈言。执政者格以条例,轻则报罢,重则中伤,是言路虽开犹未开也。""言路虽开犹未开",一家伙戳中了所谓"求言"的真正要害!

1999年3月29日

反躬自责

反躬自责,不是件容易做到的事情。因为对许多人来说,认识到自己有可责之处,本身就是一件很难的事。比如,西汉的杜周治狱,完全遵从皇帝的旨意,"上所欲挤者,因而陷之;上所欲释者,久系待问而微见其冤状"。有人说,总要依照一下法律,讲点原则吧。杜周振振有辞地回答,成文的法律还不就是制定时的那个皇帝的意志?杜周的行为酿就了不少冤案,这是必然的,但他认为自己是奉命行事,别人没什么好说的。

认识是必要的前提,然后才谈得上自责。其实有的人即便认识到了,也做出了相应的自责姿态,仍然要看看再说。因为同样是自责,还可以划分出一些种类,不是一旦沾上这两个字眼便当然地高尚。试举三例——

唐朝的苏世长在陕州当官的时候,"部内多犯法",他管不了,于是"责躬引咎"。他采取的方式很特别,"自挞于都街",站在大街上让个伍长用鞭子抽打他。长官这样惩罚自己,百姓应该感动才是,可惜苏世长以前面子上的事干得太多,失去了人们的信任,大家搞不清他这一回是真是假,只是静观其态。当事的伍长最清楚怎么回事,"嫉其诡",加了把力,"鞭之见血",苏世长"不胜痛",大叫着跑掉了。围观的人们哄然大笑,知道他这一番"苦肉计"还是做给百姓看的。

明朝隆庆时的赵贞吉去职之前也有过自责:"臣自掌院务,仅以考察一事与(高)拱相左。其他坏乱选法,纵肆作奸,昭然耳目者,臣噤口不能一言,有负任使,臣真庸臣也。""臣真庸臣",话说到这个份上也堪称痛心疾首了。高拱是个十分霸道的人物,首辅徐阶荐之入阁,马上他就"负气颇忤阶",连徐阶也不放在眼里。能与这样的人产生不同意见,哪怕只是一件事,也有难能可贵的成分。不过细看之下,却是利益纷争的问题。赵贞吉掌都察院,高拱的手伸得太长,想把都察院各道的监察御史重新过遍筛子,借机安插亲信。要触动自己的利益,赵贞吉忍不住了,所以才"抗章劾拱"。那么先前的"噤口不能一言",主要还不是不敢,而是与己无关。与己无关,明哲保身,是不是"昭然耳目"又有什么关系呢!那么,赵贞吉的这种所谓"思痛",终究与真正意义的自责还相去甚远。

明朝万历年间的梅国桢要求为魏学曾平反时的自责,才是足以称道的举动。魏学曾总督西北军务,梅国桢任监军,共同抗击俺答。他们的仗打得十分不顺,招降不成,攻城不果,甚至屡屡失利,令万历很不高兴,怪罪魏学曾消极作战。因为魏学曾曾经上疏请求不要让监军参与军事,万历"饬国桢如其言",梅国桢不高兴,找到机会便弹劾魏学曾,说了不少坏话,致其被逮入京。实际上魏学曾差的只是时间,在他被捕后不足一个月,明军便依照他先前的部署破城而入,取得了胜利。功成名就的梅国桢对自己的一时意气用事十分后悔,他说:"逮学曾之命,发自臣疏,窃自悔恨。学曾不早雪,臣将受万世讥。"并没有什么人要找他算账,这样的自责,发自内心深处。

或曰,能够自责,究竟要比不能的要强。怕不尽然。如苏世长的那种,极具欺骗性,很容易蒙蔽人们的视野。所谓"赃吏坏法,法在;奸吏坏法,法亡",说的就是这个道理。赃吏坏法,坏在明处,人们可以警觉得多。

1999年4月26日

"恐人知"与"恐人不知"

　　清廉的官吏历来受百姓拥护,所以清官戏长演不衰。清官的前提是廉洁,倘若受了人家的贿赂,断案、裁决等就不可能有什么公正可言。除了拒贿,清廉与否还表现在许多方面。端州(今广东肇庆)盛产名砚——端砚,传说包拯从那里卸职,却一点特产也不带走,别人偷偷塞了一方给他,他发现后还是扔掉了。后人便在那故事发生的地方给他修了"掷砚亭",这亭子今天还在。综观包拯的秉性,人们宁愿相信存在过这样的事实,反映出一种对清廉的渴望。

　　历史上以清廉闻名的人数不胜数。同样做到了清廉,西晋的胡威又把它划分成"恐人知"与"恐人不知"两类。胡威与其父都是清廉的模范,武帝有一次问他:"卿孰与父清?"胡威答道:"臣父清恐人知,臣清恐人不知,是臣不及远也。"在胡威看来,父亲的清廉不声不响,而自己的清廉则到处嚷嚷,其高下当然一目了然。胡威在这里有故意自贬的成分,但这种划分很有意味。

　　客观地说,清廉乃为官的起码要求,委实不值得张扬,本该如此的事有什么可夸耀的呢?但这种境界在人治社会里的确弥足珍贵,因为许多本该如此的事并不如此。然而"恐人不知",倘若前提确是清廉,并没有什么不好。所以强调前提,在于有些骨子里贪得无厌的人,受贿无数回,也会假惺惺地拒绝一两回表演一下,然后大造声势。在有些情况下,清廉的人很有必要让世人知道什么才是真正的清廉。

　　杨震却金的故事十分著名,有人怀疑,只有"天知地知子知我知"的事情,是如何传播开去的,送的人还是却的人?非常蹊跷。但是我想,即便是杨震本人说出去的,也没什么了不起。从这个"关西孔子"一贯的品行与人格来看,暮夜却金,难道属于意外吗?让打着各种旗号跑官要官的人亮一亮相,使之知羞,倘能使后来者引以为戒,这种"恐人不知"反而太少了呢!

　　三国时曹魏的田豫也是个相当清廉的人。他镇西北,令"胡人破胆",但朝廷的赏赐,他"皆散之将士",从不往家里拿,尽管"家常贫匮"。鲜卑头领几次送来牛马,他都"转送官"。人家以为牛马目标太大,他不敢收,再次登门时就"密怀金三十斤",让他避开左右,说:"今密以此上公,可以为家资。"斯时也颇具"四知"情境,不同的是,田豫从民族关系的角度来考虑,"张袖受之",而在"胡去之后,悉付于外,具以状闻"。田豫的做法,本质上仍是"却",他把事情的前后经过明明白白地告诉大家,该是另一种十分必要的"恐人不知"了。

一个清廉的官员,即使主观上"恐人知"也是不可能的。唐朝北部边界民族成分复杂,节度使到任,党项等族人"必效奇驼名马"。在许多人看来,这是工作性质的需要,不算受贿,况且收了还能搞好关系,何乐而不为?因而以往的节度使们"虽廉者犹曰当从俗"。但范希朝到任,"一无所受",且整整十四年,"皆保塞而不为横"。城中原本缺少绿荫,范希朝就从别处购来柳树种子,"命军人种之,俄遂成林,居人赖之"。令百姓怀念的范希朝,声名早已不胫而走了!我不知道在他之后,"俗"尚存否,但那些所谓"廉者"似可打个问号。

总之,有了清廉这么一个关键的前提,"恐人知"与"恐人不知"都没有关系,二者并无高下之别。说回到胡威,大可不必自贬,即使是类比父亲。

1999年5月24日

"省官不如省事"

西晋司马氏政权比较重视农业生产。奠定家业的司马懿曾经说过:"灭贼之要,在于积谷。"他在淮南实行屯田,积累了雄厚的物质基础,最终武帝司马炎使三国归晋,结束了180多年的分裂混战局面。

立国之后,晋武帝为了强化重农政策,甚至有过一次大规模"精兵简政"的想法,就是"省州郡县半吏以赴农功"。大臣荀勖对此表示异议,他说:"省吏不如省官,省官不如省事。"他讲这话,是总结了前人经验教训的。关于省吏,三国曹魏搞过一次,"遣王人四出,减天下吏员"。省官呢?则光武帝刘秀的手术动得颇大,当然不乏历史的因素使然。经过西汉末年的动荡和战乱,到东汉初,人口锐减,较之前代,史载户口不过十之二三,原来庞大的行政机构就变得没有必要,因此刘秀下令裁并郡县,并且"吏职减损,十置其一"。但所有这些,荀勖认为于今并不紧要,如果真正要在农业发展上做文章,"则宜以省事为先"。

在荀勖眼中,"省事"的典范是汉文帝的统治模式,就是西汉"文景之治"时的那个"文"。那是怎样的一幅社会生活图景?轻徭薄赋,与民生息,"断狱数百,几致刑措",一年才不过几百起案子,刑具几乎要闲置起来了。汉文帝很"省事",他想建一座露台,算一下费用相当于中等人家一年的收入,就不建了。相形之下,西晋该省的事太多,王朝虽短,但其腐朽的程度在历史上却出了名。何曾日食万钱,犹曰"无下箸处";王恺和石崇斗富,皇帝也参与其中。傅咸当时即上书曰:"奢侈之害,甚于天灾。"

但对这些重量级的"大老虎",荀勖是不敢触动也触动不了的,他所强调的"省事"之本,只有眼睛向下,在官尽其责、令出必行等方面做文章。比如他说,凡居官位者,该干什么就干好什么,"事留则政稽,政稽则功废",该办、能办的事情拖着不办,政令不畅,失去信誉,再怎么承诺也是白搭。如果"处位者而孜孜不怠,奉职司者而夙夜不懈",则虽仅有挈瓶汲水之小智的官吏,也能守其器而不以假人。荀勖也讲竞争,但他强调"心竞而不力争",比干劲大小而不是比官职大小,"量能受任,思不出位"。在令出必行方面,荀勖说,政令要切实,要有严肃性,令之所施,必使人"愿之如阳春,畏之如雷霆",不要一会儿一个细则,一会儿一个补充规定,不仅"为百吏所黩",也"为百姓所餍"。荀勖乐观地认为,如果他说的这些都能实现,"虽不省吏,天下必谓之省矣"。

荀勖出了这么多主意,是因为他知道"请神容易送神难",当上了官的谁也不愿意下去,精简—膨胀—再精简—再膨胀,在他之前就已被证明是一条重复循环的老路。同时,真要执行起来的话,也不好操作,各州郡县的具体情况不同,不分青红皂白,一家伙都裁去一半,有的地方恐怕就要误事了。另外一个关键问题是,裁人的依据很难把握好,必须得保证能者上、庸者下;而且一旦明确了,则"不可动摇",会闹的孩子总有奶吃不行。那么,与其先前所省,须臾辄复,不如慎重些好。

荀勖说得都有道理,但他忽略了一点,不减官而减事,几乎是不可能的。多余的官吏为了显示自己的存在,会自觉不自觉地找事、争权。荀勖"理论"的意义在于,既然现行的一切触动起来太难,精简机构从减事着眼,未尝不可作为一种无奈的选择。

1999年6月7日

官员的科场舞弊

科场舞弊,伴随科举而生,称不上稀奇。概因为高中与否,对人的前途影响太大,没有真本事的人不能不在场外绞尽脑汁。细看科场舞弊,似可分为两类,一类是发生在民间的,一类是发生在官场的。前两年有个地方发现了一种印刷非常精致的书,掌心大小,却印满了四书五经。今人度其用途,大抵就是便于考生偷带进考场。这种作弊,可划入民间的,乃是小人物的伎俩。而官场人士的同类行为,则有质的不同,它侵入了社会肌体,破坏的是制度,暴露的是腐败。

唐朝天宝二年(743年),御史中丞张倚的儿子张奭科考,适值苗晋卿和宋遥主事。其时安史未乱,社会相对承平,"每年赴选常万余人",人才济济,从中录取64人,该有多大的挑选余地?但对大人物的孩子,是谈不上挑选的,打个招呼固然更奏效,对于许多试图巴结上去的人来说,这个招呼即使不打,他们也知道该做什么。苗、宋二人便乖巧得很。他们看到张倚正在得宠,"欲悦附之",那么,把张奭的事情办好了,日后自然也就有了张倚的照应,所以他们不仅录取了张奭，而且录取为第一名。不幸的是，张奭不读书在当时是出了名的，谁都知道，瞒不了人，因而结果一出，舆论大哗。在唐玄宗亲自主持复试之下，那位"状元"哥"手持试纸，竟日不下一字"，最后交了白卷，留下"曳白"的笑柄。

明代万历朝，首辅张居正"三子连占高科"，至"辅臣子弟遂成故事"，争相效仿。这些人的子弟底气不足是肯定的，虽不至于到"曳白"的地步，但是老子们如果不动用权力、关系，显然就不能登榜。张居正曾"罗海内名士"和儿子交朋友，借以抬高儿子的身价。没骨气的"名士"什么时候都不缺，"谢弗往"的也什么时候都有，比如汤显祖。对前途不用说，"识趣"的上得会快些，沈懋学就与张子同时得中进士，汤显祖则要为此付出再等上几年的代价。张居正身败之后，丁此吕揭发道：张子的"殿试策"是礼部侍郎何洛文代撰的，张居正在台上时没人敢说什么，现在他倒了，也该对这些"捉刀"的官员有个说法了。此语甫出，不料惊动了大学士申时行，他申辩说考官评卷依据的只是文字水平，根本不知道是谁的卷子，"不宜以此为罪"；接着他锋头一转，矛头直指丁此吕，最后硬把他撵出了京城。申时行的话当然不堪一驳，但他这样辩解，不是平白无故的，一方面他是张子那科的主试官，肯定参与其中了；另一方面，他自己在类似的事情上也有说不清的地方。江东之就不客气地指出，申时行的两个儿子也都登了科，当然不乐意丁此吕曝科场上的事，曝得多了，他自己也就露馅了。的确，申时行不光是两个儿子的问题，他的女婿"预选"之后，也被人揭发"有私"；礼部郎中高桂顺藤摸瓜，连大学士王锡爵的儿子也牵涉到了……

国家选拔人才的方式，就这样被一些人当成了结党营私甚至交易的工具，种种明火执仗的行为对社会所构成的腐蚀和危害不言而喻。究其原因，肯定都是缺乏有效的监督。没人监督不行，监督不是真刀真枪也不行。唐朝苗晋卿和宋遥主事之时，上头不是也明令"务其求实"吗？但苗、宋上演丑行，众议纷然不假，却只是窃窃私语，始终没有人站出来，最终的曝光还要靠当时尚是红人的安禄山偶然听到而向玄宗提及。这就可见,监督仅仅有了制度是不够的,倘若缺了丁此吕、江东之、高桂之辈,同样无从谈起。

1999 年 6 月 28 日

崔暹遇骂与陆岩挨打

　　检验一个官员在百姓心目中的地位如何,可以有许多方式。不过对一些官员而言,不同的检验方式可能会得出不同的结论。比如百姓在知道可能的后果之时、在慑于淫威之时,就难免言不由衷。因而必欲得到百姓的真实评价,大约只有在百姓不知道他是官员,或者那官员下台之后才有可能。兹拈二例。

　　北魏崔暹官任瀛州(今河北河间)刺史时,有一次出城打猎,不知怎地突发奇想,"单骑至于民村",来了个"微服私访"。村中有个老妇人正在井中汲水,崔暹一面请她帮忙饮马,一面借机考察一下自己的形象,便向老人试探性地问道:"崔瀛州何如?"崔暹这样问,一定是自信能够听到溢美之辞的,反之就叫做自取其辱了。不料老妇人并不认识崔暹,更不知道眼前这位"路人"正是瀛州"民庶患之"的堂堂崔大人,就对他愤愤地说了实话:"百姓何罪,得如此癫儿刺史!"癫儿刺史,此乃瀛州人民原汁原味儿的评价。崔暹十分扫兴,"默然而去"。

　　唐懿宗时有个宰相陆岩被谪官出京,"待遇"就更不妙了。百姓不仅骂他,而且在他出城时纷纷"以瓦砾掷之",抄起砖头瓦块之类的东西打他,以泄胸中之愤。陆岩脸上很挂不住,对送行的京兆尹薛能自我解嘲说:"临行,烦以瓦砾相饯!"京兆尹是京都的卫戍长官,薛能又是陆岩一手提拔上来的,所以陆岩这样说,颇有些责备薛能没保护好他的意思。薛能对"恩公"这样不知趣颇感意外,他只有委婉地说:"向来宰相出,府司无例发人防卫。"听了这话,陆岩才惭愧不已。的确,宰相谪官出京并不鲜见,但是又有多少人挨过打呢?挨了打,自己难道不该问问为什么吗?

显然,崔暹遇骂与陆岩挨打,都不是无缘无故,只是他俩官儿当得自我感觉不错而已。崔暹和陆岩究竟是怎样的人物呢?《魏书》把崔暹列入了"酷吏传",这一列,等于给他定了性,区区三四百字的记载,也确实活现出这个贪官污吏的嘴脸:任南兖州刺史,"盗用官瓦,赃污狼藉",为人所纠,免官;行豫州事,把几个儿子单立户籍,分隶三县,"张虚数以宽责",又"广占田宅,藏匿官奴",甚至围堤侵夺水面,为人所弹,免官。遇骂这一次,是他第三度为官,此后不久,又"以不称职被解还京"。《新唐书》中的陆岩同样恶行昭彰。他与韦保衡统揽了朝政大权,时人目其党为"牛头阿旁"。被比作地狱中的厉鬼,为政该是何其凶恶可怖!陆岩还出过一个非常残忍的主意:对那些赐死的三品以上官员,"皆令使者剔取结喉三寸以进",就是把喉咙上下相接的那部分挖下来,以"验其必死"。他没有料到的是,自己最终也被赐死,也是"剔取喉,上有司"。人们说他"俄而自及",以害人之心终于害己。

不妨作这样一个假设,倘若崔暹对老妇人直截了当地说:"我是崔瀛州,你觉得我官儿当得怎么样?"那么他还会遇骂吗?如果陆岩还是宰相,在京城里耀武扬威,那么他会挨打吗?绝对不会。这种百姓真情实感的流露,看起来是出自个人或部分人之口之手,实际上代表着一种广泛的民意。它可以被压抑,但无法改变其本身的存在,并终究有释放的可能。崔暹和陆岩已经作古,而后人哀之,倘"后人哀之而不鉴之",可哀的则是后人了。

1999 年 7 月 19 日

挑地方当官

官员任什么职,到哪里去任职,理论上讲要看个人的能力与工作的需要如何,实际中有一种情形却往往不是地方挑人,而是人挑地方。捐官即买官的人不用说了,出钱不只是为了过官瘾,还要把付出的如数捞回来，甚至要一本万利，当然要挑。能"跑官"的人也不用说，能"跑"说明他有"本事"，有"本事"的人当官，当然既要挑职位，还要挑地方。除此之外，有些在当时及后世口碑还不错的官，也免不了要讨价还价，不理想或者不对胃口的地方，就不去。

唐玄宗要张九龄去当冀州（今河北冀县）刺史，张九龄就不愿意。他的理由是"母老在乡，而河北道里辽远"，于是"上疏固请换江南一州"，结果改为洪州（今江西南昌）都督。张九龄是广东曲江人，他讲的远近是按老家来衡量的。路远，回家看老娘不方便，这个借口即使在张扬孝子的时代，也显得比较荒谬。张九龄所以能"挑"，主要在于因恃才而至恃宠。

但是如果自恃过甚，性质也可能发生逆转，这倒是某些"挑"得过火的人不能不小心的。贞观初年，交州（今越南河内）都督以"贪冒"得罪，唐太宗想找个合适的人选去接替。大臣们都推荐年轻有为的卢祖尚，说他才兼文武，廉平正直。太宗很高兴，把卢祖尚从瀛州（今河北河间）刺史的任上召至京师，当面委以重任："交州大藩，去京甚远，须得贤牧抚之。前后都督皆不称职，卿有安边之略，为我镇之，勿以道远为辞也。"皇上这么看得起自己，卢祖尚很高兴地答应了。但是热度一过，他又后悔了，说自己的老毛病犯了，去不了。太宗派杜如晦去劝，还是不行，便很不高兴："匹夫相许，犹须存信。卿面许朕，岂得后方悔之？"但他还是作了让步，说不会让你一辈子待在那里，"三年必自相召"，你就当是镀镀金、捞个在边远地区工作过的资本吧，并且保证"朕不食言"。话说到这个份上，卢祖尚已经没了退路，条件这样优厚，还想怎么样？没办法，他只好说："岭南瘴疠，皆日饮酒，臣不便酒，去无还理。"去无还理，是怕把自己的命送在那里，这才真正是卢祖尚的心里话。太宗终于忍无可忍："我使人不从，何以为天下！"当即下令斩之于朝。唐太宗为政宽怀，这回却杀了一个能干的部下，不是气愤至极绝不至于斯。

相形之下，南朝刘坦的"挑"则显得弥足珍贵。萧齐内乱，想派个人去镇守湘州（今湖南长沙）就是找不出，刘坦站出来说："湘土人情，易扰难信,用武士则侵渔百姓,用文士则威略不振;必欲镇静一州,军民足食,无逾老夫。"刘坦在湘州干过,清楚那里的底细,知道是块硬骨头,他认为无论文官还是武将,都不见得有自己合适,所以挺身而出。果然,刘坦一到湘州,马上就能"选堪事吏分诣十郡,发民运租米三十余万斛以助荆、雍之军,由是资粮不乏"。刘坦的"挑"地方当官,知难而上,体现了勇气和能力。对后世的官员或准官员来说,必要"挑"的话,这才是正途。

唐太宗杀卢祖尚,无疑走了极端,人头不是韭菜,割了不能再长,所以他自己也"既而悔之"。但对卢祖尚之类的"挑",不严厉处置一下恐怕也是不行的。政令不畅是一方面,当官的总是打个人算盘,拈轻怕重,实则是将个人利益凌驾于国家利益之上,对于同僚,也起到了极坏的示范作用。此外,如果当官都要按自己的意志挑地方且能如愿以偿的话,无异于这个社会没有原则可讲。

1999 年 8 月 23 日

省察"杯中物"

古人喜欢喝酒。能喝酒不是坏事。据说,古之圣贤,无不能饮,尧饮千钟,孔子百觚,可见圣贤们的海量。不过因为多数人不是圣贤,把握不了自己,所以我们看到的多是喝酒带来的坏处。比如殷商,号称"酒池肉林",其遗传至今的青铜器精品,除了鼎是礼器之外,大抵都是爵、觚、觥、尊之类,各式的酒杯酒壶,一应俱全。有关学者说,商的亡国即与其好酒呈正相关。

喝酒误国,例子有些极端,但它起码也说明,酒喝多了,绝不是什么好事。所谓上有所好,下必甚焉,官爵在身的好酒,带动的风气糟糕不说,倘若别有用心,为政就更是不堪了。

前秦的皇帝苻生,自己喜欢"饮酣乐奏",大臣们不喝也不行,而且非得让大家喝得都趴下他才满意。一次他让尚书令辛牢掌管劝酒,辛牢劝得不甚得力,主要是没有死乞白赖,苻生不高兴,责备他:"何不强酒?"接着,竟至于"引弓射牢而杀之"。大臣们吓坏了,最后弄得"无不引满昏醉,污服失冠,蓬头僵仆"。苻生的本意已不是借杯中物来加强与群臣之间的情感,而是把自己的意志强加于人,作为高压统治的一种手段。

三国时东吴的末帝孙皓召群臣喝酒,不问能否,"率以七升为限"。孙皓生性十分褊狭,他"每宴群臣,咸令沉醉",其中包含着一种险恶用心。他知道人一旦喝得多了,嘴上把门难免不牢,他就派人留神谁都讲了些什么,倘给他抓到把柄,抓起来不说,"至于诛戮"。于是喝酒在孙皓那里又有了铲除异己的功能。中书令张尚说孙皓的父亲没当过皇帝,只应作传,不宜为纪,他便忌恨在心。他问张尚:"孤饮酒可以方谁?"张尚说:"陛下有百觚之量。"这当然是在赞他,但孙皓还是找到了茬子,说张尚"以孔子不王,而以孤方之",是贬低了他,因此便杀了张尚。

撇开这些暴君不谈,一些算是正面的人物,在喝酒的态度上也大有可非议之处。那个"不为五斗米折腰"的陶渊明,一当上彭泽令,官田便"悉令种秫谷",说:"令吾常醉于此中足矣。"秫谷是用来酿酒的。陶渊明写过一首诗,里面有一句就是"春秫作美酒,酒熟吾自斟"。一个地方的"父母官"把自己的偏嗜作为正业,尽管有愤世嫉俗的成分,但遭殃的肯定是百姓,这样当官,还是早点"归去"为好。

相反,许多留下治声的人,往往与酒无缘,或者即使好酒,关键时刻也能很好地控制自己。南齐的刘玄明当山阴县令,"大著名绩",人家问他当官有什么秘诀,他说每天只吃一升饭,"而莫饮酒"。刘玄明不相信只有在酒桌上才能处理政事。明末的抗清名将史可法,酒量非常之大,"数斗不乱",但他在军中"绝饮",指挥作战时滴酒不沾。明朝的王章从小母训非常之严,即使做了诸暨县令,母亲也不放松。有一天他醉醺醺地回来晚了,母亲不仅"诃跪予杖",而且责之曰:"朝廷以百里授酒人乎!"王章伏在地上,不敢仰视母亲。但他随即痛改前非,勤奋工作,"治诸暨有声"。半年后以才干调到鄞县任职时,诸鄞人不肯放他走,鄞县人则强烈要求他快点去,两个县的百姓竟至于大吵起来。

"朝廷以百里授酒人乎!"这句话实在掷地有声。一个封建时代的老太太能有这种见识,今天那些把"一瓶两瓶不醉"视为本领的"父母官"们,真该无地自容才是。

1999年9月6日

王世充的工作作风

王世充原本是隋朝的大将,隋失其鹿,他与李渊、李世民父子等共逐之。李氏父子立了唐,他也不甘示弱,第二年便立了郑,并且足足当了两年的郑国皇帝。不过正史中不承认他履历上的这段风光,说他这个皇帝是"僭"来的,不是正统,根本不算数。成者为王,败者为寇,不足为奇。但李氏父子之"成",王世充之"败",都非平白无故,总有一定的原因可寻。比如说,王世充的工作作风就很值得一议。

起兵之初,王世充曾经公开张贴了三纸求贤告示,"一求文学才识堪济世者;一求武艺绝人摧锋陷阵者;一求能理冤枉镭抑不申者",大张旗鼓地招募人才。告示一出,各路能人纷至沓来,致使"上书陈事,日有数百"。王世充也不含糊,来的人"悉引见",上的章全都"躬自省览",很有些要使野无遗贤的架势。这架势使得"人人自喜",以为从此可真有了一试身手的天地。但是日子一长,人们发现始终不见下文,你的建议怎样切中时弊也好,有怎样的建设性也好,统统是说了白说,他那里"终无所施行"。有识之士这时也就发现,王世充其实"心口相违",说的和做的相差太远。于是这几纸告示非但没有收到预期效果,反使人"颇以怀贰",丧失了对他的信任感。

自封为皇帝之后,王世充很想摆出一副亲民的姿态。自己有时骑马到街上去遛遛,也不是像多数皇帝那样出行之前先要清道,把老百姓赶得远远的,而是和百姓直接地随意交谈。他说,以前那些皇帝坐在深宫大院里面,哪里能真实地了解外面的情况?我如今决心放下皇帝的架子,像个州的刺史一般,"每事亲览,当与士庶共评朝政"。这等于是又一次对公众、对社会作出公开承诺。同时,王世充还担心"门禁有限",容不下更多的人,干脆在顺天门外"置座听朝",现场办公,又令西朝堂受理冤屈,东朝堂受理直谏,场面摆得很大。于是献章上事,又是"日有数百"。这么多的内容,王世充哪里看得过来?几天工夫他就烦了,"不复更出",干脆面都不露了,信誓旦旦的一切再一次全都拉倒。

王世充还特别能说,手下没人是他的对手,往往"众知其不可而莫能屈",明知他的方针政策行不通但是辩不过他,还要照他的办。这本身已不是什么好事,况且王世充的能说,往往说不到地方,变成了啰唆。吩咐一件事情,"言词重复,千端万绪",长篇大论,没完没了,好像手下都是弱智,不这样就明白不了一样。结果不仅使"侍卫之人不胜疲倦",而且使"百司奏事,疲于听受"。御史大夫苏良实在忍不住了,很不客气地说:"陛下语太多而无领要,计云尔即可,何烦许辞也!"苏良的这番直言,令王世充"沉默良久"。在此之前,他似乎没有意识到他的喋喋不休留给人们这么恶劣的印象。

从以上可以看出,王世充做事,实在有些虎头蛇尾。如果说他的设榜、亲民,是摆摆样子,大概冤枉了他。但是雷声大雨点小,或者只有三分钟的热情,那么即使是再动听美妙的承诺,显然也不能取信于民。至于他的后一种作风,苏良能当面指陈,本来是十分难得的,正是他借以重塑自我的契机。不幸的是,他却"终不能改也",这就等于把他在朝臣中的形象也破坏得一干二净。内外"不敬",威信无存,王世充又焉有不败之理?

1999年10月4日

索贿的方式

官吏凭借职权索贿,如同利用职权受贿一样,是封建官场的毒瘤。如果说二者稍有不同,那就是受贿似乎被动一些。于是,东窗事发的贪官污吏往往抓住这点为自己开解,说什么朋友送的,不收不好等等,装出一副无奈无辜的模样。索贿则纯属于主动出击。官吏的品性,往往决定索贿的方式。

明朝恶名昭著的宦官刘瑾,索贿直截了当。奉命出使地方的官员回京,"瑾皆索重贿"。周钥到淮安去了一趟,回来前为此着实犯愁,所幸他与淮安知府赵俊比较要好,赵俊答应先借给他千金。然而不知什么原因赵俊没有兑现诺言。拿不出什么东西,见到刘瑾绝对交代不了,周钥实在没有办法,想来想去,只有一条死路,归途中便拔刀自刎。随从把他救起时,他已经说不了话,只写了"赵知府误我"几个字之后就咽了气。可怜的周钥到死都认为是赵俊害了他,而不敢怪罪刘瑾。刘瑾的霸气,以及当时这种"例行公事"所达到的程度,由此可见一斑。

明朝另一位严世藩索贿,则是"按图索骥"。严世藩是奸相严嵩的儿子,父子俩同时把持朝政。这严世藩并非酒囊饭袋,而是"颇通国典,晓畅时务"的人物。但严世藩把精明用在歪门邪道上,便非常可怕,比如,他最留心的一点,是什么地方的官、什么职位的官,油水的程度如何,富庶之地来的人想哭穷根本是不可能的,"毫发不能匿"。所以他的索贿,多寡并不划一,而是因地而易,因职而易,绝不至于把人逼上绝路。他这一招也非常奏效,家门口"筐筐相望于道",送礼的络绎不绝。自己的底牌人家清楚,没有人敢不来,况且有的人来之惟恐不及。

宋朝的王彦升索贿,不是明说而是暗示。他当京城巡检使,有一次半夜里巡去王溥的家。王溥"惊悸而出",不知道是怎么一回事。坐下了,王彦升才告诉他,没什么,"此夕巡警甚困,聊就公卿一醉耳"。王溥是个居相位的人，官比他大，他当然不敢直说。但王溥心里明白，他们这不是转悠累了，找碗酒喝，而是"意在求贿"。王溥家里很有钱，他父亲"频领牧守"，又"能殖货"，走到哪把田宅置办到哪，"家累万金"。然而以王溥的地位怎么肯买王彦升的账？于是他来个装糊涂，顺水推舟，你不是说要喝酒吗？我就给你摆酒。到第二天上朝，王溥才毫不客气地参了他一本，王彦升被贬出京城。高官在当时也不能免于被敲诈，普通人的境遇就可想而知了。

明朝的寇天叙对付索贿者也有自己的一套办法。明武宗驻南京时，随从就带了十多万，地方不仅"日费金万计"，不堪重负，而且近悻也纷纷打着皇帝的旗号来向地方官敲竹杠。软一点的来了，寇天叙就说："俟若奏即予。"你跟皇上说清楚了我就给，寇天叙当然知道他们没有这个胆子。江彬是武宗的红人，谁也惹不起他，他派人来要钱，寇天叙也有办法对付。他说："民穷官帑乏，无可结欢，丞专待谴耳。"老百姓已经没油水了，官府的钱也差不多用光了，我想巴结你老人家都没办法，正等着给打发回家呢。来了几次都这么说，道理就是这个道理，我连官都不想当了，你还能把我怎么样？江彬没办法，只得作罢。

看起来，索贿的方式尽管五花八门，拒绝索贿，也不是全然没有办法。社会风气的影响固然重要，但是污淖中保持一股清风还是可能的，前提是具备正气、勇气和智慧。

1999 年 10 月 31 日

取悦之道

取悦，谓取得别人的欢心。汉张释之的儿子张挚"以不能取容当世，故终身不仕"。取容犹言取悦。在有些人看来，不能取悦当世是件不可思议的事情，取悦何难？当不了官就罢了，因此而一辈子不想当官了，简直是个傻瓜。的确，深谙取悦之道的人数不胜数，尽管方式千差万别。

宋太祖看水兵操练，无意中发表感叹：人们都说忘身为国，其实讲起来容易，"死者人之所难"。站在一旁的李进卿立即答话了，我就不是那样，"令死即死耳"。说完还没等"令"下，就一头扎进水中，害得十几个人折腾半天才把他救上来。宋太祖哪里就是要人即死的意思？但在李进卿看来，这却是个绝佳的取悦时机，这种死法有什么意义根本不用管它，太祖高兴就行。

王安石当丞相的时候，好多人取悦于他。程师孟说特别恨自己，为什么呢？因为自己的身体"日益安健"，而自己实际上很想早死。这人的神经并没有毛病，他的意思是如果死在安石前面，就能得到丞相给他写的墓志铭，"名附雄文，不磨灭于后世"，点睛之处在于赞美安石的文章。王安石过生日，巩申来他家放生，不仅"跪而放之"，且每放一鸟，嘴里都要叨咕一句"愿相公一百二十岁"。此类取悦，已与献谀无异。

清末的李木斋早年奔走于大学士徐桐之门，一副完全听命的姿态，徐桐讲宋学，他就谈宋学，自己根本不要思想。有一天徐桐看见他鼓捣鸦片烟具，"大责其不谨"，李木斋立即起身谢罪，这还不算，将所有烟具"尽锤碎之"。这些东西都是他家祖传下来的，价值不菲。徐桐说，不吸就是了，何必砸东西。李木斋说得很动听："非破釜沉舟，不足笃守老师教训。"自己的几句话有这么大的威力，徐桐的感觉舒服极了，不几天就给了李木斋一个美差。然而知情的人说，李木斋本来就知道徐桐憎恶鸦片，"故作此举，所以坚其宠信也"。徐桐自缢之后，李木斋"变其作风"，又去走别人的门路了。

梁鼎芬取悦张之洞，则有自己的另一套。他用重金买通了张之洞的两个侍从，一个是检书的，一个是缮写的，让他们把张之洞每天看了什么书，看到哪里了，发了些什么议论，都记下来，"随时密告，随时赏钱"。得到消息后，梁鼎芬就把那些书找来，"熟读而揣摩之"，把握好张之洞的心态，这样和张之洞谈天，句句说到他的心坎上，唬得张之洞以为梁鼎芬无书不读，学问渊博得不得了，以致对他"重信不疑"。

袁世凯时代有个"女志士"沈佩贞,不仅"凡府中要人,深相结纳",到处认干亲,而且干脆就攀上袁氏本人。她在名片上醒目地注明"大总统门生",旁边弄行小字,说自己"原籍黄陂,寄籍香山,现籍项城"。广东香山县(今中山市)是孙中山先生的故乡,河南项城则是袁世凯的故乡。沈佩贞连老家也不肯要了,跟定了袁世凯。不过袁世凯并不满意自己的出身,很想冒认为明朝大将袁崇焕的后代,连籍贯也想改成广东东莞,可惜真正的袁崇焕后人没给大总统颜面,硬是不认他这一支才作罢。沈佩贞倘若知道这件事,想必会再缀个"将籍东莞"。可不吗?袁氏称帝,她又自称洪宪"女臣"……

"士为知己者死,女为悦己者容。"取悦,原不应含有贬义,然而向权势取悦,是不能不另当别论的。种种取悦之道,把取悦者的内心世界暴露无遗。

2000年2月14日

"万世辨奸之要"

把历史人物以忠、奸来区分,不知道是不是我们中国人的发明,但的确很让我们中国人接受。渐渐地,不论是官方还是民间,对国家级的失败还有了新的认识,那就是"奸臣误国"。岳飞抗金未果,因为有秦桧;清军入关,因为有吴三桂;鸦片战争蒙辱,因为有琦善等"投降派"。换言之,只要国家发生危机,一句"奸臣误国",昏君、暴君的责任就可以轻轻带过。所以,即便是按照修史时的衡量标准,也难免出现替罪羊式的奸臣。有学者举例说,《明史》中陈瑛不当列入《奸臣传》,他的所作所为,实乃成祖的授意,只是属于助纣为虐;并且,按国人盖棺定论的传统,保持了晚节的马士英放进《奸臣传》亦颇为不当。

那么什么样的人才是真正的奸臣呢?明朝的刘宗周有个"万世辨奸之要",教给世人一种方法。要义是唐朝大臣李勉的一句话。当年，唐德宗怎么也不能理解为什么自己看好的卢杞就是得不到大家的认同。他满面狐疑地问："众论杞奸邪，朕何不知？"李勉回答："卢杞奸邪，天下人皆知；唯陛下不知，此所以为奸邪也！"就是这句似乎有些强词夺理的话，几百年后的刘宗周仍然记起，并对崇祯皇帝重申李勉所言可以作为"万世辨奸之要"。"要"在哪里？在于如果一个人在长官面前是人，而在大众面前是鬼，他就是奸邪无疑！

正史中出现《奸臣传》，始于欧阳修、宋祁所修的《新唐书》，卢杞忝列首批九位奸臣之一。"杞貌陋而色如蓝，人皆鬼视之"，这样的话带有明显的情感倾向色彩，不足为凭；但这个人"颇有口辩"，能说，而且"不耻恶衣粝食，人以为能嗣怀慎（杞祖）之清节"，能制造一点假象，都是事实。他的宰相生涯不过区区三年，"穷凶极恶"是出了名的。袁高对他评价的一句话很有代表性："三军将校，愿食其肉；百辟卿士，嫉之若雠。"这么一个被大众恨得咬牙切齿的人，却非常得到德宗的赏识。有一回卢杞"奏对于上前，阿谀顺旨"，萧复当场指出："卢杞之词不正。"德宗愕然之余，不去检讨萧复何出此言，反而得出"萧复颇轻朕"的结论。接着还说，看不起卢杞，就是看不起我，谁要再有类似的言论，免谈。卢杞被罢免之后，德宗想重新提拔他，赵需等谏官联名上疏曰，卢杞这种"公私巨蠹，中外弃物"如果再加擢用，会使"忠良痛骨，士庶寒心"。德宗就退了一步："朕欲授杞一小州刺史，可乎？"李勉说："陛下授杞大郡亦可，其如兆庶失望何？"卢杞能如此赢得德宗的信赖，在德宗那里不下功夫是不行的；使恶名达成美声，没有过人的手段也是不行的。卢杞之奸，正在这里。

"辨奸"的方法当然有很多，但是李勉的话对于长官们来说简明了且十分有效，所以刘宗周名曰"要"。这个道理其实长官们不见得不懂。汉元帝与京房有过一番问答。京房问：周幽、厉王时国政不堪，他们用的都是些什么人？元帝答："君不明，而所任者巧佞。"问：知道他们巧佞还要用？答：过后才知道。问：齐桓公、秦二世提起幽、厉也要"非笑之"，然而也因为任用竖刁、赵高，使"政治日乱"，这是怎么回事呢？答："唯有道者能以往知来耳。"汉元帝在京房的循循善诱下明白了,不是什么人都能吸取教训的。

"万世辨奸之要"归结为一点,就是那些有话语权、有决定权的长官们,在用人问题上一定要兼听而不偏信,从善如流。

2000年3月5日

书法是门艺术

书法是一门艺术,这话大约只有真正的书法家们明白。因为在有些权要看来,书法是一种权力。有权了,书法自然是上品,自己也就成了当然的书法家。这样说,不是要把书法家与权要截然地对立,事实上,颜真卿、柳公权诸人都当过大官,否则今天的人未必知道他们。像发明活字印刷术的毕昇,因为"布衣"的身份,那么大的功劳也只是留下个名字而已,事迹则无从考证。

问题的关键是权要们要正确地认识自己,摆准位置,行就行,不行就是不行。南朝刘宋开国皇帝刘裕,字就写得不好,刘穆之直截了当地说:"此虽小事,然宣彼四远,愿公小复留意。"刘裕的字本来不是要拿去题词或制成店铺之类的招牌悬于闹市,而只是给内部达到一定级别的人传阅的,刘穆之这样一说,刘裕也觉得不好意思,但又实在没有这个天分。穆之便又出主意:"但纵笔为大字,一字径尺,无嫌,大既足有所包,且其势亦美。"刘裕于是"一纸不过六七字便满"。刘穆之没有一味奉承,刘裕也就摆正了位置。

同样是帝王,宋太宗的书法很不得了。《杨文公谈苑》载太宗善飞白。飞白乃书法的一种,运笔之中,露出丝丝白地,如枯笔写成。太宗的飞白,"善书者皆伏其妙"。有一天他对左右说,天下的事情这么多,我其实哪有那么多工夫干这个?"但心好之,不能舍耳",所谓技痒难忍。另外太宗还有一层考虑,就是使飞白如何传承。因为他看过好多号称不错的飞白,根本入不了他的眼,说那是"但填行塞白,装成卷帙而已"。于是他特地写了数十轴"藏于秘府"。水平高,也不是拿出去炫耀,而是从如何弘扬这门艺术的角度着眼。

关于宋太宗的记载或许有夸饰的成分,但他的行为确是一种书家的态度。讲到书家,不可不提元朝的赵孟頫。陶宗仪《南村辍耕录》载,赵孟頫"以书法称雄一世,画入神品"。但赵孟頫也不是到处去乱写。兴圣宫落成,太后懿旨他书写匾额,这本来是个极好的表现机会,但赵孟頫说,让李雪庵写吧。找到李雪庵,李很奇怪,怎么不找赵孟頫,倒叫我来写呢?相互的推让折射出二人的谦逊,谁也不自以为是。赵孟頫偶得米芾的书卷,中间缺了几行,"因取刻本摹拓",想把它补齐。但摹了好几张纸也不满意,乃叹曰:"今不逮古多矣。"陶宗仪对此感慨道:"公之翰墨,为国朝第一,犹且服善如此,近有一等人,仅能点画如法便自夸大者,于公宁不愧乎?"

滥竽充数,固贻笑大方,然而不是说专家就不可以不警觉。王安石给人家写过不少墓志铭(当然是连文带笔),因之而遭讥讽。我想,倘若是从丞相关怀下属的角度,断不至于,恐怕那是因为并不白写、要收取润笔的吧。清陈其元在《庸闲斋笔记》中谈到,他有个好朋友的画,"吉光片羽,人争宝贵",但是要得到他的画并不难,给钱就行。陈其元当面开过他的玩笑,说你的画只要给钱,"便可捆载",你看看现在"皂隶驵侩之家",哪家没有?画不同书,然就艺术的性质而言,并无本质区别。粗制滥造,当成了谋财的工具,就不该是专家的态度。

作为传统文化的精华之一,权要们要认识到书法是一门艺术,书法家们要有意识地弘扬这门艺术,双方都有责任爱护它,而不要把它糟蹋了。

2000年3月6日

"不可不问,不可深问"

梃击案乃明朝万历年间的一个著名案件,与红丸案、移宫案一起，被史家合称为"明末三案"。梃击案的大致内容是，手持枣木棍棒的汉子张差，深夜里悄悄地闯进皇太子居住的宫殿，打伤门卫之后被擒拿。人们认定，张差的目的在于行刺皇太子。但是如何处理这一案件呢？一个来城里没多久的青年农民，要加害未来的皇帝，显然是受人指使的。最重要的是，案子还可能牵涉到了深受万历宠爱的郑贵妃。

棘手之际，大臣孙承宗出了个极好的主意，叫做："事关东宫，不可不问；事连贵妃，不可深问。"问，在这里等同于追查、追究。谋害皇太子，这么大的事情，不问能行吗？但是，要点到为止。俗话说"拔出萝卜带出泥"，深问就等于把萝卜拔出来的同时，连泥也一起带出来。想把泥带出来的时候当然有此必要，使劲拔就是，能带出多少带多少，完全取决萝卜和泥的依附程度，然而许多时候，人们却只想拔出个萝卜而已。

在梃击案中，谁是萝卜谁是泥，清楚无比，这就是"不可深问"的缘由。皇长子是万历和一个普通宫女生的。玩弄之后，万历早就忘了，然而起居注上明明白白记录着他的行踪，想赖也赖不掉。万历的皇后无子，"无嫡立长"，皇长子便理应成为太子；偏偏甚投万历心意的郑贵妃后来也生了个儿子，成了太子的有力竞争者。究竟该立谁，朝臣前后争执了十几年，终以"正统派"的胜利而告表面结束。但在梃击案发生后，张差供认，是庞保、刘成叫他打上宫门的，他们告诉他："你打了小爷，就吃穿不愁了！"而庞保、刘成正是郑贵妃左右的执事太监。所以除非将郑贵妃也挖出来，否则就不必深问下去，深问下去连万历帝本人都给牵扯进去也说不定。孙承宗很清楚这一点，他具体地划出了杠杠："庞保、刘成而下，不可不问也；庞保、刘成而上，不可深问也。"把这几个萝卜轻轻地拔出来就得了。

其实，"不可不问，不可深问"早就是官场处理问题的惯用逻辑，不过到了明朝，由孙承宗概括得言简意赅罢了。宋真宗咸平年间有个王钦若，受贿为人告发。王钦若当时"知贡举"，负责科场录取，考生任懿托人走他的门路，愿"以银三百五十两赂钦若"。中间人传话

46

过去,王已经进贡院了,他老婆赶紧派家里的一个仆人去通知,还把任懿的名字写在仆人的胳膊上,怕弄错了。谁知任懿没有践诺,考上了就走了,直到中间人驰书去催,"始归之"。就是这封信,暴露了他们之间的肮脏交易。选拔人才而公然舞弊,事实又这样清楚,不问当然不行,但是"帝方顾钦若厚",正对他好着呢,怎么办?深问下去皇帝也要弄个灰头土脸。经办的人很聪明,于是来个装糊涂。王钦若说他家根本没那个仆人,没有就算作没有;任懿说他的大舅哥认识知举官洪湛,他们两个一起去过他家,得,那就是洪湛受贿。结果洪湛被流放儋州,"人知其冤,而钦若恃势,人莫敢言者"。索性连萝卜也不拔了,是"不可深问"的另一个恶果。

"不可不问,不可深问"的可恶之处还在于,遇到关系是非的原则性问题,不是研究应该怎样处理,而是考虑应不应该处理。如何掌握,全凭官场的利害冲突和利益平衡,而对已有的制度和原则毫不放在眼里。

2000 年 3 月 19 日

有所惧

世上怕什么的人都有,有的令人捧腹,有的令人不解,有的令人赞叹击节。怕什么,不一定需要理由,有些也根本讲不清楚。

戴震《忧庵集》云,有个家资数万的商人特别好喝酒,但喝完了就要酒疯,骂人,谁跟他喝谁倒霉。后来大家发现,商人特别怕红枣,于是再看到他醉了,要讲粗口了,"即以红枣一盘置案上",果然他就赶快乖乖地躲到一边去。商人有个朋友不相信,认为他是装的,哪有怕这东西的人呢?就把枣子用针线穿起来几十颗,冷不防套到他的脖子上,商人立即"扑地昏眩欲绝",差点给吓死。

文莹《湘山野录》记,安鸿渐惧内。丈人死了,他去吊唁,"哭于柩",但老婆不满意,说他根本没有眼泪。安鸿渐说,我用手帕擦干了。老婆说,行啊,那我看你明天有没有。安鸿渐没办法,第二天"大叩其颡而恸"的时候,偷偷地把纸蘸湿了放在额头上。哭完了,老婆又把他拉过来看,问他:"泪出于眼,何故额流?"还是没过关。

刘成禺《世载堂杂忆》云,民国时的大学者黄侃平生有三怕:兵、狗、雷。有一天他和别人争论音韵问题,"击案怒辩",气壮得很,忽然天上打了一个响雷,大家都吓了一跳,等回过神来,却找不着黄侃了,结果发现他"蜷踞桌下"。人们开玩笑说:"何前耻居人后,而今之甘居人下也?"因为外面还有雷声,黄侃连连摆手,就是不肯出来。秀才遇到兵和狗,怕得有理,然而被雷也吓成那个模样,让人忍俊不禁。

但有些怕的理由是可以分析的。大名鼎鼎的曾国藩怕鸡毛,"遇有插羽之文,皆不敢手拆",甚至不论走到哪里,哪里的鸡毛掸子都得赶快收起来。有人附会曾国藩是巨蟒转世,因为蟒蛇之类特别怕鸡毛的味道。更有人活灵活现地说,曾国藩每天早起,床上都留一堆癣屑,像蛇蜕下来的皮。曾国藩固然有癣疾,而且似乎还不轻,他也的确常在家书中提及此事。但是这些毕竟是夸大其词的"谣传"乃至无稽之谈。相形之下,倒是另一说觉得有些可信:当年对太平军的战事频仍,搞得他焦头烂额,鸡毛信必是意味着军情紧急的信,由此及彼,才对鸡毛产生异样的心态。

对于某些官员而言,意识上先觉得怕,预见了自己的行为可能产生的负面影响,不仅难能可贵,而且让人油然而生敬意。明朝有个施邦曜,当官从不收礼,人家送他一株墨竹也不要。他说如果收了,"我则示之以可欲之门矣",表明自己身上有缺口。他特别钟情山水,但当四川按察使的时候,却连峨嵋山也不去,"上官游览,动烦属吏支应,伤小民几许物力矣"。施邦曜怕的是自己得了浮生半日闲,却劳民伤财得够呛。

唐朝的宋璟从广州调去中央为相,广州吏民要为他立遗爱碑。宋璟不同意。他对玄宗说,我在广州没干什么了不得的事情。实际上宋璟对广州是很有贡献的。《新唐书》载,他教当地"陶瓦筑堵",用砖瓦建房,改善居住条件;"列邸肆",对城市建设着实规划了一番。

但宋璟怕的是做了点分内的事情就要张扬,带坏了风气,况且有人立碑的动机就不良,"以臣光宠,成彼诌谀"。他建议玄宗,"欲革此风,望自臣始",从我做起,哪里也不要来树碑立传这一套。

有没有理由都好,人有所惧,不是什么坏事,起码可以产生制约之效。对太平时期的官员来说更是如此。什么也不怕,"和尚打伞,无法无天"的话,其人对社会就有些危险了。

2000年3月20日

印把子

"印把子"是权力的代名词,但它又是一件实实在在的真家伙。旧时的人们更看重这个硬件,作为权力的象征,它已成了官员的命根子,所以争权的同时还要夺印,有印才等于有权。正因为印的重要,地方首脑往往都要委派自己信得过的家仆"司印"。明朝的蒋廷璧还曾建议州县长官亲自保管大印,制作一个能露出印柄的印盒,这样"非惟举目就见,虽夜间放在床上睡觉,时以手摸之,睡亦安稳也"。

但也有人把这东西看得没那么了不起。"身在曹营心在汉"的关羽,被曹操封为"汉寿亭侯",他就不大稀罕。临走之前,不忘"挂印封金",把大印悬在房梁上留给曹操,等于拱手还回封号。但像关羽那么潇洒的人毕竟不多。关羽有气节,更主要的是有本事,有本事的人到哪里也不怕。有的人好不容易抓到了印,当然是不肯轻易放手的。

辛亥革命时,江宁布政使樊增祥不仅自己"渡江潜逃",而且把大印也给带走,害得继任的李梅庵没办法,只好自己刻个木头的,凑合着用。后来两人同在上海,脑袋上都没了头衔,但是因有铜印木印之嫌,仍"各避不见面",且双方的拥戴者以之"互为诮让之词",李梅庵一方坚持要樊增祥把印交出来。陈散原老先生还出来打过圆场,说:"铜印如存,留在樊家,作一古董;木印已灰,事过景迁,何必争论。"樊增祥死不交印,与他的官迷心态有关,到了晚年也还想着攀龙附凤。

袁世凯、黎元洪、徐世昌,谁在台上他巴结谁。对黎元洪,他近乎哀求道:"如大总统府顾问、咨议等职,得栖一枝,至生百感。"但黎元洪一点面子也不给这个同乡老辈,大庭广众之下说他"又发官瘾",态度也很干脆:"不理,不理。"这样的人争到了印,把玩回味不及,哪有肯交出来的道理?

张勋复辟时,伍廷芳与江朝宗也有过一次争印。张勋逼黎元洪限期解散国会,黎"惧允之"。但总统下令,须国务总理同时签署,而伍廷芳不愿负此恶名,说:"欲我副署,先取我头去。"黎元洪果真就免了伍的职,由江朝宗代理。江朝宗有了这个机会,欣喜异常,签署之后,接着就赶到伍家索印。伍廷芳打心眼里看不起他的毫无原则,关起门来不理他,但江朝宗声称:"不给印章,死也不走。"叫闹一阵看看没什么效果,干脆搬来兵马,"金鼓齐备",把伍家团团围住。你不理我,我就让士兵"大吹大擂,狂呼不已,继以枪声",骚扰你;天黑后,仍"号令从人,嘈杂不息"。半夜时,又在附近放火,告诉伍家:"大火烧过来了。"伍廷芳识破了他的诡计,坚决不理。但"终夜无片刻不轰闹",把个伍老先生闹得根本不能休息,疲惫不堪。儿子便劝父亲,给他算了,反正您老人家没在解散国会令上署名,也算对得起中华民国了,伍廷芳才叫人"掷印章于门外",鄙夷地说:"汝可盖印作大官。"江朝宗如获至宝,竟至于"倒地拾印"。

在官本位的社会,争夺印把子实乃稀松平常之事。但像樊增祥那样死皮赖脸大可不必,像江朝宗那样厚颜无耻更该唾弃。印把子标志着权力,但这权力不可以滥用。得到了印把子,还要时刻想到捍卫它的尊严,这一点要学学伍廷芳才是。

2000年4月17日

"能说话者"

《庸闲斋笔记》里谈到,清朝嘉庆皇帝曾问四川总督勒保,你们这些当督抚的人,觉得什么样的僚属最称心如意?勒保说:"能说话者。"嘉庆曰:"然。"表示赞许。这就是说,他们都认为,当僚属的必须能说、会说。嘉庆有个奇怪的逻辑,"政事不借敷奏不能畅达,往往有极好之事,为拙于词令者说坏",所以,"工于应对,则能者益见其善;即不能者,亦可掩不善而著其善。虽事后觉察,而当前已为所蒙矣"。政绩不是靠做而是靠说,而且暂时蒙了长官也不见怪,这种所谓"长处"按道理是绝对要不得的,如何便成了一种资本呢?

"楚王好细腰,宫中皆饿死。""能说话者"无疑也是应时的产物。该笔记的另一条谈到,浙闽总督汪志伊向以严厉著称,手下人向他汇报工作,"无不惴惴"。但是监道麟祥懂得他的心思。有次他到军工厂验收战船,麟祥怕那里的负责人"辞有舛误",专门找了"妙于语言"的达泰去陪同。果然,达泰一路上的"喋喋搀言"令总督和颜悦色,可惜的是最后因为一口水井出了问题。总督说那井太深,恐怕小孩子掉下去会淹死。他是笑着说的,本来想视察一回,总要指出些存在的问题显示高明,有口无心,根本没当回事。谁知达泰能过了头,照旧接过来说:"不然,即大人跌下,亦要淹死。"惹得总督"色庄而去"。事后,麟祥痛责达泰说:"好好一篇文字,被汝闹坏!"监道、总督的注意力完全集中在"能说话者"的身上,他们的正业都该是什么呢?

"能说话者"能得过了头固然不行,而分不清对象更是要命。《南村辍耕录》谈到,吕珍驻守绍兴,当地有位名流赋诗逢迎,其中有句曰"闻说锦袍酣战罢,不惊越女采荷花"。本来是赞他军纪严明,不扰百姓,不料吕珍文化太低,以为说他好色,不领情不说,反而大怒:"我为主人守边疆,万死锋镝间,岂务爱女子而不惊之耶?见则必杀之!"另有一士人赞美某李姓元帅,也是写了一首诗,有一句"黄金合铸李将军",显然是把他与汉代名将李广相提并论,纯粹阿谀之词。不料李元帅也是大怒:"吾劳苦数年,只是个将军,今年才得元帅,乃复令我为将军耶!"把那士人立刻给轰出去了。

"能说话者",仅仅伶牙俐齿,阿谀逢迎,危害尚在其次;其最大的危害是在政绩上"掩不善而著其善",是一种恶劣的必须严加杜绝的官场作风。《庸闲斋笔记》举实例说，同治年间，陈其元在南汇县掩埋"暴露"的尸体，三个月埋了四万零二百，还有一万余因为种种原因要待明年。同时有另外一个县，仅掩埋了一千七，"遂以境内悉数葬尽具报"。结果后面这个县被"记以大功"，陈其元他们则遭"申饬"。本来，陈其元的幕友已经写好了"掩埋净尽"的上报材料，陈没有同意，他还是想到了自己的职责。但"葬数最多而无功"，令陈其元"乃信公事不可不作欺饰之语"。悲愤之情可见一斑。

能说，不按实际去说，夸大政绩，欺下媚上，贻害无穷。嘉庆、勒保们如何就认识不到这点，反而对"能说话者"加以赏识呢？大约不是他们认识不到，而是他们对自己的政绩过于粉饰，过于沾沾自喜，甚至不惜以暂时的麻醉来逃避不利的现实，进而达到个人的某种目的吧。

2000 年 5 月 15 日

张綵的门面话

通常说来，门面话是指那种应酬性的或冠冕堂皇而不解决实际问题的话。百姓之间礼尚往来，少不了讲些门面话，即便是官员在正式、严肃的场合往往也不能例外。门面话要说，如何定性却要因人因事而异，如口头上似正人君子，骨子里却男盗女娼，这种人的门面话就极具欺骗性，不仅在当时成为笑柄，在历史上也要遗臭。明朝的张綵就是这样一个人。

明朝弘治年间有个臭名昭著的太监李广，在他身败之后，吏部员外郎张綵向皇帝进言："李广招权纳贿，致陛下受奸谀蛊惑之名而不自知，军民罹贪残剥削之害而无所诉。今纵不追戮其罪，岂可并置其恶党漫不惩戒乎？伏望断自圣心，凡营求馈遗者，大臣致仕，小臣罢黜。"这一番话，用清人王士禛的说法叫做"其言颇正"。愤慨之情溢于言表就不用说了，既指出了李广招权纳贿的危害，又提出了解决的办法:清除其残余势力,把跑官买官上来的人全都打发回家,一个不留,以儆效尤。认识的确深刻,但是其人做得又如何呢?正德初刘瑾乱政,张綵与焦芳"首相比附,躐致通显,卒陷大辟,身名俱败,贻笑千古",连结局都活脱脱是李广的翻版。王士禛对此深有感慨:"(张綵)前言竟自蹈之,何哉!"

何哉?想一想也没有什么,讲这种门面话的人本来就是"心与迹违"的,遇到适宜的土壤,便要本能地爆发。李广的招数是"以符箓祷祀蛊帝"。装神弄鬼,在别人看来荒诞,但对笃信这个的人,作用可不得了。比如太平天国的杨秀清自称天父(上帝)附身,替天父下凡传语,还用鞭子抽过洪秀全,天王信,老老实实地就让他抽;只是杨秀清得寸进尺,为夺他宫中的四个美女,要再揍40大板屁股,他才不干了。弘治信符箓,李广就有了"矫旨授传奉官"的权力。传奉官是明代特有的产物,这种官可以不经吏部铨选,而由太监视其人进呈珍异的多寡以谕旨来直接任命。李广可以"矫旨",权力就大了,他说的等于皇上说的,想当官的人岂能不"四方争纳贿赂"?李广死后抄家,发现他的受贿记录本,上面文武大臣"馈黄白米各千百石"之类写了不少。弘治不能理解李广要那么多米干嘛,手下人说,那是隐语,黄代表金,白代表银。这些"黄白米"都是李广卖官的凭证。

张綵虽然左右不了皇帝,但他是刘瑾的红人,"凡所言,瑾无不从"。而刘瑾当时"权擅天下,威福任情",他要让谁当官,写张条子,"某授某官"就行了,有关部门根本"不敢复奏"。张綵凭借这一靠山,同样有了李广的资本,其结果当然也是"贿赂肆行,海内金帛奇货相望涂巷间"。贪财者往往又是好色之徒,太监李广对此有心无力,张綵就毫不含糊了。抚州知府刘介是他的同乡,"娶妾美",张綵先专门给刘介提了一级,然后就跑到他的家,"牵其妾,舆载而去"。平阳知府张恕也有个美妾,张綵"索之不肯",硬给张恕定了个罪名,准备发配他去戍边,张恕吓坏了,赶快把人献出了事。在腐败这一点上,门面话漂亮的张綵较李广已经有过之而无不及了。

孔夫子早就教导我们,要"听其言而观其行"。他说"吾始于人也,听其言而信其行",可见他是受过骗的。牢记此言,王士禛大约就不会有"何哉"之慨了,张綵的这种门面话,也能当真吗?

2000 年 6 月 11 日

"平生要识琼崖面"

周密《齐东野语》记载,洪君畴在福建当官的时候,写过一副春联:"平生要识琼崖面,到此当坚铁石心。"琼崖,和后面提到的朱崖是同一个地方,就是今天海南的海口市。在历史上相当长的一段时期内,那里都是个左迁官吏的地方,左迁至此是一种很重的惩罚。

洪君畴为什么要见识这样一个地方呢?原来他是在言志。洪君畴本在中央担任御史,职司行政监察。监督这种事情在人治社会中是件苦差事,除非当一天和尚撞一天钟,否则很容易触怒什么人。洪君畴的责任感非常强,上任之初就对皇帝表态道:"臣职在宪府,不惟不能奉承大臣风旨,亦不敢奉承陛下风旨。"这种话好多当官的人可能说得还更动听一些,然后一旦出了事情,他们对自己的懦弱不仅不能正视,甚至还会表现出一副很无奈的模样。洪君畴则不然。周密评价道:"近世敢言之士,虽间有之,然能终始一节,明目张胆,言人之所难者,绝无而仅有,洪公君畴一人而已。"所以洪君畴后来的这一言志,表明他上任之初,即对仕途做了最坏的打算。

"平生要识琼崖面",体现的是一种十足的勇气。勇气是坚持原则、保持独立人格的重要前提,对官员来说,理应成为必备的素质,不可以因职而异。宋孝宗淳熙年间,张说当权,朝士纷纷依附。有一天他请客,皇帝也为之"致酒肴",偏偏兵部侍郎陈良祐"独不至"。张说的专横容不得半个不字,他马上祭出一顶大帽子:陈良祐不来,"是违圣意也"。半夜三更，御赐至，张说更加得意，告御状说他再三去请陈良祐，还不肯来。然而令所有人都没有料到的是，陈良祐任谏议大夫的任命随后也到了，"坐客方尽欢，闻之，怃然而罢"。举凡朝政阙失、百官任非其人、失职渎职，都属于谏议大夫的职责，那么，宋孝宗正是通过张说宴客看出，他的臣子中只有陈良祐不趋炎附势，能够担当此职。"坐客"们的"怃然"，恐怕是因为陈良祐这面镜子照得他们自惭形秽吧。

《杨文公谈苑》中有个被杨亿津津乐道的窦仪。《三字经》曰："窦燕山，有异方，教五子，名俱扬。"窦燕山即窦禹钧就是窦仪的父亲，窦仪是"五子"之中的长子；"名俱扬"，乃五兄弟"并举进士"，又都做了官。粤方言今天把父亲昵称为"老窦"，可到此溯源。在杨亿看来，窦仪的优点正在"不攻人所短"；实则窦仪的宗旨是明哲保身，不得罪人。他对自己有个评价："我必不能作宰相，然亦不必诣朱崖，吾门可保矣。"不想往上爬，也不想丢掉眼前的位子，窦仪的心态很能代表相当一部分人的心态。退一步说，勇气不足，老老实实地承认，也是可嘉的了。

最可鄙的，是那种表面上豪情万丈骨子里却龌龊不堪的人。张说当权的时候，王质和沈瀛很"看不惯"朝士们的媚态。这两位是名流，当学者的时候已经名气在外，"既而俱立朝，物誉亦归之"。二人相互勉励曰："吾侪当以诣（张）说为戒。"他们依附他们的，我们两个要把握好自己。"众皆闻其说而壮之"，很感钦佩。然而没过多久，王质就偷偷地溜进了张说的家，刚要落座，发现沈瀛已经先来了。二人"相视愕然"，弄了个大眼瞪小眼。

毋庸讳言，现实中洪君畴、陈良祐凤毛麟角，多的是窦仪，以及王质和沈瀛之流。惟其如此，"平生要识琼崖面"，是一句值得推广的名言。大不了如此嘛！对头上的乌纱帽没有丝毫的贪恋，面对违纪枉法的官员，才可能勇气十足。

2000年6月12日

祖珽的"不负身"

东魏北齐时的祖珽,有句常挂嘴边的话,叫做:"丈夫一生不负身。"不负身,说白了就是不管干什么先不能亏着自己,如此方称得上他眼中的大丈夫。孟子云:"贫贱不能移,富贵不能淫,威武不能屈,此之谓大丈夫。"祖珽的主张俨然有与之对撼的意味。或许他无意与孟夫子叫板吧,因为孟夫子那样说,是他的一种人生准则,最多只能算作倡导,但法律法规都不放在眼里的也大有人在,遑论倡导呢?所以孟夫子愿意那样说就说去,祖珽有自己的"小九九"。

怎样才算"不负身"呢?按祖珽的亲身实践,吃喝玩乐必不可少。当官了,有条件了,再加上贪婪。继续往上爬呢?还可以不择手段。这个人的确很会玩儿,能弹琵琶,会作曲,常"为声色之游",花公款跟妓女们寻欢作乐;又喜欢赌一把,还是拿公家的东西去"质钱",输了再拿,不行就偷。这个人也的确会捞,他还只是个仓曹的时候,因为代管征收赋税,就大肆收纳贿赂,芝麻小官也能弄得"丰于财产"。衙门里缺胥吏,让他补十几个人,他"皆有受纳",谁给钱谁进来。具有讽刺意味的是,当他想当宰相需要打倒和士开的时候,竟义正辞严地斥责他"卖官鬻狱,政以贿成"。为了铲除斛律光,他干脆编出一套民谣在市井传播,说斛律光要造反,使斛律光至于族灭。祖珽的"不负身",真被他实践得淋漓尽致!

封建时代也有法律,也有对贪赃枉法官吏的严厉制约,但事实令人不能不承认,那个法律是有弹性的,如何把握,全在于人。北齐有个皇帝公开告诉手下:"尔勿大贪,小小义取莫复畏。"但怎样才叫"大贪"呢?这就是弹性尺度。常见的情形是:根据需要来定。需要有人祭刀的时候,即使贪得不是很多也可能要倒霉;不需要的时候,贪得再多也可能平安无事。于是,对许多人而言,有条件就贪,因为挨刀未必然。所以辽道宗时的宰相张孝杰敢于赤裸裸地说:"无百万两黄金,不足为宰相家。"这个观点可谓奉行"不负身"者的经典宣言。在张孝杰的思维中,当官就是要赚钱,当小官赚小钱,当大官就要赚大钱;当上宰相,家里没个一百万还像话吗?简直要有愧于这个官职的含金量了!有这么个为官的宗旨,行动起来必然会"贪贿无厌"。也正是人治的因素,使得封建社会中留下口碑的官员,往往是自身修养得好,而与制度无涉,比如隋末唐初的房彦谦。房彦谦概括自己时说过:"人皆因禄富,我独以官贫。"他家本来是"家有旧业,资产素殷"的,本人又当了那么多年的官,积蓄应该还有一些。但房彦谦不看重身外之物,所得俸禄,都用去"周恤亲友",自己的衣食住行,简单再简单。他的宗旨是努力工作,"所遗子孙,在于清白",所以隋文帝仁寿年间考核官员,"以彦谦为天下第一"。这么有能力的官员而"贫",按祖珽的逻辑当然是"负身"的,但房彦谦在任时被当地百姓称为慈父,秩满迁官时吏民号哭,而且为唐太宗培养出了享誉后世的宰相房玄龄。"负身"与否,历史自有见证。

宋人詹体仁为官同样颇得美声,有人向他请教个中奥妙,他说:"尽心、平心而已,尽心则无愧,平心则无偏。"相形之下,祖珽们的"不负身",时刻计较的都是个人得失,工作起来是不可能尽心的;有那么点权力就要以之作为索取的资本,工作起来也不可能是平心的。那么可以肯定地说,当官而不"负身",就要负社稷,负百姓。

2000 年 6 月 25 日

文彦博的逸事

《邵氏闻见录》记载了宋相文彦博的一件逸事。说是逸事,因其并不著录于正史,不知是史家的回护,还是认定那是"飞语",不屑于采用。从《宋史》上看,文彦博这个人不错,他"逮事四朝,任将相五十年,名闻四夷",苏东坡说他"综理庶务,虽精练少年有不如;贯穿古今,虽专门名家有不逮",评价相当之高。并且他极能礼贤下士,和旧时的朋友们一起赋诗饮酒,也是"序齿不序官",不摆出级别欺人。正因为文彦博不错,这件不甚光彩的逸事才不可能成为正史吧。

事情是这样的。文彦博当成都知府的时候,"多宴集",喜欢交朋友,吃吃喝喝,于是"有飞语至京师",讲他的坏话。文彦博那时还不到40岁,属于朝廷重点培养的对象,"飞语"云何,不得其详,想来不会仅仅是公款消费。但对要重用的人,当然还是"清白"些好。御史何郯是成都人,刚好要回家探亲,仁宗皇帝就派他"伺察之",了解一下究竟是怎么回事。自己干了些什么,文彦博当然清楚,尽管也许没什么大不了的,毕竟会影响形象。所以当何郯快到的时候,文彦博也就行动起来,想办法怎样过关。文彦博是很聪明的,"幼时与群儿击毬,入柱穴中不能取",小朋友们束手无策,文彦博却想到了往窟窿里灌水,让皮球浮出来的办法。这个故事与司马光砸缸救人的故事比肩,历来都是表现少儿机智的生动教材。但在此时,聪明的文彦博并没有什么好主意,倒是手下有个叫张俞的站出来拍胸脯说:"圣从(何郯字)之来无足念。"他已经有了应对的办法。

张俞都有些什么办法呢? 先到汉州(今四川广汉)去接何郯,一入辖区地界就表示欢迎,让他感受到热情;然后再摆上酒席,把军中的官妓找来助兴,让他再感受到温暖。张俞知道,"上面"的人虽然地位不低,但是想要"潇洒"、"开眼界",还得跑基层,不说别的,基层的"色"绝对就是个诱惑。果然何郯很快就看上了一个"善舞"的小姐,问人家贵姓。张俞抓住机会,"即取妓之项上帕罗",在小姐的丝巾上即席题诗一首,什么"蜀国佳人号细腰,东台御史惜妖娆",撮合二人的情意,然后让小姐用个曲牌把它唱出来。张俞这场面见得多了,但是把个何郯美得哟,"为之霑醉"。霑醉,醉得可是不轻。胡三省注《资治通鉴》说:"霑醉,言饮酒大醉,胸襟沾湿,不能自持也。"这就是说,何郯已经完全失态了。

何郯的这点出息当然早就汇报到了文彦博那里,所以过几天他到了成都,重摆出御史那付严肃稳重的姿态时,文彦博根本不以为意,暗自好笑也说不定。他照搬张俞的做法,"大作乐以宴圣从",何郯看上的那位小姐也早就暗中送来,重新亮相,把张俞的歪诗让她唱了一遍又一遍。唱一次,何郯沉醉一次。沉醉的结果呢?"圣从还朝,潞公(文彦博)之谤乃息。"——这个何郯果真是非常"识趣"的人。

正史中的何郯也是个不错的人物,他不阿权势,以"言事无所避"而著称。但他此番"伺察"恐怕要带累这个引以为骄傲的声名。有趣的是,《宋史》对他去成都的这件事同样没有提及。《邵氏闻见录》的作者邵伯温是很推崇文彦博的,一口一个"文潞公"地叫着,想必不至于编他的瞎话。这就说明正史的取舍态度值得玩味。民间为什么对"路边社"消息津津乐道,怕不是全无来由的。

2000年6月26日

关于"包二奶"

包二奶、养情妇,在古人眼里是件颇有些理直气壮的事情。休言古人,就在几十年前这种封建余孽也相当盛行。民国总统袁世凯便拥有一妻九妾。有权有才有钱或者其他,资本多得很,有点理由,都可以做老婆的文章,多娶几房或者多包几个。有权的人更可以放心大胆,因为这种问题还称不上腐败。

但即使在封建制度下,包二奶、养情妇仍然不是被社会绝对认同的价值取向。若干有识之士对此虽不致嗤之以鼻,但做到了不屑一顾。比如宋朝的王安石和司马光,二人虽然政见迥异,甚至势同水火,但在"不好声色,不爱官职,不殖货利"方面却有着惊人相似的一致。《泊宅编》记,有一次王安石大白天睡着了,醒来后跟人说,刚才做了一个梦,梦见自己30多年前"所喜一妇人",并填词相赠,现在还记得后半阕。说罢便诵与人听,"隔岸桃花红未半,枝头已有蜂儿乱"等等,抒情得很。安石亦血肉之躯,有这样的梦不足为奇,但他到此为止。《邵氏闻见录》载,他老婆曾主动"为买一妾",但安石却问清了她所以卖身的原由,然后"呼其夫,令为夫妇如初"。司马光的儿子还没出世的时候,上司的老婆很替他着急,也是给他张罗了一个漂亮的小妾,但司马光"殊不顾",看都不看一眼。上司的老婆还以为他不好意思,特意为他们安排个二人世界,不料司马光还是将那女子"亟遣之"。这件事令司马光的上司赞叹不已,"对僚属咨其贤"。

这种不认同甚至可以追溯到春秋战国时的齐相晏婴。史载晏子的老妻"发斑白,衣缁布之衣,而无里裘",朋友来他家做客,还以为是个老仆,对晏子连讥讽带嘲笑。的确,以晏子的地位而言,包二奶、养情妇还不是小菜一碟、要多少有多少的事?更何况齐景公还要赏给他一个爱女!但晏子不为所动,他念及的是夫妻情谊,更考虑到自己的行为对社会可能造成的影响。千百年来,晏子的人格魅力不衰,政绩是一个主要方面,他的"从一而终"也该是重重的一笔。同样,王安石之被誉为"中国十一世纪的改革家",司马光留下不朽的《资治通鉴》,都不是偶然的,寄情于自己的事业,对所谓的"时尚"不屑,这样的人焉有不名垂千古之理?

《旧唐书》卷一百三十二记载了一件颇有意思的事情。李元素还没有在官场上崭露头角的时候,娶了老婆王氏,"甚礼重",可是等到他的官当大了,心也就花了,"溺情仆妾,遂薄之";不久,给几个生活费后,更干脆把王氏休了。王氏"性柔弱",忍气吞声,但她的家人咽不下这口气,告了御状。宪宗皇帝居然受理且作了判词,说李元素的做法"不唯王氏受辱,实亦朝情悉惊,如此理家,合当惩责";具体措施呢?"宜停官,仍令与王氏钱物,通所奏数满五千贯",不仅罢免了他的职务,而且责令他必须对王氏作出相应的经济补偿。应当说,这件事具有极大的偶然性,缺乏法律保障的判决更带有一定的随意性,但它起码反映出,即便在封建时代,高级官员包二奶养情妇行为有时也是不能被容忍的。

忽然对司马光之"贤"又有了点新的感悟。在有权的人包二奶、养情妇被绝对视为腐败现象的时代,犹有人对这种封建余孽抱守不放,咀嚼之并津津乐道以为能事以为荣光,何况在那个称不上腐败的时代而并不为之呢!

2000 年 7 月 17 日

科举中的"竞争"种种

科举的弊端今人已认识得清清楚楚。作为选拔官吏方式的一种，制度本身不见得有什么过错。此之前有九品中正制，有察举，有征辟，但哪个不是把出身门第作为主要考虑因素？有了考试这么一个硬性标准，不管怎么说，对平民百姓已有了相对公平的意味。只是一些试卷外的因素以及后来逐渐变成了八股，逼得读书人"代圣人立言"，在前人的条条框框里寻找前程，扼杀了人的才智，才变成千夫所指罢了。

科举讲究的是竞争，名额有限，冀望的人多，那就要看谁更"出色"。王士禛在《古夫于亭杂录》中谈到他乡里的一个前辈入秋闱，考的是天文，他知道得不多，却记起自己做过的一篇地理，"遂用塞白"。考完出来，自己也觉得没什么希望，不料却中了，原来评卷的人认为："题问天文，而子兼言地理，可称博雅之士。"事情虽有些荒诞，但因为没有标准答案之说，对了评卷人的心思，也可谓竞争取胜。

宋太祖时还有一次比较荒诞的竞争，那是决定王嗣宗和赵昌言谁该得状元。文字方面没分出高下，太祖为了寻开心，竟"命二人手搏"，比一回打斗。结果赵昌言因为秃头，戴的头巾一下子被王嗣宗打落在地，状元就归了王嗣宗。不过王嗣宗后来摆资格的时候，被人毫不客气地噎了一句："君以手搏得状元耳，何足道也。"

既曰竞争，自度能力不行的人，在考场上就难免要作弊。类似的实例，不胜枚举。《铁围山丛谈》更谈到，才高八斗的苏东坡先生当年也没能例外。他和苏辙一起"入省草试"时，怎么也想不出考题的出处，便"对案长叹，且目子由（辙字）"，等弟弟帮忙。苏辙会意后，"把笔管一卓，而以口吹之"，东坡才恍然大悟，原来出自《管子注》。

既曰竞争，也难免有人要在考场外不择手段。清咸丰六年（1856年）的状元，人们一致认为不是孙毓汶就是翁同龢，不会有第三人。这两家同列清要，又有世交，但为了状元，孙家还是使出了阴招。殿试的前一个晚上,请翁来家吃饭,饭毕孙父打发儿子早早去休息养神,自己则拉着翁畅谈;等到翁深夜回到馆舍刚要休息,孙家又使人在四周大放鞭炮,"彻夜不断",弄得翁同龢"终夕不能成寐",第二天在考场上,"执笔毫无精神"。但令孙家失望的是,即便如此,儿子还是没有考过翁。

诸如此类的"竞争",笑谈而已,尚无伤大雅,然其一旦超出试卷,和负责的官员纠缠到一起,就不同了,关系到吏治的腐败与否。《涑水记闻》记载,宋太祖时宋白知举,"多受金银,取舍不公"。因为干得太明显了,他也担心"群议沸腾",索性把录取名单拿到太祖那儿审批。皇帝如果稀里糊涂地钦定了,量谁也不敢吭气。不料太祖大怒道,我派你知举,"何为白我?我安能知其可否?"太祖还一家伙戳到了他的痛处:"若榜出别致人言,当斫汝头以谢众。"

《宋史》亦载,秦桧当相国的时候,为了稳妥起见,便打算先将萧燧安排为儿子考点的主考官。按秦桧的逻辑,萧燧刚刚"擢进士高第",没理由不高攀他这个相国,给他个机会,是看得起他。可贵的是萧燧还有股血气,对秦的亲党说:"初仕敢欺心邪!"但萧燧不干,有人愿意,"易一员往",秦子后来"果中前列"。

科举的本意要求公正。它的"一考定终身"未必合理,但也并不存在可以肆意践踏的必然理由。宋白之流的铤而走险,实际上是官员权力腐败与道德败坏表现在科场上的一个缩影。

2000 年 8 月 7 日

杨荣的"进谏之方"

所谓进谏,就是向皇帝或者尊长直言规劝。言而直,一般来说可能不大中听,要违背某种意志。皇帝的意志岂是可以轻易违背的?碰上刚愎自用且又心胸狭窄的,直言了,便存在后果问题。所以对皇帝进谏,不免是一门学问。

当然，这类皇帝基本上是坐稳位置的那种，社会动荡、朝代面临更迭之际，皇帝自身难保，又要另当别论。比如东魏皇帝元善见，还没下台时，当然少不了"朕、朕"地自称，但宰相高澄听着不舒服，有一次便大骂起来："朕！朕！狗脚朕！"还不解气，让手下人上去"殴之三拳"，自己则"奋衣而出"。狗脚，意思是傀儡。骂了就骂了，打了也就打了，元善见的鼻涕、眼泪还只能背后去流。高澄的弟弟高洋后来废了东魏，建立了北齐，斯时高家天下已经显露了端倪，狗脚皇帝，怎么能让高澄放在眼里？

这件事情多少有些极端。在社会常态之下，向皇帝进谏，是不可能不讲究方法的，方法更是一种保身之道。气盛之时的白居易不懂这个道理，他与唐宪宗争论，居然斗胆说了句"陛下错"。宪宗很不高兴，"色庄而罢"，不跟你争了，私下里却指示大臣们："白居易小臣不逊，须令出院。"要把他赶出翰林院去。相形之下，李绛救白就聪明得多。他先给皇帝戴高帽子，说"陛下容纳直言，故群臣敢竭诚无隐"，白居易讲话绝对是不够慎重，但他也是"志在纳忠"呀，如果把他赶出去了，以后谁还敢吭声呢？自己的意思表达了，白居易也救了，这就是方法。倘若不如此，指责皇帝让人直言又问罪，出尔反尔，连他一起罢官也说不定。

但这个方法客观上是要求原则的，那就是保身的同时，亦要于朝政有益。《水东日记》记载了宋朝杨荣的进谏之方，则突破了原则的底线。杨荣之方，史家给取了个好听的说法，叫什么"以微言导帝意"。杨荣自己举例说，谁都知道《千字文》的第一句是"天玄地黄"，但是如果皇上读成了"天玄地红"，"未可遽言也"，不要马上纠正他，因为"安知上不以尝我？安知上主意所自云何？安知'玄黄'不可为'玄红'？"先得怀疑自己，多问几个为什么。如果种种怀疑都否定了，或者皇帝自己也觉得不太对劲，问起来了，也不要说他错了，应当这样回答：我小时候读《千字文》，见书本上写的是"天玄地黄"，"未知是否？"把是和非的决定权仍然留给皇帝。杨荣能"历事四朝"，且"恩遇亦始终无间"，这一招该是资本之一。他洋洋自得地说："以悻直取祸，吾不为也。"

　　杨荣说的悻直，无疑指那些极言敢谏之士。西汉时，成帝的老师张禹跋扈得很，满朝大臣却噤口无声，独有朱云高声叫道："今朝廷大臣上不能匡主，下亡以益民，皆尸位素餐。"说着自请尚方宝剑，要斩张禹。成帝大怒，让人把朱云拖出去，朱云抱住殿前的栏杆，继续申明自己的观点，把栏杆都拉折了。按杨荣之方，此举便纯属"取祸"，当然也为他所不屑。推而论之，倘若皇帝说，不对，你记错了，就是"天玄地红"，那么杨荣一定会故作惊讶，继而自责记忆。所以杨荣的进谏之方，分明让人看到了奴才的嘴脸。

　　与杨荣同朝的王禹偁尝作《三黜赋》以言志，最后写道："屈于身而不屈于道，虽百谪而何亏！"十足的大丈夫气概。杨荣逾越了原则的底线，一味自保，形同取媚，虽不屈于身、一谪而未，但是不是屈于道呢？答案不言自明。

2000 年 9 月 11 日

赵大鲸的"劾贪"态度

　　吴庆坻《蕉廊脞录》记载，赵大鲸有个门生准备到浙江去当巡抚，临行前来向他辞别。赵大鲸问他，你到那里之后，"政当奚先？"打算先从什么工作抓起呢？门生很干脆地答道："劾贪。"他满以为会得到老师的首肯，不料赵大鲸笑道："贪吏赃入己者，不必劾也。"门生一脸愕然，不知老师是什么意思。赵大鲸慢慢讲道，那些光知道往自己碗里划拉的贪吏，如果没有"分润上官"的前提，"上官早劾之矣，不待君也"。下属干没干过什么，上司清楚得很，哪里就等到你来呢？他接着说："今之巧宦，全取诸民，而半致之上，或且全致之，以贡媚而营私，上下固结，牢不可破。"如果明白了这种利害关系，你想弹劾，弹劾得了吗？

　　"不必劾也"，赵大鲸讲的当然是气话，甚至是反话。应该说，赵大鲸对社会现实是深切关注的,耳闻目睹,对官官相护导致贪吏不绝的丑恶现象深恶痛绝,但是毫无办法,话语中不免流露出无奈乃至绝望。所以说绝望,在于门生是不是到浙江上任已经并不重要,而在于无论他去哪里,都将面临同样的状况。如果赵大鲸采用的是一种"事不关己,高高挂起"的生活态度,就绝对讲不出这样的话。你贪你的,你相护你的,干我什么事! 这种态度可贬也罢,不正是很多人的实用逻辑吗? 那么赵大鲸的话,就不妨理解为大爱若恨。

"欲结人心,莫若去贪吏;欲去贪吏,莫若清朝廷。大臣法则小臣廉,在高位者以身率下,则州县小吏何恃而敢为?"宋朝的柴中行如是说。"郡守廉,县令不敢贪;郡守慈,县令不敢虐。"明朝的吴麟徵如是说。类似的话,还可以列举很多。赵大鲸所表述的和他们的其实都是同一个意思:"下面"的人所以胆子大,王法也敢置诸脑后,一方面是"上面"有"榜样"可寻,另一方面则是通过种种手段的运用而有所倚仗。那么这些话的潜台词实际是:要"劾贪",要反腐败,既治标又能治本,就必须从"上面"抓起。

元朝有个主管监察事务的廉访使,曾经在各地进行调查研究,然后根据百姓的臧否程度,把大小官吏分为三等:"第一等,纯臧者;第二等,臧否相半者;第三等,极否者。"谁谁谁,应该归为几等,"载诸籍",即记录在案。等到相应的分管部门出去巡视时,把这个考察报告交给他们,并提出了处置建议:第一等的,无疑要大加褒扬;第二等的呢,"勿问",人无完人嘛,虽然背负了骂名,毕竟也为百姓谋了利益;但第三等那些纯粹被百姓戳脊梁骨的,"惩戒之使改过可也,慎勿罢其职"。初时感到比较难于理解,但赵大鲸的话似乎给了个提示,不是不想"罢其职",而是根本奈何他不得,使之改过的建议已经算是很有勇气的了。

那么贪官污吏毕竟有不少落马的,又该怎么看待呢? 赵大鲸做了个比喻:那些"肤箧百万"的盗贼,往往是不会落网的,因为他们"有所恃焉,则无敢踪迹之",凭他们的后台,一般来说,查都没人敢查;被抓到的,不过是"窃铁攘鸡辈耳",小贼,提不到台面上的。以之类比劲贪,可能走了极端,但说明虽然不断有贪官污吏被揪出来,但现实的依旧如此,令赵大鲸们并不觉得解气。他的"不必劲也",确有端正的必要,但是上面说了,赵大鲸的话,不一定是要阻止门生的作为,而是为他指出"劲贪"问题的严重性和艰巨性,告诉他果真要施展抱负,则必须有足够的思想准备。

2000年9月25日

"未有无士之时"

唐人魏元忠说:"士有不用,未有无士之时。"士,在此乃智者、贤者,引申出去就是人才。干事业需要人才,任何明智的统治者都能认识到这一点,但在具体的落实上,却往往没有那么明智。汉高祖刘邦曾经如数家珍地点过,干这个他不如萧何,干这个他不如张良,干那个他又不如韩信,占有天下之前,对人才的认识,清楚得很。但是一朝得志,韩信、彭越、黥布等人也就走向了人才的反面,成为眼中钉,必诛戮殆尽而安心。所以他在家乡父老面前"慷慨伤怀"地弄出的那半首《大风歌》,很让人觉得虚伪,"安得猛士兮守四方"?应该扪心自问才是。

南朝宋文帝也觉得缺人才。有一天,他和刘坦谈论历史,感慨地说:"金日䃅忠孝淳深,汉朝莫及,恨今世无复如此辈人。"金日䃅是西汉霍去病征匈奴时带回来的俘虏,他爸爸是休屠王,不肯降汉而见杀,他则被"没入官,输黄门养马"。但他自身的气质和养马的成绩得到了汉武帝的赏识,所以得到了破格提拔;更因为他成功地制止了莽何罗的谋反,使他"勒功上将,传国后嗣"。刘坦抓住这个话题说,陛下对金日䃅的评价的确不错,但是假使金日䃅"生乎今世,养马不暇,岂办见知"?刘坦的话说得很重,矛头直指的是其时的用人机制。五胡乱华,大量中原人民包括原本的望族都纷纷南迁,然而尽管他们当中不乏优秀人才,"朝廷常以伧荒遇之"。伧荒,是一种讥讽的口吻,在"土著"们的眼中，北地荒远，北人粗鄙。因而这些人才"每为清途所隔"，得不到重用。刘坦对此就有切肤之痛，所以尽管文帝脸色已经变了，嘟嘟囔囔地叨咕"卿何量朝廷之薄也"，他仍然不依不饶地说，朝廷的这种态度，便是金日磾在世，能够脱颖而出吗？"臣恐未必能也"。

宋英宗也觉得缺人才。继位之后，用来用去，都是他在藩邸时身边那几个用过而且"信得过"的人。贾黯当庭指出："俊乂满朝，未有一被召者，独亲近一二旧人，示天下以不广。"英宗呢？不是检讨自己洞察的能力，反觉得满腹委屈："朕欲用人，少可任者。"贾黯毫不客气地反驳说："天下未尝乏人，顾有用如何耳。"这后半句十分值得思索，它同时可以理解为人才怎样才能发挥作用。因为在社会现实中，即便对于人才的使用，往往也会遭遇许多人为的掣肘。

明朝抗倭名将戚继光和俞大猷是一对好朋友，两人具有同样的壮志和宏图，锐意于本朝的军事改革。然而前者以"戚家军"闻名于世，俞大猷却屡被参劾并受到申斥。原因很简单，就在于戚继光同时精通政治间的奥妙。所幸的是，戚继光"没有把这些人事上的才能当成投机取巧和升官发财的本钱，而只是作为建立新军和保卫国家的手段"。（黄仁宇《万历十五年》）《明史》亦云戚继光"赖当国大臣徐阶、高拱、张居正先后倚任之"，尤其张居正的"事与商榷"，使"欲为继光难者，辄徙之去"，以自己的权威直接为他扫清障碍。所以张居正死了，戚继光的作为也就结束了，他立即被弹劾并郁郁而终。

"未有无士之时"、"天下未尝乏人"，任何时代都的确如此，像宋文帝、宋英宗那样抱怨天独薄我是十分可笑的。但如俞大猷的不能有所作为，戚继光的要在达官的羽翼之下才能有所作为，种种貌似个人的悲剧实乃国家的悲剧。若无施展空间，人才的存在也就变得毫无意义可言。

2000年10月22日

"润笔"中的人生

唐宋时翰苑草制除官公文,一般要例奉润笔物。奉者,当然是除官之人,那意思大约是你当官了,大家也别白忙活,跟着高兴一回吧。《隋书·郑译传》中,郑译被重新起用,文帝杨坚令李德林"立作诏书",高颎跟郑译开玩笑说:"笔干。"想要郑译循例出血,郑译答道:"出为方岳,杖策言归,不得一钱,何以润笔。"如果单凭这几句,真要被他给蒙住了,可惜郑译罢官之前是以"赃货狼藉"而闻名的,所以他不是廉洁得拿不出钱来,或者为了纠正风气,而是做样子给杨坚看的。润笔到了后来,才泛指付给作诗文书画之人的报酬。

叶盛的《水东日记》使我们知道,那时的"翰林名人"给人家写东西,都是有润笔银的,比如送行之类,"非五钱一两不敢请"。叶盛记的是明朝的事,类似的事可以上溯到什么时代比较难说。只是有了这么一档子事,再读那些亲亲密密、热热乎乎的诗文,其密度和热度究竟如何,不免使人疑惑。劳动取酬,天经地义,但倘若"翰林文人"以自己的地位、门面借机谋财,那是由不得人们不非议的。李诩《戒庵老人漫笔》谈到,明朝有个唐子畏,把自己的这类文字订成一册,封面上干脆直书"利市"两个字。还有个叫桑思玄的,好朋友"托以亲昵,无润笔",他不高兴极了,对那人说:"平生未尝白作文字,最败兴,你可暂将银一锭四五两置吾前,发兴后作完,仍还汝可也。"没有金钱的诱惑,已经写不出东西来了。

文人无行,唐子畏、桑思玄代表了其中的一个侧面,好在"翰林名人"并不都是如此。文莹《湘山野录》载,南唐的严续"位高寡学,为时所鄙",至于有人作《蟹赋》来讥讽他,说他"外视多足,中无寸肠"等等。严续"深衔"之余,想到了韩熙载。韩熙载在南唐极负盛名,什么都能,"谈笑则听者忘倦,审音能舞,善八分及画笔皆冠绝",甚至每一出门,"人皆随观",要目睹他的风采。南唐画家顾闳中的名作《韩熙载夜宴图》流传至今,足以见证一斑。严续认为如果韩熙载能给自己写点东西,吹一吹,自己无疑也就"正名"了。为此他在"濡毫之赠"方面非常慷慨:"珍货几万缗"之外,又根据韩熙载"多好声伎"的偏好,再送上一个"质冠洞房"的年轻歌女。韩熙载很高兴,文章也很快出手了,但拉拉杂杂,却"无点墨道及续之事业"。严续把文字"封还",请他返工。但韩熙载"亟以向所赠及歌姬悉还之",东西宁可不要了,也不违心落笔。

或曰:韩熙载高高在上,沉得下脸。实际上在金钱利益的面前能否自持,是个人操守的尺度把握问题,不在于位尊位卑。元朝有个宦官以"奉钞百锭"为润笔,请胡长孺为其父作墓志铭。胡长孺大怒:"我岂为宦官作墓志铭邪!"当时他家正在断炊,"其子已情白",大家都劝他先渡过难关,胡长孺"却愈坚",正所谓"一毫不苟取于人,虽冻馁而不顾"。宋末元初还有个画家郑所南,画兰尤其出色,但他有句话叫做"求则不得,不求或与",不会因对方有权或者有钱,就忙不迭地送上门去。当地官员恨得要以增加他家田地的赋役来威胁,郑所南回答得干脆极了:"头可斫,兰不可画。"

金埴《不下带编》里留下了清末思想家黄宗羲的砚铭:"毋酬应而作,毋代人而作,毋因时贵而作。宁不为人之所喜,庶几对古人而不怍。"这三个毋,是黄宗羲的原则,也毕现了他的风骨。金埴感慨地说:"观此铭而其人如见已。"坚持这三个毋,必然不能讨好当世,然而面对青史呢?许多人所以自惭形秽,正在这里。

2000 年 10 月 23 日

"不与徐凝洗恶诗"

诗,乃传统文化的一种,最早的诗歌总集《诗经》,相传还是孔夫子"去芜存菁"的结果。尽管《诗经》里的"国风"多采自民间,但作诗多少也是一门学问。周世宗不甘寂寞,曾经写了一首以示学士窦俨,问他能不能拿去公开。这让窦俨很为难,皇上的作品好还是不好,按理说是不必到阅读之后才下结论的,但窦俨总觉得不是滋味,所以他委婉地说:"诗,专门之学。若励精扣练,有妨几务;苟切磋未至,又不尽善。"周世宗明白了窦俨的意思,"遂不作诗"。

不过有些人不明白窦俨说的道理,把作诗看成是"趁韵而已"的事情,简单得很。《朝野佥载》里有个实例。唐人权龙襄"常自矜能诗",他当沧州刺史的时候,"初到乃为诗呈州官",显示自己很有一手。写的是什么呢?对沧州的印象:"遥看沧州城,杨柳郁青青。中央一群汉,聚坐打杯觥。"上司初来乍到,不说恭维,客套总还是要讲的,于是大家异口同声地赞道:"公有逸才。"麻烦的是权龙襄对此完全没有意识,只道是自己的才华真的把人给镇住了,过些日子又弄了首《秋日述怀》:"檐前飞七百,雪白后园墙。饱食房里侧,家粪集野螂。"这下轮到大家莫名其妙了,前面那个顺口溜还能知道它的大致意思:远远看去,沧州的绿化不错,走进一瞧,一群闲汉正坐着喝酒;可这首述怀是怎么回事呢?大家便请他解释,绝非自卑得非要请领导点拨,而是真的不明所以。权龙襄便侃侃而谈:屋檐前有只鹞子在飞,鹞子起码值七百文钱吧,所以叫"檐前飞七百";后园里晾着一件衣服,洗得洁白如雪,可不就像墙壁一样?人吃饱了一般都犯困,回屋里睡觉,斜躺着,所以是"饱食房里侧";最后一句的意思更简单,你在自家的茅坑里拉完屎,肯定会从外面招来好多屎壳郎⋯⋯其实权龙襄别这么"显山露水"还好,如此粗鄙不堪的东西倒让人们掂量出了他的斤两,至于"谈者嗤之"。

权龙襄这样的人物能够见诸历史,意义只有一个,那就是记录者试图以其笑柄来告诫后来者,诗乃"专门之学",不具风雅就不要附庸风雅。不要说这种令人喷饭的歪诗,看苏东坡嘲笑徐凝,好多热衷于此道的人士都应该考虑干点别的来自娱了。

苏轼在《东坡志林》里谈到他初游庐山,很为秀丽的风光所倾倒,"遂发意不欲作诗",怕一旦作起来应接不暇。但听到山里的僧俗追星族一般都在奔走相告苏东坡来了,让他很是感动,便有些"自哂前言之谬",幸他这一动笔,才为后人留下了"不识庐山真面目,只缘身在此山中"的千古名句。在游山途中,东坡收到友人寄来的《庐山行》游记,"且行且读,见其中云徐凝、李白之诗,不觉失笑",于是亦有一绝:"帝遣银河一派垂,古来惟有谪仙辞。飞流溅沫知多少,不与徐凝洗恶诗。"徐凝,唐元和年间曾官至侍郎,《全唐诗》存其一卷,留有若干关于庐山的诗。东坡针对的该是他那首《庐山瀑布》:"虚空落泉千仞直,雷奔入江不暂息。今古长如白练飞,一条界破青山色。"徐凝的诗,不见得恶,但倘若把这首与李白的"飞流直下三千尺,疑是银河落九天"相提并论,难怪东坡要失笑。而且,因为已有"崔颢题诗在上头",李白到了黄鹤楼也不肯动笔,那些班门弄斧的人还不可笑吗?

苏东坡如此贬低徐凝,多少有些过分,但这句"不与徐凝洗恶诗"却可以移来一用。利用权势或种种可资利用的手段而把自己制造的垃圾强行塞给世人的人,本意当然是要不朽,可惜到头来,只怕连"飞流溅沫"也不屑一顾。

2000年10月30日

邓绾的"笑骂从汝"

谈及世风之变,明朝的王元翰曾经对万历皇帝归纳出这么一条:"大小臣工志期得官,不顾嗤笑。"这句不起眼的话完全可以超越时空。因为倘若抹去其中的人物、朝代等背景材料,相信人们看不出这句话是什么时候说的。翻开我们的历史,把"得官"作为职业的首选,实在是历朝历代都颇为常见的景观,只是选择的途径、方式不同罢了。为了当官而"不顾嗤笑",这样的社会风气令王元翰感到忧虑。在他看来,这岂不是要不择手段,甚至把人格也当成无关紧要的东西?

其实比较起来,为得官而"不顾嗤笑"的还算是不错的了。宋朝的邓绾公开说过:"笑骂从汝,好官须我为之。"他这里的"好官"可不是史书上所说的循吏,笑骂循吏的当然也不会是通常意义上的好人。邓绾的好官是他心目中的理想位置,是"肥缺",只要能当上,嗤笑算什么，就是骂，也都随你的便。邓绾的出身本来不坏，"举进士，为礼部第一"，在重科举取士的北宋，前程远大，而且他当时已经在宁州通判的任上。通判的地位不能算低，仅仅略次于州府长官，同时又握有连署州府公事和监察官吏的实权，号称监州。但邓绾心急，巴望着早一点、快一点爬上去。时值王安石"得君专政"，实施变法，邓绾终于在对新法的态度上找到了突破口。

宋神宗熙宁年间的王安石变法，是11世纪一件惊天动地的大事，但新法在推行过程中出现了许多不尽人意之处，遭遇了强大的反对声浪，这声浪绝非一句"保守派的阻挠"能够蔽之的。可惜王安石听不得半点反对意见，于是凡是赞同他，同时也是他认为有能力的，不论处于哪一层次，都要破格提拔，韩绛、吕惠卿、苏辙等的升迁可以佐证。邓绾摸准了这一点，对新法大唱颂歌，不是发自内心的拥护，而纯粹是为了取悦王安石。他上书神宗，说陛下真是有贤良辅佐，新法的颁行使"民莫不歌舞圣泽"，百姓拥护极了；并且这种大好形势"以臣所见宁州观之，知一路（路：宋朝行政区划，相当于后来的省）皆然；以一路观之，知天下皆然"。什么好听就说什么，哪怕信口胡诌。除此之外，邓绾还对王安石"贻以书颂，极其佞谀"。这一招果然奏效，在王安石的极力举荐下，以至于徽宗"驿召对"，要他火速进京。这次召见原本只是给他官升一级，为宁州知州。还要回地方去，他很不高兴，对宰相们发牢骚："急召我来，乃使还邪？"原来他来的时候根本没打算再回去。人家问他："君今当作何官？"他说："不失为馆职。"直接伸手要官。第二天他居然就被升为集贤院校理。"乡人在都者"都替他难为情，骂他是无耻之徒，邓绾却毫不在乎，并用这句"笑骂从汝"来回敬。

邓绾的为人，王安石在经历了去位、复相的一番折腾后才算终于认清，他"自劾失举"，承认看错了人。但邓绾有他的实用逻辑，且屡试不爽，仕途上也始终没有大的波折。

邓绾对"笑骂从汝"的实践是成功的，而相对于明朝的崔呈秀，他则又成了小巫。崔呈秀跟定了魏忠贤，甚至还说出过"千讥万骂，臣固甘之"的话。由"不顾嗤笑"到"笑骂从汝",再到"千讥万骂,臣固甘之",这个递进关系完全活现出为了"得官"而廉耻愈来愈不足顾的种种丑恶嘴脸。其实即便是最低层次的"不顾嗤笑",也足以表明社会的用人机制一定出了问题。

2000 年 11 月 12 日

王安礼眼中的"小人"

　　君子与小人,是古人很喜欢议论的一个话题,所以典籍当中每每能听到"进君子,退小人"的呼声。人们大抵以益政或害政作为二者的分野。《池北偶谈》里更有个形象的比喻:把君子比作水,小人比作油。为什么呢?因为水"为用也,可以浣不洁者而使洁";油则相反,"可以污洁者而使不洁"。这正是君子和小人的原则区别。另外,从行为的角度看,"即沸汤中投以油,亦自分别而不相混",就是说,君子有容,但小人不会因为混迹于君子之中便可以摇身一变成为君子,二者无论怎么说都是泾渭分明的;反过来,"倘滚油中投一水,必致搏激而不相容"。这个比喻可谓极其生动和贴切。

　　但在王安礼的眼中,"小人"还有另外一种。

　　《邵氏闻见录》载,宋神宗元丰六年(1083 年),重病中的宰相富弼上书言神宗左右"多小人"。富弼说的小人当然是通常意义上的,但是同为重臣的章惇脸上很挂不住,怀疑富弼所指的就有他,因为他的"穷凶稔恶"即使在当时也是出了名的,后来更"跻身"《宋史》"奸臣"行列。在章惇看来,尽管那是富弼的个人看法,但富弼的地位决定了他说的话不可能不左右皇帝的思维,他要急于证实,以作打算。于是他撺掇神宗:"可令分析孰为小人。"让富弼干脆点出来。这时,右丞王安礼借题发挥道:"吾辈今日曰'诚如圣谕',明日曰'圣学非臣所及',安得不谓之小人!"在王安礼的眼中,该说不说,毫无原则,一味应声附和的大臣,同样堪称小人。

王安礼是王安石的弟弟。"安石恶苏轼而安礼救之,昵(吕)惠卿而安礼折之",两兄弟同在朝中为官,但政见不尽一致。安礼不是故意要与哥哥作对,而是有自己的主见并且不会因为惟恐触怒什么而首鼠两端。尽管如此,他的借题发挥并没有把自己推得干干净净,一句"吾辈",足见其胸襟的坦荡了。

　　小人或奸臣误国,历来被认为是王朝覆亡的重要原因,此种归咎多少有些寻找替罪羊的成分。但王安礼眼中的小人,性质上的确是误国的。《邵氏闻见后录》载,唐高宗初始摆出虚心求谏的姿态,"而无谏者",他表示不大理解。李勣马上表态:"陛下所为尽善,群臣无得而谏。"现实如此完美,大家挑剔不出什么了,肉麻得很。事实果真如此吗?当然不是。比如唐高宗后来要立武则天为后,褚遂良坚决反对乃至要"以死相争";轮到李勣说话了,他却"称疾不入",私底下才露出真面目:"此陛下家事,何必更问外人!"你老人家愿意怎么干就怎么干,睬他们干嘛呢?李勣是作为人才由唐太宗推荐给高宗的,邵伯温在这里写道,就凭李勣的这两次表现,足以说明太宗"失于知人矣"。的确,这一句"家事"的怂恿,比惟命是听的"诚如圣谕"不知要可鄙几分!

　　恶果还不止于此。这一句"家事"被李林甫之流学去后,更把它当成了卖乖的工具。《鸡肋编》载,高宗要废太子,因为反对的声浪太大,一时"犹豫未决",正是李林甫的一句"此陛下家事,非臣等宜预",让他再次坚定地一意孤行。到了德宗废太子的时候,大臣们刚一说话,德宗便立即让大家打住,不等"小人"们提醒,他自己已经脱口而出了:"此朕家事,何预于卿,而力争如此?"无疑,有了李勣的"首倡奸言",才有德宗的"便谓当然,反云'家事'以拒臣下",这样的大臣不是十足的误国小人吗?

　　所以,王安礼衡量小人的尺度,拓宽了人们的认识视野,它告诉人们,小人不仅仅是暗地里施枪放箭、行为猥劣的一类。这个尺度,该是他义愤之余的莫大功绩吧。

2000 年 11 月 26 日

碑刻的时运

欧阳修说过："惟贤者之书能久存。"久存，意味流芳后世。欧阳修是北宋著名的文学家，书法也有相当的造诣，到了"平生喜学书，见笔辄书"的地步，钟爱的程度可见一斑。据叶盛《水东日记》记载，在他生活的明代，欧阳修等人的字迹见得很少，倒是苏东坡的，"崖镌野刻，几遍天下"。叶盛调侃地说，大概东坡当年无论走到哪儿都把石匠带在身边，一边写一边就往石头上凿，不然该怎么解释"长篇大章，一行数字，随处随有，独异于诸公"呢？

不过，苏东坡的字迹到明朝应该已经少了很多。不说风剥雨蚀的自然损耗吧，就在东坡在世的时候，因为他是元祐大臣之故，株连到他的一切都经历过一次毁灭性的打击。"元祐党争"是北宋历史上一个著名的事件，新党、旧党，旧党中的三派之间，为了各自的政治理想互相争斗。元祐乃宋哲宗继位之初的年号，那时他才十岁，不谙世事，旧党占据舞台；到他亲政之后，风向突变，朝廷开始大张旗鼓地贬责元祐大臣及禁毁元祐学术文字。于是在那个年代，要是想打倒谁或打倒什么，不需用太多的理由，只要把那人或那事和元祐二字扯上就足够了。《齐东野语》谈及诗歌的时运时透露，徽宗政和年间，大臣有不少不学无术的，他们写不出诗来，就说"诗为元祐学术，不可学"。先是"请为科禁"，把它从科举考试中抹去，然后干脆明令："诸士庶习诗赋者杖一百。"不光不考了，老百姓也不准再碰诗赋，谁敢不听？揍你！

苏东坡正是元祐党人，首当其冲的是被贬官，且一贬再贬，一路南下，最后贬到儋耳，也就是今天的海南。几乎与此同时，有人忽然觉得，光贬责禁毁学术还不够，还得从感官上清除他的影响。《春渚纪闻》记载，哲宗绍圣年间有人提议，司马光神道碑的碑文是苏轼撰述的，应当砸掉。这建议马上得到了批准，于是"毁拆碑楼及碎碑"。周煇《清波杂志》又载，宋徽宗崇宁三年（1104年），淮西宪臣霍汉英更建议,应当把天下苏轼所撰写的碑刻,"并一例除毁",全都砸了,一个不留。第二年,臣僚纷纷深挖细掘,说王诏知滁州的时候,曾经向苏轼求得其所书的欧阳修《醉翁亭记》,"重刻于石",向苏轼献媚。这且不算,他还动用公款拓了好多墨本,"为之赆遗",至于官员过往,居然人手一份,成了馈赠佳品!王诏动用的公款其实是由他本人有权支配的接待过往官员的费用,而且王诏对东坡的书法也难说不是出于敬仰,但既然和元祐党人沾边了,就不行。王诏的官已经当到了司农卿,也没什么好说的,"坐罪"。周煇写到这里气得大骂:"汉英遗臭万世,臣僚亦应同科。"再过几年,毕渐又提出一个更彻底的建议,就是把元祐党人所立的碑碣,"宜一切毁坏",不要光盯着苏东坡的,要放眼所有人的……

苏东坡书法的优劣,不用多费口舌,他那纸流传至今的《寒食帖》被誉为"天下第一美帖",已经说明了问题。有趣的是国人的态度。碑刻等本该归为文化门类的载体,却成了政治的风向标、晴雨表。还有那个毕渐,在载有二苏、黄庭坚等元祐党人诗作的《续池阳集》中,他是作了序的,但是划清界限,反戈一击起来,也最不留情面。透过这种种事实,我们该为什么悲哀呢,仅仅为文化吗?

所幸我们今天仍能领略到东坡的书法魅力,也许正应了欧阳修的话,"惟贤者之书能久存"吧。

2000年12月4日

吃河豚之争

据说河豚的味道十分鲜美。苏东坡就非常喜欢吃,河豚还入了他的诗:"竹外桃花三两枝,春江水暖鸭先知。蒌蒿满地芦芽短,正是河豚欲上时。"钱锺书先生认为,末句是东坡"即景生情的联想",因为宋代烹饪以蒌蒿、芦芽和河豚同煮,所以"苏轼看见蒌蒿、芦芽就想到了河豚",江上的鸭是实景,河豚则在东坡意中。可见河豚在东坡心目中的地位。据《邵氏闻见后录》记载,有一次东坡和朋友们聚会,"盛赞河豚之美",没吃过的人问他究竟怎么个美味法,才高八斗的东坡想了半天也形容不出来,干脆直截了当地说"直那一死"。在《南村辍耕录》中,这件逸事同样被陶宗仪收了进来,只是东坡的话变成了"据其味,真是消得一死"。

把吃河豚和死联系到了一起,是因为人们都知道河豚有毒。河豚的肝脏、生殖腺及血液都含有剧毒,处理不好就会出人命。所以宋人梅尧臣有诗云:"炮煎苟失所,入喉为镆铘。"又云:"皆言美无度,谁谓死如麻。"讲的就是吃河豚可能和已经造成的结果。梅尧臣在当时也是个很有号召力的人物,有人甚至发现"西南夷"(今云贵川一带当时少数民族的总称)装弓箭的布袋子,上面也都绣着梅诗。但东坡认为如果尝过河豚的滋味,死了都值,可见河豚的诱惑。

龚炜在《巢林笔谈》中记述了自己的一次经历。有一天他去会朋友,人家问他想不想来点河豚尝尝。龚炜心里打怵,但是嘴上很硬:"怀疑而食,味必失真;失真之味入疑腹,易牙不见功矣。"易牙是春秋时齐桓公的宠臣,长于调味。龚炜的意思是不相信他们能弄来河豚。酒喝到一半的时候,上来一道菜,"味甚鲜",令龚炜"不觉大嚼"。看到朋友们"相视而嬉",龚炜明白了:这道菜准是河豚。他的反应极快:"东坡值得一死,我终不敢轻生。"顺利地下了台阶。

但梅尧臣的"死如麻"也绝不是危言耸听。李诩在《戒庵老人漫笔》中谈到,他家乡那里历来"惯食"河豚,他也特别喜欢。直到有一天进城,"闻一人家哭声甚哀",一打听,知道那家人因为吃河豚一下子死了四口,从此他才再也不敢吃了。不仅如此,他还经常劝别人也不要吃,他说得很有道理:"世间多美味,省此一物不为少。"因为吃而冒那么大风险何必呢?接着他把矛头又指向东坡,劝告人们"勿为苏家口语所误,悔之无及"。李诩觉得,东坡为了求得一时之快,讲什么"消得一死"的话实在不负责任。

讲到中毒,《铁围山丛谈》还谈到一则趣事。宋徽宗崇宁年间,有个名士路过姑苏(今江苏苏州),那里的一个州将早就向他许过诺,来我这里一定请你吃河豚。州将把河豚当作款待朋友的最高规格,但名士却恐惧得很,赴宴前戚戚地对家人说:怎么办呢?"今州将鼎贵",又是一片真心,看得起咱,不吃肯定是不行的。这样吧,听说一旦中了毒,"独有人屎可救解",你们记住我的话,必要的时候就用这招。谁知到了那里,主人万分歉意地说,到处去找河豚,"反不得",让大家失望,真是罪过,没办法,今天就多喝点来尽兴吧,"坐客于是咸为之竟醉"。名士回到家,人事不醒,吐不不停。家人慌了手脚,认为这一定是中了河豚的毒了,"环之争号",同时急忙"取人秽,亟投以水,绞取而灌之",名士吐一次就给他灌一次。等到天亮了,名士的酒醒了,能说话了,大家才转悲为喜。只是可怜名士白被灌了那么多让人作呕的东西。

"消得一死"与"勿为苏家口语所误",这两种截然相左的观点使到底吃还是不吃的人们更加犹疑不定。当然这不可能有一定之规。宋人陈傅良坚持的不要吃,却有另外一个视角。他的《戒河豚赋》透过河豚的"以甘杀人",强调了"干戈伏于不意"的论点,认为"物之害人兮,不在乎真可畏也。凡蓄美以诱人兮,盖中人之所利也"。末尾更联系到了王莽篡汉等历史现象。这样看来,吃不吃河豚,倒有点像应该怎么当官治国。这篇东西很值得一读。

2000 年 12 月 18 日

洁癖

癖者,嗜好也。人的秉性不同,所好必然千姿百态。

西晋时杜预曾列举当时人物之癖,说王济善相马又"甚爱之",有马癖;和峤以聚敛为能事,则有钱癖。武帝听到后问,那么你呢?杜预说自己有《左传》癖。杜预对《左传》极有研究,著有《春秋左氏经传集解》等,成一家之学。某人专注于某一事而成癖,往往也易为人们津津乐道,独有钱癖例外。还是西晋,被时人号为"竹林七贤"之一的王戎,"积实聚钱,不知纪极",经常"自执牙筹,昼夜算计,恒若不足"。甚至女儿出嫁时借了钱给她,因为还得不及时,女儿每次回来都没有好脸色看;还了,"然后乃欢"。所以王戎的"获讥于世",不免其"性好兴利"的一面。

洁癖,顾名思义,就是特别爱干净。南朝刘宋的庾炳之,"士大夫造之者,去未出户,辄令人拭席洗床"。人家还没走出他家门呢,他这里已经开始清除污染了。另有个叫殷冲的,"亦好净",但他要分对象,侍从们"非净浴新衣,不得近左右",可是如果"士大夫小不整洁",便不要紧。因此他还常常嘲笑庾炳之,大概是笑他的洁癖"一视同仁"吧。王锜《寓圃杂记》载,明朝画家倪云林也有洁癖。他晚年曾隐居在一位徐姓朋友家,有一天二人同游,云林偶饮七宝泉的水,赞不绝口,朋友就让人每天给他汲两担,一担供他喝,一担供他濯。徐家离泉有五里的路,算不上近,但"奉之者半年不倦",没有二话。倪云林回家后,朋友去看他,在他院子里"偶出一唾",这可不得了了。倪云林当即让仆人们"觅其唾处";没找到,"因自觅",非要找到不可。最后"得于桐树之根,遽命扛水洗其树不已",把朋友害得"大惭而出"。《巢林笔谈》更记载道,倪云林因为"厌世浊",乃至作品中"不画人物",也许他认为世浊的根源乃人之所致吧。野史将倪云林的洁癖说成"自古所无",确实不虚。倪云林病殁后,有人则说他是被明太祖朱元璋扔进厕所里浸死的,王锜推断,这是人们"恶其太洁而诬之也"。

官衔里有个职位叫做洗马,级别不高,秦汉时为东宫官属,太子出则为先导,平时就负责传达、通报,两晋时改掌户籍,隋以后改司经局。洗马,其实与给马清洁身体毫无关系,但因为沾了"洗"字,便时常有人以之调侃这个官衔。据龚炜《巢林笔谈》,杨守陈为洗马时,有次住在一个驿站,驿丞觉得洗马的级别跟他差不多,有点看不起,就故意问杨"日洗几马"。杨守陈知道他是装糊涂,但一点不跟他计较,告诉他:"勤则多洗,懒则少洗,无定数也。"龚炜赞叹杨守陈答得真妙:"使于此而稍加呵斥,则褊矣",显得心胸狭窄;"如其问以答之,趣甚!"另据《水东日记》,兵侍王伟开洗马刘定之的玩笑:"吾太仆马多,洗马须一一洗之。"刘应声答道:"何止太仆也,诸司马不洁,我固当洗之耳。"太仆为天子执御,掌舆马畜牧之事;司马是兵部尚书的别称。刘定之在这里显然借"马"字代指了各级官员,"诸司马不洁",当然已有了贪赃枉法的意味。那么刘定之的"洗"则表达了对腐败者的疾恶如仇,难怪"闻者快焉"了。

钱癖为世所讥;官员养成钱癖,可能要身败名裂。所以身居官场的人,不妨首先培养自己的"洁癖",在钱财方面头脑爱干净,洁身自好,也才可能廉洁奉公。明初的御史吴讷在巡按贵州回来的途中,地方上遣人追送"黄金百两"。吴讷连封都不拆就让他们拿回去,还在上面题了一首诗:"萧萧行李向东还,要过前途最险滩。若有赃私并土物,任他沉在碧波间。"时间上比吴讷稍晚一点的徐问,当了40年的官,刑部、兵部、知府,从中央到地方,有职有权的地方他都待过,但是"敝庐萧然",自家的住房都很不像样子。他当长芦盐运使的肥差时,一上任就开宗明义:"吾欲清是官也。"有了这个指导思想,他"终任不取一钱"。

官员如吴讷、徐问般有"洁癖",甚至如倪云林般走极端,都绝对不是什么坏事,尤其在制度与监督等等谈不上健全的情况下。因为倘若对此不屑,抓住漏洞,一味地龌龊下去,国家和社会固然蒙受了损失,他们自己也终不免有被"洗"的一日。

2000年12月25日

耐弹的"刘棉花"

历史上的好多官员都有绰号。有些针对官员作为的绰号非常传神,寥寥几个字,谐谑之间,那人的神态便跃然纸上。比如宋朝的王珪被称做"三旨相公"。因为他自执政到宰相,干了16年,"无所建明,率道谀将顺",口头禅就是三句话:上殿进呈,云"取圣旨";皇帝有了批示,云"领圣旨";下来传达,云"已得圣旨"。明朝的万安则被称做"万岁阁老"。疏于朝政的成化皇帝好不容易因为出了彗星,"天变可畏",才召见了两位大学士,但话还没说上几句,安排此事的万安怕谏得多了让成化心烦,就开始"顿首呼万岁",要走了,两人不得不跟着他退出来,因此时人讥之"止知呼万岁耳"。明人于慎行说,这个"万岁阁老"和"三旨相公"放到一起,倒真是一副妙对。

与万安曾同时为阁臣的刘吉,绰号为"刘棉花"。众所周知,棉花的加工曰弹,弹的遍数越多,棉花越雪白、松软。刘吉得此绰号,在于他有着与棉花一样的特性,"耐弹"。当然,这里的弹已经一语双关,实际上是"耐弹劾"的意思。就是说,自我感觉不错的刘吉无论受到怎样的抨击,都能顶住压力,把自己的官心安理得地做下去。

刘吉总共当了18年的阁臣,历成化、弘治两朝。《明史》对他的评价是:"多智数,善附会,自缘饰,锐于营私。"这个人有本事不假,心计也多,但是没有用到正地方,因而任职期间,屡为"言路所攻"。成化时,面对皇帝"失德",他与万安、刘珝"无所规正",人们弹他们那个班子是"纸糊三阁老,泥塑六尚书",噤口不言,全无用处。弘治皇帝继位后,庶吉士邹智、御史姜洪再"力诋"万安、刘吉等,说他们"皆小人,当斥"。结果把万安他们都给弹掉了,"吉独留",且"委寄愈专",颇显"耐弹"本色。

面对这个很不好听的绰号,刘吉想到过"笼络言路"。为此他"建议超迁科道官",就是越级提拔六部及都察院职司监察的那些官员,使他们"处以不次之位",提拔谁不再论资排辈,说你行你就行。谁不愿意升官呢?谁愿意因为得罪权势人物而升不了官呢?当然这是刘吉的如意算盘,偏偏不少人"不识抬举",庶子、御史、南京给事中,方方面面,"言者犹未息",仍然"相继劾吉"。于是刘吉又想到过打击报复。为此对弹他的人"数兴大狱",或囚系远贬,或谪官,致"台署为空",专司弹劾之职的御史台官员们差不多都给赶走了。"中外侧目",弹者才"少衰"(稍稍减少)。与此同时,刘吉还想到过追查来源。他怀疑"言出下第举子",没考上,拿他撒气,便在皇帝面前出主意:

"举人三试不第者,不得复会试。"只是当时正值会试之期,苦等了三年的举子已经齐集都下,礼部有关考试的一切准备工作也都做好了,这一科的举子才算不幸中有了万幸。

刘吉的种种努力都是为了封嘴,招数想遍了,惟独没有想到过人们为什么这么叫他,当然也就谈不上引咎。不过那么多人那么多年都撼动不了他,刘吉也必有通天的本领。事实上,"刘棉花"的耐弹,正是皇帝的关系,否则他的软硬兼施根本出不了台面,要不是弘治烦他了,让人"讽令致仕",他还会赖着不走。在那种制度之下,说了算的人喜欢他,别人弹不弹又有什么紧要呢?

2000 年 12 月 31 日

"居官必如颜真卿"

"居官必如颜真卿",南宋陈宓语。如颜真卿什么呢?人们都知道颜真卿以书法享誉后世,所谓"颜筋柳骨",颜体自成一家。但陈宓的话,却绝无鼓励当官的都去练字,弄个书法家当当的意思。陈宓所指,乃是颜真卿被人忽视的一面,这就是他的大节。因为就颜真卿来说,书法上的造诣固可称道,但倘若以此来为之盖棺定论,未免舍本逐末。事实上,在《旧唐书》颜真卿本传中,对他的书法只说了三个字:尤工书。

关于大节和小节之论,明朝于慎行有两个例子讲得非常透彻。他说提起柳下惠、关云长,人们往往就会跟坐怀不乱、秉烛夜读联系到一起,其实对二人来说,这些都属于他们的小节。他解释道,柳下惠坐怀,背景为"风雨如晦,投衣而燠",斯时御寒为第一要务。即使柳下惠有那个意思,也未必马上行动得起来;况且那女子"人之美恶老少又不可知",哪能不分青红皂白地就"乱"起来呢?至于关羽,曹操有意把他和刘备的老婆安排在一间房子里,"耳目密列",就是想等他一旦轻举妄动,便坏他的名声。在这种情况下,别说关羽,谁都不会傻乎乎地硬往陷阱里跳。所以"柳之不乱,不欲者能之;关之秉烛,不敢者能之;非其大也",用这两件事说明二人所以为后世曰圣曰神,是不够分量的。在于慎行看来,"柳之大节在一体万物而无憎别之心,关之大节在始终为主而无二三之志",这才是根本。

颜真卿的大节在于他作为官员,非常尽职称职。他当监察御史时,五原有桩冤狱久拖不决,他一到,"立辩之",感动得百姓把狱决后的一场雨呼为"御史雨"。他当平原太守,预感到安禄山的叛乱是迟早的事,于是暗地里"修城浚池,料丁壮,储廪实",积极备战。有人报告过安禄山,安禄山也派人来侦察过,但是"以为书生不足虞也"。他根本不会料到,正是这样一介书生,在他的军队最初所向披靡、"河朔尽陷"之际,独独因为"平原城守具备"而没有攻下来。唐玄宗闻报,高兴得不得了,此前的种种消息让他丢尽了颜面,他甚至发出过哀叹:"河北二十四郡,岂无一忠臣乎!"事实证明,有,但只有一个,就是颜真卿。他不仅守住了平原,还联络从兄杲卿共同抵抗,得到附近十七郡响应,被推为盟主,合兵二十万,极大地牵制了乱军。

颜真卿的大节还在于无论何时,他都不阿权势。他被贬为平原太守,就是因为杨国忠的缘故,这个国舅级人物"怒其不附己"。代宗时元载专权,"惧朝臣论奏其短"而定了一条规矩:百官凡欲论事,皆先白长官,长官白宰相,然后上闻。这就意味着,如果宰相亦即元载认为没必要向上汇报,那么无论下面的人说了什么,都到此为止了。颜真卿立即上疏表示坚决反对,他不仅从理论上,更以本朝太宗时"防壅蔽"而有贞观之治、玄宗时"上意不下宣,下情不上达"而致安史之乱的客观事实相对比,来论证封死言路之害,指出此举若行,必致"从此人人不敢奏事",口蜜腹剑如李林甫之辈将死而复生。这个上疏当然要得罪元载,但颜真卿做好了"忤大臣者,罪在不测"的思想准备,完全将个人安危置之度外。此疏一出,"中人争写内本布于外",得到了热烈响应。

所以,陈宓的话旨在励志,以颜真卿的大节为楷模,做到忠于所事。他本人是实践了的。宁宗嘉定七年(1214年)他入监进奏院,

"时无慷慨尽言者",他则对耳闻目睹的种种不良现象进行了尖锐抨击,诸如"宫中宴饮或至无节"、"大臣所用非亲即故"、"贪吏靡不得志,廉士动招怨尤"等。这些话很可能说了白说,但是如果人人听之任之,没人说或不敢说,习以为常,甚至一有机会便其乐融融地参与其中,这个社会就更加危险了。

于慎行说柳下惠、关云长为后世津津乐道,必有其"大本大原",如上所见,此论同样可验之于颜真卿。若单论书法,北宋的蔡京不是也堪一提吗?史云哲宗绍圣期间,"天下无能出其右者",连操起笔来"翩然若飞,结字殊飘逸而少法度"的米芾也甘居第三,前两位让给了蔡氏兄弟。米芾的话固有奉承的意味,却也说明蔡氏书法的确十分了得。但蔡京的历史形象又怎样呢?

2001年1月7日

下臣为何"以货事君"

《巢林笔谈》载,董子云:"上臣以人事君,中臣以身事君,下臣以货事君。"此中董子,不知为何许人,书中没交代,子的含义又太广。比如先秦百家,每一家都为子,孔子、庄子、墨子等等;但又可以尊称老师甚至男子,更可以泛称人,《诗经》里有句"招招舟子",舟子指的就是个艄公。其实董子为谁,不甚紧要,关键是他那个划分很有意思。他把臣子在官场上的表现归纳成了公式,什么人怎么样,就请参照这一二三等。

下臣,是最差的一等。这种人无论干什么,晋爵啦、表现政绩啦,凡事"以货",首先或可说惟一想到的就是用钱开路,买到目的。这里的臣与君,完全可以置换为下级与上级或官员与权贵。"以货"者,下臣,可鄙;但他们是否生来就是一副贱骨头呢?有,但不可能都是。"以货"能够被人归纳成一种社会现象,其根源十分值得探讨,不能只盯住问题的一面。

有一种应该是握有决定权力的人喜欢如此。像北魏的元修义主管选拔官吏,"唯专货贿",把这个职务看成是捞一把的好机会,于是"授官大小,皆有定价"。有个叫高居的人好不容易等到一个缺,皇帝也早已关照优先安排了,但元修义因为收了别人的钱,就没有睬他,气得高居当众大骂他是"京师劫贼",跟抢钱没什么两样。在这种情况下,有钱想当官或者冀望当了官再狠赚回来的人当然要考虑"以货"了。

另一种应该是"以货"事人绝对有它的好处。明余继登《典故纪闻》载,南京科道官李钧指出当时有种不正常现象,就是"大臣无耻者多与内官交结,或馈以金银珠宝,或加以奴颜婢膝",于是乎,无论该人实际的品质如何,"心意"到了,"内臣便以为贤,朝夕称美之";反过来,"有正大不阿,不行私谒者,便以为不贤,朝夕谗谤之"。因为"内官朝夕在陛下左右",足以影响皇帝的视听,这种情况下,"识时务"的人当然要把"以货"的工作做在前面。

还有一种应该是不得不如此,官场风气已经败坏得不成样子。清姚元之《竹叶亭杂记》中谈及于此,云其时"属员以夤缘为能,上司以逢迎为喜",至于"势不容不交权贵以为护身之符"。夤缘,意谓攀附权要,以求仕进。这就是说,官员如果没有靠山就不要再做升迁的美梦了,甚至在官场中立足都难,要层层庇护,形成自己的一张网。如何"交权贵"呢?当然必不可少的、最有效的就是"以货"。

明代宗景泰年间,御史张鹏曾提出过整治"以货"者。概因为一到年节,地方便来朝廷送礼,"交错殿廷"。张鹏的观点和董子很一致:"怀利事君,人臣所戒。"于是他建议"宜一切停罢,塞谄谀奔竞之途"。大家都意识得到,地方官们是借送礼的幌子,来上面疏通门路、建立感情的。张鹏还有董子未及的一点,他认为那些"货",一定出自"贪贿"。其实即便是集体作出的决定,动用的是堂堂正正的款项,也同样不足为训,用《四朝闻见录》里所载人言南宋张浚的一句话来说,那叫做"专把国家名器钱物作人情"。景泰皇帝对张鹏的建议"颇采用",但是具体执行得怎么样不得而知。不过我们相信,倘若视而不见"以货"的背景,单纯地禁绝,不可能收到预期的功效。

当然,表面的功夫还是可以做足的。明焦竑《玉堂丛语》透露出这么一个信息,弘治皇帝以"白金二笏"赐兵部尚书刘大夏等二人,要他们"将去买茶果用"。他说:"朕闻朝觐日,文官避嫌,有闭户不与人接者。如卿等,虽开门延客,谁复有以贿赂通也?朕知卿等,故有是赐。"他同时"命二人不必朝谢,恐公卿知之,未免各怀愧耻也"。谁是假惺惺的,谁是发自内心的,弘治心里很明白,上朝那天才避嫌,好像一副公正无私的模样,不是十足掩耳盗铃的把戏吗?

所以说张鹏的嫉恨之心可以理解,想法却未免单纯。杜绝年节时的"以货",既然皇上都点头了,肯定要施行,过后总结起来还肯定会有相当可观的"成效"。但姚元之还有句话说得同样令人难忘:"除弊者不搜其作弊之由,则弊终不可除。"施行得多了,恐怕连施行本身也成了走过场。

2001年1月14日

诈与诚

《邵氏闻见录》载,宋相寇准既贵,仍然"居家俭素,所卧青帏二十年不易"。按道理,高官如此清廉很难得,人们应该竖起大拇指才对,可奇怪的是寇准并未得到认同,人们反用西汉丞相公孙弘的事例来嘲笑他。公孙弘当年也是位居三公,生活极其节俭,"为布被,食不重肉",不过西汉著名的直臣汲黯公开指他是"诈也"。这一点公孙弘后来承认了,曾当着皇帝的面检讨自己"饰诈欲以钓名",虽然他那是将计就计,以退为进,而且果真达到了使皇帝"以为谦让,愈益厚之"的目的。寇准知道该典,理直气壮地自辩道:"彼诈我诚,尚何愧!"

寇准是诈还是诚,暂且按下不表。生活当中,围绕诈与诚的现象可以说遍及方方面面。陆游《老学庵笔记》载,浙江雪窦寺与天童寺、育王寺"俱号名刹"。有一天,新来的地方官接见三个寺的主持,问及寺中的僧人数。天童寺说他们那有"千五百"，育王寺曰"千僧"，雪窦寺的主持行持最后拱手答道："百二十。"地方官纳闷为什么三刹名气差不多，而僧人数量竟相差如此悬殊，行持又再拱手曰："敝院是实数。"言下之意，其他那两个"诈也"。这是个喜欢听实话的官，所以为行持"抚掌"。该书中还记载，南宋初有个叫毛文的人很敢说话，议论时事时，"率不逊语，人莫敢与酬对"，没人敢接他的话茬。有个叫唐锡的故意悄悄问他："君素号敢言，不知秦太师如何？"意思是让他评价一下正在当国的秦桧。毛文先是"大骇"，然后"亟起掩耳"，口中不断叨咕："放气！放气！"然后赶快跑掉，至于"追之不及"。放气，是骂人说话无理。唐锡的问题的确有点强人所难，但毛文的底细也让人略知一二了。

众所周知，明朝的崇祯皇帝是自缢身亡的，李自成大军攻进城后，他很干脆地跑上煤山（今北京景山公园）进行了自我了断。同样是亡国之君，南朝的陈后主陈叔宝也曾摆出殉国的姿态。隋兵打进来了，他要跳井，左右当然不让他跳，"以身蔽井"，还僵持了一阵。不过最后，他还是到了井里，但显然不是跳进去的，因为他不仅没有死，甚至没受丁点伤。更好笑的是，隋兵知道他在井里，"呼之，不应"；要扔石头往下砸，他才沉不住气，大叫起来。往上吊他的时候，隋兵都奇怪这人分量怎么会这么沉，到地面才大吃一惊，原来他和他的张贵妃、孔贵嫔正搂在一起呢！崇祯决心赴死，所以能从容地在衣襟上写下"无伤百姓一人"的话；陈叔宝的行为绝对就是诈，这个"不知亡国恨"的家伙躲在井里是想侥幸过关。

东魏有个官员刘仁之，"其对宾客，破床弊席，粗饭冷菜，衣服故败，乃过逼下"。长官这般"清廉"、"节俭"，对下属产生了不小的精神压力。可惜他也是"外示长者，内怀矫诈"的那类人。官场上他"善候当途"，很能把握身居要职、掌大权的人的心理，从而做出"诡激"的举动，比如"每于稠人广众之中，或挝一奸吏，或纵一孤贫，大言自眩，示己高明"。这一切很奏效，令"浅识者皆称其美，公能之誉，动过其实"。诈，能换取丰厚的政治资本，这就难怪有人要乐此不疲了。

个别、偶然的行为不能证实一个人或一个官员的诈与诚,表白就更显得苍白无力。寇准说"彼诈我诚",偏偏《宋史》不为他佐证。在他的本传里,对那顶二十年没换过的蚊帐只字未提,却分明记载着他"性豪侈,喜剧饮",时常大宴宾客;而且家里对油灯都不屑一顾,"虽庖匽所在,必燃烛炬",连厨房厕所都点着蜡烛。在北宋,"燃烛乃奢侈之为",可是一项不得了的消费。在《王旦传》里又记载着他在基层干的时候,因为"服用僭侈",便曾经"为人所奏";这且不算,他过一个生日,都要专门搭建彩棚,隆重得很。这件事还惹得真宗动了怒,险些因此废弃了他。对那番表白中的愧还是不愧,寇准心里应该清楚,自己硬不承认不要紧,群众的眼睛是雪亮的。问题的可悲之处只在于"雪亮"而无奈,奈何不了假戏的接二连三。

2001 年 2 月 25 日

"热官"还须"冷做"

《蕉廊脞录》载,清朝的龚丽正"以部曹直枢廷,屏绝华侈,退直辄闭户读书,时人有热官冷做之诮"。在明清时代,部曹为各部司官之称,枢廷乃政权中枢或内廷之意。那么这段话的意思是说,作为部的负责人到朝廷去当值的龚丽正,因为崇尚节俭,且下了班就把自己关在家中的书房"充电",而被一些人讥讽,嘲笑他"热官冷做"。

热官,在古籍中是并不罕见的名词,指那种权势显赫的官吏。北齐昭帝要给王晞一个侍中的头衔,王晞"苦辞不受"。有人劝他答应下来,当大官又不是什么坏事,干嘛要躲着,和皇帝的关系也弄得疏远了。他解释道:"我少年以来,阅要人多矣,充诎少时,鲜不败绩。"王晞以经验认为,地位高的官大多只是得意忘形于一时,下场都不太好。所以他说自己"非不爱热官,但思之烂熟耳",把里面的利害关系全都看透了,觉得当了也没有多大意思。南宋陆游在《感遇》诗中也挥笔写道:"仕宦五十年,终不慕热官。"

所谓热官冷做,不言而喻,是那些讥讽龚丽正的人认为他浪费了那么好的展示权力的机会。在他们看来,不管怎么说龚丽正都应当把职位的含金量体现出来,有权不用,实在是太可惜了。按照这个逻辑,热官冷做的反面当然是"热官热做"。所谓"热做",意思很明确,就是利用职权大捞一把。

历史上很有一些风光无限的"热官",把"热做"发挥到了极致,看看他们的财产,会让人瞠目结舌:元载家光是胡椒就有八百斛(1斛＝10斗),蔡京家光是蜂蜜就有三十七称(1称＝15斤),王黼家光是腌制的黄雀就堆满了三间屋子,贾似道家果子库内光是白糖就有好几百瓮;最奇的还是张居正身败之后,连围棋、象棋都各抄出了好几百副,当然那已不是普通的棋子,围棋是碧玉、白玉做的,象棋是金和银做的。吃不完,也用不了,但"热做"的结果必然是不断大张着贪婪之口,而这无限欲望的满足,肯定又是以践踏国家的制度原则为代价。单说蔡京吧,"营进之徒,举集其门,输货则童仆得美官"。不过后人同样有目共睹的是,"热官热做"的下场!

《池北偶谈》里有一篇清朝沈鲤的家书,里面谈到自己"虽做热官,自处常在冷处",这些冷处包括,"不张气焰,不过享用,不作威福"。在对权力的制约不那么灵光的情况下,这种意识上的自觉如同龚丽正般显得尤为可贵。《水东日记》的另一处记载亦值得一提。广西总帅府有个叫郑牢的老差役,"性鲠直敢言",很有名望。新到任的都督山云问他,"世谓为将者不计贪",况且咱们这地方"素尚货利,我亦可贪否?"郑牢没有正面回答,而是借助了一个比喻:"大人初到,如一洁新白袍,有一沾污,如白袍点墨,终不可湔也。"白袍沾了黑墨,洗得干净吗? 山云再问,人家都说当地人馈送礼物,要是不收,"彼必疑且忿",怎么办呢? 郑牢反问道:"居官黩货,则朝廷有重法,乃不畏朝廷,反畏蛮子耶?"别人贪得,风气又如此,那么我也贪得;不是我贪,别人要送,我没办法拒绝,那么就可以心安理得地收。这是山云原来的逻辑。实际上,山云在广西待了十多年,"廉操终始不渝",郑牢的比喻和反诘应该是起了一定作用的;退而言之,亦如该书的作者叶盛所云:"固不由(郑)牢,而牢亦可尚。"的确,要是社会上连一点规劝的声音都没有了,说明事态真正可怕到了极点。其实所谓自律的要求,不仅适用于当"热官"的人们,即使是普通职位的官或者所谓"冷官",又何尝不该如此呢?

冷官也好,热官也好,既然设定了职位,总要有人去做,而且人们也总是希望不是由那些让人戳戳点点的人来做。如王晞般因为官热而弃,担心"失足"而防患于未然,大可不必。位置使人变坏,往往主要是自身的因素使然,因为监督不健全而滥用权力,不过是堕落的一个借口。"平生不做皱眉事,天下应无切齿人。"做人如此,做官、做热官也不例外。对待热官的态度,如陆游般不慕,如龚丽正、沈鲤般"冷做",则足矣。

2001年3月4日

范仲淹的"自计"

说起北宋名臣范仲淹,人们就会很自然地联想起他写的《岳阳楼记》,尤其是里面那句千古传诵的名言:"先天下之忧而忧,后天下之乐而乐。"名言的得来似乎很偶然:范仲淹的好朋友滕子京被贬官巴陵(今湖南岳阳),两年时间把那里治理得"政通人和,百废具兴"——姑且这样认为,于是重修了岳阳楼,邀其作记,仲淹乃欣然提笔为之。

从来文人登临岳阳楼的文字不乏,《太平寰宇记》云唐玄宗开元四年(716年),中书令张说为岳州刺史,常与学士登此楼,"有诗百余篇,列于楼壁"。《岳阳楼记》说重修的楼"刻唐贤及前人诗赋于其上",可能就是那些,但正如我们所看到的,那"百余篇"大都已成了过眼云烟。缘何唯独范仲淹的能得以不朽?综观他的人生态度,其实这句话更应看作是其修养达到一定高度之后,情感的自然流露,是作品与人品的完美结合,亦即"偶然"中蕴涵着的必然。在范仲淹身后,欧阳修为他撰写了神道碑铭,称他"于富贵贫贱,毁誉欢戚,不一动其心,而慨然有志于天下"。这个评价正是对范仲淹一生最好的概括。

据《邵氏闻见后录》载,范仲淹每天晚上睡觉之前,都有"自计"的习惯,就是给自己做个当天总结。不是像魏晋间王戎的那种,和老婆在灯下拨拉算盘计算一天的进项,而是"自计一日食饮奉养之费及所为之事"。也就是说,算一算自己拿的俸禄和自己一天所做的事情是否相称,亏不亏心。用他自己的话说,如果相称呢,"则鼾鼻熟寐",觉也睡得安稳;反之,"则终夕不能安眠,明日必求所以称之者"。那么,范仲淹的"自计",无异于扪心自问,实际上是他作为一名官员修炼而成的责任感、道德感,是制度约束之外的良心发现。

举个例子来说明吧。宋仁宗天圣七年(1029年),江、淮等地蝗旱灾害齐来,范仲淹忧心如焚,"请遣使循行",到地方察看灾情,不料并没有得到仁宗的答复。他私下里毫不客气地向仁宗发问:"宫掖中半日不食,当何如?"这一问触到了仁宗的痛处,旋即派其前往安抚。于是仲淹所到之处,"开仓赈之",并且根据自己的调查,"条上救敝十事"。从这件事我们不难看出,"居庙堂之高"的范仲淹,其心系百姓的责任感是何等强烈!那么他的"自计",不是理应值得各级官员仿效吗?

与之形成鲜明对照的另一种"自计",是时刻权衡、计较个人的得失。贪官之类就不说了,一旦被贬到偏远之地的大臣也大多如此,"其忧悲憔悴之叹,发于诗什,特为酸楚,极有不能自遣者"。范仲淹说,岳阳楼是个"迁客骚人,多会于此"的地方,在那里的"览物之情"千差万别。于是即便是修楼的滕子京本人,也把岳阳楼当成了宣泄个人情感的所在。《清波杂志》载,重修快竣工的时候,有人向他道贺,滕子京并没有表现出丝毫欣喜,反而说:"落甚成,只待凭栏大恸数场!"另有一阕他人的《浪淘沙》,表现得更具代表性:"木叶下君山,空水漫漫。十分斟酒敛芳颜。不是渭城西去客,休唱阳关。醉袖抚危栏,天淡云闲。何人此路得生还?回首夕阳红尽处,应是长安。"颓废之情,跃然纸上,把渴望朝廷召唤,重新得宠的心态抒发得淋漓尽致。范仲淹也有过多次贬谪的经历,但他"不以物喜,不以己悲",所以他才能借助《岳阳楼记》充分抒发出自己的情怀,气壮山河!

在《东坡志林》中苏轼讲过一个荒诞故事,说有个死而复生的人曾问冥官:"如何修身,可以免罪?"冥官告诉他,准备个本子,"昼日之所为,暮夜必记之,但不记者,是不可言不可作也"。苏轼实际上是在借故事来阐明一个道理:任何官员对自己的行为都应当进行"自计",不可以倚仗权势为所欲为。事实上,但凡为后世所称道的人物,往往也都有积极意义上的"自计"。司马光总结自己一生没有过人之处,"但平生所为,未尝有不可对人言者耳";宋儒谢显道还有种观点,叫做"不求人知而求天知"。此等磊落的胸怀,不仅适用于为官,更适用于为人。

较之范仲淹的"自计",迁客骚人的自叹自怜虽然显得可笑,但还是胜过"有禄肥妻子,无恩及吏民"之辈,倘若是后者登上岳阳楼,人们又能指望些什么呢?

2001年3月25日

不能欺、不忍欺与不敢欺

对于执政的效果,《史记》中记述了三种:"子产治郑,民不能欺;子贱治单父,民不忍欺;西门豹治邺,民不敢欺。"子产、子贱和西门豹,三个人的才能相较,谁是最可称道的呢?司马迁没有把话说死,而是认为"辨治者当能别之",就是说为官者根据所处的境地,自然能够体会。

不能欺、不忍欺和不敢欺,实际上隐含着三种工作方法。此中的民,当然不限于指普通的百姓。先来了解一下这"三不欺"是怎么一回事吧。子产是春秋时著名的政治家,名叫公孙侨,子产是他的字。他相郑未几,把郑国治理得"门不夜关,道不拾遗",而当他接手之时,郑国还是一派"上下不亲,父子不和"的混乱局面。孔夫子极其推崇子产,赞扬他"其养民也惠,其便民也义"。子产去世时,郑国百姓悲痛得不得了,"丁壮号哭,老人儿啼"。孔子也哭了,边哭边说:"子产,古之遗爱也。"认为他确有古人的高尚德行。子产相郑,事无巨细,亲历亲为,并且做到了明察秋毫。这就是子产的"民不能欺"。

子贱是孔子的学生,名叫宓不齐。《吕氏春秋》载,他在单父为官,一天到晚躲在房里"弹琴",但奇的是他"身不下堂而单父治",连孔子也感到不解。子贱解释道,别看我表面上整天是在弹琴,实际上我很讲究用人,"所父事者三人,所兄事者五人,所友者十有二人,所师者一人",这些人都是单父的贤人,我务求使他们人尽其能,治理单父便绰绰有余了。听完了子贱的介绍,孔子总结道,这是"求贤以自辅",同时为他感叹:"惜哉不齐所治者小,所治者大则庶几矣。"认为以子贱的工作方法,倘若治理更大的地域,同样会卓有成效。子贱治单父,为政清净,虽身不下堂,然"是人见思,不忍欺之"。这就是子贱的"民不忍欺"。

西门豹是战国时魏的邺令。他一到任,首先调查研究,"会长老,问之民所疾苦"。百姓告诉他:"苦为河伯娶妇。"流经当地的漳河经常泛滥,地方一些官员就和巫婆神棍们勾结起来,谎称得经常为河伯——不存在的河神找老婆,来安抚他不要发怒,从而借机"赋敛百姓"。他们随意把百姓家的漂亮姑娘挑选出来,扔到河里活活淹死;每这样折腾一次,"收取其钱得数百万",而"婚礼"的费用只"用其二三十万",余下的则"与祝巫共分"。西门豹通过调查,看穿了其中的把戏所在,主动要求为下一回的新娘送行。就在那次的仪式上,他以姑娘容貌不佳、须请人通报河伯择日另娶为名,当着两三千观众的面,接连把巫婆及其三个弟子并一名官员相继投入河中,令"吏民大惊恐",从此"不敢复言"。"行刑"之后,西门豹即"发民凿十二渠,引河水灌民田",使邺的百姓"皆得水利,民人以给足富"。西门豹治邺,"以威化御俗",对舞弊贪赃、愚弄人民的人毫不留情。这就是西门豹的"民不敢欺"。

这样看来,"三不欺"虽然方法各异,却是异曲同工,那就是地方都得到了治理。差别这么大,要从这几种方法之中挑出最可称道的,的确不大容易。

三国时,魏文帝曹丕和大臣们拾起了这个话题。曹丕关心的是"三不欺于君德孰优",亦即哪一种更能体现君主的声名。大臣们回答,这要取决于君主本身的推崇,"君任德,则臣感义而不忍欺;君任察,则臣畏觉而不能欺;君任刑,则臣畏罪而不敢欺"。孔子说过,为政以德,就像北极星一样,"居其所而众星共之",所以,如果单纯地衡量三者,以德,也就是子贱的"不忍欺"最可称道。但大臣们同时指出,"纯以恩义崇不欺,与以威察成不欺,既不可概而比量,又不得错综而易处"。就是说,还有因地制宜、因人制宜的成分,比如西门豹的威,在单父没有用武之地;而子贱的德在邺也未必能打得开局面。到这里,司马迁的"辨治者当能别之",似乎就不难理解了。

那么,"三不欺"有没有可能不要人为地割裂开来,而有机地结合在一起呢?健全的制度以及高度的责任感,使不能欺、不忍欺和不敢欺能够在一个官员的行为上同时自觉地体现,不仅向上,而且向下?倘如此,较之单纯地探讨哪种更优,显然更具积极的意义。

2001年4月1日

"贪不在多"

百姓认定贪官多了的时候,无论揪出来多少,都会觉得不甚解气。倘若新揪出来的在级别和贪的数量上并没有刷新前面的记录,不属于重大、特大之列,甚至连个地区或行业的"第一贪"之类都够不上,简直就产生不了多少兴奋点了。这种心态大约也会影响贪官本人,自以为贪得少的——和他那职务以及和别的贪官相比,渐渐会不服气,因为他有过"汗水"、"贡献",也给百姓办过实事,收点儿什么也叫贪吗?

清陈康祺的《郎潜纪闻初笔》记载了陈璸的一种不同观点。他说:"贪不在多,一二非分钱,便如千百万。"这句话切中要害。官员是贪还是清，不在于贪了多少，在于是否伸了手，逾越了这个原则分野，性质就变了，至于量上的多寡已经是另外一回事。后来陈瑸还用他的这个观点回答过康熙皇帝的提问，得到了康熙的赞赏。事实上，历史上的清官，都能够在"贪不在多"这个关键之处很好地把握住自己，这也是他们在当时以及后世为人津津乐道的前提。《郎潜纪闻四笔》里有个江右令石瑶臣，在本子上写下一段格言："吏而良，民父母也；其不良，则民贼也。"良的标准，不贪无疑是硬件之一。石瑶臣对照自制的这面镜子，给自己定了位："父母吾不能，民贼吾不敢，吾其为民佣者乎。"因此他自号"民佣"，转换成现代汉语，就是公仆。公仆这个名词是否始自石瑶臣，尚不敢定论，但如果一个官员的公仆观念的确发自心，做到不贪该就不是什么难事。如史之记载，石瑶臣正是不枉此号的人。清王有光《吴下谚联》中另有一位嘉定邑侯陆陇其，"居官清简"，他离开嘉定的时候，百姓"扶老携幼，哭巷攀辕"。人们评价他"有官穷似无官日，去任荣逾到任时"。当一回官，家产和没当官时没什么两样，可见陆陇其没有捞取一分一毫的"非分钱"，这符合他一贯律己的个性；而在百姓看来，因为有贪的"资本"而拒绝利用，这样的官实在太难得了，没理由不表达敬意。

谁都知道，杜绝不贪，关键在于制度。但事情往往没有那么绝对，制度之外的因素也相当重要。司马光《涑水记闻》载，郭逵的老婆常常给他吹枕边风："我与公俱老，所衣食能几何？子孙皆有官，公位望不轻，胡为多藏以败名也？"这是"廉内助"的作用，晓之以理，动之以情，帮助当官的丈夫调整好心态。明叶权《贤博编》里的另一件事情则不然。那是叶权认识的一个罢职还家的余姚县丞，富家子弟，官本是买来的。叶权见他"居常怏怏"，便逗他说你的官瘾也过了，家又不穷，"何不乐也？"那人说，这个官让他花了不少钱，原以为"为官当得数倍"，能捞回来，然而"今归不够本"，弄得老婆孩子直埋怨。叶权愤愤地写道："以够本获赢之心为民父母，是以商贾之道临之也。"那么，倘若那个人再有机会，那个"贪内助"就一定会唆使他不择手段地攫取"非分钱"。如果说制度决定一切，为什么一样的制度会产生出两样的人？

叶子奇《草木子》中有一首精彩的小诗。当时上面来人巡视,地方惯例要敲锣打鼓地欢迎,而起解杀人强盗呢,也是用锣鼓吆喝,二者的区别只在节奏上,欢迎时两声鼓一声锣,示众时一声鼓一声锣。于是有人借官场上的"藏污狼藉"来了个借题发挥:"解贼一金并一鼓,迎官两鼓一声锣。金鼓看来都一样,官人与贼不争多。"这首小诗描述的可能就是那里的实情,如果百姓把官员与贼同等看待,就可见他们对当官的捞取"非分钱"是恨在心底的。

"贪不在多,一二非分钱,便如千百万。"无论何时,这话都堪称金科玉律。结合陈瑸的仕宦生涯,陈康祺感叹道:"士未有未仕时律身不严,而居官能以清廉著闻者。"光赖制度,不觉得羞愧吗？陈瑸为官近二十年,在好多地方都待过,台湾、四川、湖南、福建等等,无论在哪,都清廉始终,"官厨以瓜蔬为恒膳,其清苦有为人情所万不能堪者"。康熙称他为苦行老僧,更断言:"从古清官,计无逾瑸者。"这个结论是否过于绝对不去论它,陈瑸无疑很好地实践了自己的思想。倘若官员们也都能明了这个浅显的道理,就能在实际中约束好自己,不越雷池半步。

2001年4月15日

做官与做贼

做官与做贼,应当是两个泾渭分明的职业或行当,但在南宋郑广的眼里,二者却没什么不同。据岳珂的《桯史》载,郑广原是一名海盗,活跃在东南沿海,"云合亡命,无不以一当百",令官军奈何不得。后来朝廷把他招安了,"命以官",才算改邪归正。从此郑广"旦望趋府",不敢急慢,不料同僚因为他的前科,衙门里"无与立谈者",没人愿意理他。郑广"郁郁弗言",心里却很有气。有一天,听到同僚们偶然谈论到诗,他忽然有所感慨,急忙站起来说,我郑广虽是个粗人,但也"欲有拙诗白之诸官,可乎?"说罢便一板一眼地诵道:"郑广有诗上众官,文武看来总一般。众官做官却做贼,郑广做贼却做官。"

正在做官的同时在做贼,原来做贼的如今在做官,那么做官和做贼其实没什么两样。这就是郑广的逻辑。因为两面他都干过,所以尽管有怨气的成分,但未尝不是他的真情实感。仔细想想,也好理解。做贼的目的是劫取不义之财——当然唐朝才子李涉一次乘船时遇到的贼是个特殊的例外。贼人们听到劫的是李涉,只是索诗一首,李涉乃脱口而出:"春雨潇潇江上村,绿林豪客夜知闻。他时不用相回避,世上如今半是君。"这从侧面说明,李涉的诗在当时很能赢得普通读者。可惜据写《谷山笔麈》的于慎行说,李涉的《江上遇盗诗》虽然煞有风致,但他的为人,"乃穿窬之下也",比鸡鸣狗盗之辈还不如。这是另话。做官倘若也是掉进了钱眼,可不就是等同于做贼?

清赵翼《檐曝杂记》载,军机大臣王日杏结交了不少地方官,于是当他"扈从南巡"时,走到哪里都有人"赠遗",转一趟下来,等于捞了一把,"过端午节充然有余"。王日杏觉得脸上很有光,"沾沾夸于同列"。实际上军机大臣因为职业的机密性质,不仅不准许到地方上乱"交朋友",而且与京官之间也应该是少有往来的。但王日杏为了个人的区区好处,把规定当成了耳边风。该书又载,天保县令以"民间田土无所凭",容易产生纠纷为由,要给田地发执照,引起了百姓的强烈不满。赵翼通过调查,了解到县令等人"实则欲以给照敛钱也"。由于县令"向日尚非甚墨",也就是心还没有黑到家,赵翼在"全其颜面"的情况下为百姓"免此横钱"。当他再下来巡视的时候,得到了"父老妇稚夹道膜拜"的礼遇,而县令被坏了好事,则将赵翼"衔次骨",恨透了。另据《草木子》云,元朝末年的朝廷官员"惘然不知廉耻为何物"。他们敛财的名目繁多,"所属始参拜曰拜见钱,无事白要曰撒花钱,逢节曰追节钱,生辰曰生日钱,管事而索曰常例钱,送迎曰人情钱,句追(办案)曰赍发(赞助)钱,论诉(申诉)曰公事钱",总之,凡事都是向百姓伸手要钱,"漫不知忠君爱民之为何事也"。如此等等,这些做官的人可不都是公然地做贼了!

明朝在税收政策上发明了"一条鞭法"的张居正说过："若要百姓安生,需是官不要钱。"在《池北偶谈》里,王士禛讲到自己自陕西布政史的任上回京述职,"帑羡一无所携",别人劝告他,你给严嵩送的礼,哪里像话,别的地方官拿去送给他的管家还怕怪罪呢。王士禛说："厚则吾力实有不能。"此话不虚。王士禛在地方,不仅"不奖喜事猎虚名者",而且"更严禁贪酷之吏"。他给手下出过一个告示："尔之俸薪,皆出于民,更残民以逞,取充囊橐,不有明罚,必有幽责,不于其身,必于子孙。"正因为王士禛的严察和身体力行,带动了一批人,其"旧属官鲜以贪墨败者"。由此可见,做官若要不被人等同做贼,必须有令人信服的行动。

"众官做官却做贼。"当年,郑广的话音一落,"满座惭噱"。惭噱,意思是大笑,但带着羞愧的心情,说明郑广确实戳到了他们的痛处。把做官等同于做贼,不是郑广的独家发现。南宋韩侂胄当政,有人曾"以片纸摹印乌贼出没于潮",当街售卖,寓意"满潮(朝)都是贼",借以针砭。种种事实表明,做官不是不可能沦为做贼的。所以当时的有识之士便勇敢地承认:"今天下士大夫愧郑广者多矣,吾侪可不知自警乎!"这的确值得某些想乘机捞一把的官员深思。

2001 年 4 月 22 日

话外音

人们常说,听话听音。因为同样是一句话,说话时的语气不同,场景不同,意思便大不一样。所以在某些时候要把话听得明白,就要听话外音,话中话。"话外音"往往才是说话者所要表达的真实意图。

陆容《菽园杂记》记载,明朝天顺年间有个欧御史"考选学校士",有自己的一套标准,乃至"去留多不公"。其实个中猫腻,明眼人早就看穿了,因为有钱人家的子弟,"或以贿免"。于是有人赠诗给一个愤愤不平者,篇末云:"王嫱本是倾国色,爱惜黄金自误身。"这是借王昭君的典故来说话。据说,当年王美人因为不肯贿赂画师毛延寿,被画得一塌糊涂,才被皇上打入冷宫,落得个最后出塞、去与匈奴和亲的命运。倘若那个被黜落的考生理解不了其中的话外音,还不明白败在何处,就真是十足的书呆子了。

但在某些场合,话外音显得飘忽不定。比如苏东坡的冤案是李定一手经办的,他本人也因此而"势不可向"。但有一天李定与同僚交谈时却忽然冒出一句"苏轼奇才也",这里的话外音就让同僚犯难了,搞不清他这话的正反,是不是阳谋。苏东坡确实是个奇才,这一点谁都清楚,不用他说,问题是打倒东坡的时候李定不遗余力,现在东坡又尚未平反,收藏他的片言只字都有罪。理解不了,同僚们"俱不敢对",担心判断错了风向。

这种情况应当说比较少见,多数时候,话外音所流露的态度十分明确,毫不含混。郑处海《明皇杂录》有一段关于取不取杨国忠的儿子为贡生的记载。就考试本身来说,杨的儿子杨暄"不及格",肯定是不该取的。但是经办这件事的礼部侍郎达奚珣却举棋不定:这样背景的人物即便考试没过关,也是可以不取的吗?刚好儿子达奚抚随玄宗驾在华清宫,就赶快让人"以书报抚,令候国忠",把这事当面讲讲,探探口风。达奚抚到了杨家,但见"轩盖如市",杨国忠正要准备去上朝。轩盖,指那种显贵者才能坐的有盖的车。看见达奚抚来了,杨国忠认为一定是报喜的,乃"抚盖微笑,意色甚欢"。不料达奚抚老老实实地说,我父亲说"相君之子试不中,然不敢黜退"。杨国忠恼了,大声叫道:"我儿何虑不富贵,岂借一名,为鼠辈所卖耶?"说罢头也不回,乘马而去。不取拉倒,一个破贡生,算什么?但杨国忠的话外音分明不是这些。达奚抚当然听得出,他赶忙跑回家,正告父亲:"国忠持势倨贵,使人之惨舒,出于咄嗟,奈何以校其曲直?"这是说,以杨国忠的势力,让人起落,不过转眼之间的工夫,您又何必非得试试呢?达奚珣于是不敢怠慢,"因致暄于上第",不仅取了,而且取为第一等,杨暄并不领情,还嘲笑他"迁改疾速"。

《朝野佥载》中有另外一个记载。兵部尚书娄师德到地方视察,有个乡人也是姓娄的"为屯官犯赃",被都督许钦明判了死罪。乡亲们便找到娄师德,请他说项。娄师德说:"犯国法,师德当家儿子亦不能舍,何况渠。"态度相当干脆。但第二天,在许钦明设宴款待的酒桌上,娄师德又是另一种说法:听说有个人犯了国法,自称我的同乡,我其实根本不认识他,"但与其父为小儿时共牧牛耳"。不认识儿子,但跟他爹小时候一起放牛,那该是什么交情?娄师德的话外音明白无误,所以他紧接着加上的一句"都督莫以师德宽国家法",谁都知道那是假惺惺的作秀姿态。许钦明当然听出了门道,赶忙把那个人开了枷,带到娄师德面前,由他一番面斥,然后把那人给赦免了。倘若最末一句确实出自本心,娄师德无论如何不会默认许钦明的处理结果。

单纯地责备奚珣和许钦明是有欠公允的。在那种制度下,杨国忠的淫威和娄师德的暗示,起着决定作用。杨国忠是当朝国舅,霸道些不足为奇,倒是本来可圈可点的娄师德值得引起警觉。就在此次视察的前一站,他因为自己吃的饭"白而细",别人的"黑而粗",还发过脾气,非要换成一样的才肯吃。娄师德的教训说明,即便是一些本质不错的官员,一不小心,也可能自以为巧妙地干出枉法的勾当。

2001 年 4 月 29 日

"谥"之褒贬

古人死后,朝廷往往根据他生前的事迹,用一个褒贬善恶的称号来个盖棺定论。这种制度称为谥法,所给予的称号即谥号。杨坚又称隋文帝,包公又称包孝肃,林则徐又称林文忠,此中的文、孝肃、文忠就是谥号。然而,古人并不是人人都有谥号,要能得到官方认可的谥号,需有一定的地位和级别。帝王是不必说的,即便崇祯皇帝是个亡国之君,本朝未及予谥时,清朝的顺治皇帝给他谥为"庄烈愍";将相呢?在不同朝代则有不同的规定,顾起元《客座赘语》云,明朝"文臣必三品以上方予谥"。普通百姓得谥也不是绝对没有,但前提是必须要有特殊的原因。新莽时的百姓瓜田仪造反,王莽把他招安了,不过瓜田仪未及受封便死了,王莽谥之为"宁殇男",做个姿态给其他的义军看,可惜事与愿违,人们照样推翻了他的统治。

谥法在古代是一门显学。谥的字数历朝多寡不一,唐代以前,帝王多用一个字了事,后来走了样,变成越多越好,为清朝奠定政权基础的努尔哈赤,多达25个,创了谥字字数之最。但总的看来,谥字是一个字或两个字。不要小看这一两个字,用顾起元的话说,"褒贬之意,未尝不寓其中",因为每个谥字都被赋予了特定的含义。比如说杨坚、杨广这对父子皇帝,一"文"一"炀",谥法对这两个字的相应界定是"道德博闻曰文"、"慈惠爱民曰文"、"好内怠众曰炀"、"逆天虐民曰炀"等等,可以说,谥字简明地勾勒出了二人当政的本质特征。当代学者汪受宽先生从各种古籍中钩稽出的谥字有404个,谥解1700余条。但那些谥字多的,并不是把该人功过概括得完全,而是最大限度地堆加虚美之词,比如努尔哈赤那25个字,是什么"承天广运圣德神功肇纪立极仁孝睿武端毅钦安弘文定业高"皇帝,多数谥字没有实质意义。颜真卿早就批评过这种做法,认为谥字"少不以为贬,多不以为褒"。叶子奇《草木子》则把这种堆砌的现象归结为"后世群臣之导谀"所致。福格《听雨丛谈》认为,即便在一二个字之间衡量,也是"二字不必为褒,一字不必为贬"。

宋敏求《春明退朝录》还披露了另一种倾向,那就是宋初以来,不少礼官贪赃枉法,"皆得濡润"。意思是说,只要死者家属肯备好丰盛酒食,给相关的官员塞点"红包",就可以得到美谥。这种做法其实由来已久。唐朝的礼部侍郎陈商就曾揭发道:"贸其一二字,视缗金之重轻。"缗金重,就可以"偷忠盗贞,罔世间人"。宋仁宗庆历八年(1048年),更有人指出:"以美谥加于人,以利濡润,有同纳赂。"把这种行为与腐败直接联系到了一起。到了明朝,把持朝政20年的严嵩父子更进一步,公开卖谥,只要不是皇帝亲自指定,就必须贿赂,否则即使应得谥者也不可得。

讲到皇帝指定,不可不提宋朝的夏竦。王辟之《渑水燕谈录》载,仁宗本赐谥曰文正。考功刘敞首先站出来反对，他说拟谥乃有司的职责范围，皇帝不应干涉，且"竦行不应法"，根本不配"文正"二字。为什么不配？司马光说得好："谥之美者，极于文正。竦何人，可当？"历史上，范仲淹、曾国藩等都被谥文正，起码在当朝，他们是被视为完人的。夏竦是什么人呢？他天资聪颖，文才斐然，"朝廷大典策屡以属之"；也非常好学，"多识古文，学奇字"，晚上关灯上床了，还"以指画肤"，揣摩不已；在地方为官，也颇有政绩。但这个人也有他的致命之处：一是性贪，让仆人出面做买卖，自己在后面撑腰，因此"积家财累巨万，自奉尤侈，畜声伎甚众"；二是"急于进取"，老想往上爬，因此在行为上让人老戳脊梁骨，"世以为奸邪"。在刘敞、司马光看来，夏竦的谥，虽然是上面定的调子，没牵涉到缙绅之类，但如果了解底细的人姑妄听之，也要"罔世间人"的！仁宗最后做了让步，将文正改成了文庄，这是另话。

  谥字，无疑反映了首先是官方然后是社会当时的价值取向。话说回来，一个人一生的是非功过不可能是单纯的，尽管谥字微言大义，但活着的人针对逝去的人的一两件事、凭借一两个字来为之盖棺定论谈何容易？在许多情况下，不免过于拔高或贬损，不足为信。

2001年5月13日

提倡"语简事备"

  "语简事备"，语出文莹《湘山野录》，针对的是文风。其意概指在表达自己所要表达的思想时，应当尽量用较少的文字，即所谓言简意赅。

  这四个字源于一段故事。那是钱惟演镇守洛阳之时，"所辟僚属尽一时俊彦"，有谢绛、尹洙、欧阳修、梅尧臣等等，在文学上都极有造诣。钱惟演是吴越王钱俶的儿子，亡国后随父亲归顺北宋。钱惟演"于书无所不读"，名气与当时"文章擅天下"的杨文公杨亿比肩，"尤喜奖励后进"。钱上任时,鉴于洛阳"驿馆常阙",乃动工修建了一座,落成时,请谢绛、尹洙、欧阳修各作一记,约定三天之后,在"水榭小饮",届时三人交卷。到了那天,三人自己先把各自的文章拿出来私下比较了一下,发现谢绛的文章用了500字,欧阳修的稍稍多出,而尹洙的则"三百八十余字而成,语简事备,复典重有法",不仅字数少,而且文章写得典雅庄重。尹洙很得意,侃侃论道:"大抵文字所忌者,格弱字冗。"你们二位文章的格调没得说,只是有个小小的不足,"字冗尔"。欧阳修本来就不大服气,听了这话,在"通宵讲摩"之余,乃"奋然"别作一篇,硬是比尹洙还少用了20个字,且"尤完粹有法",不只是一味强调字数,文章也非常漂亮。尹洙佩服地对人赞叹:"欧九真一日千里也。"

此种"语简事备"似有些游戏文字的味道,其实不然,如果此种意识已经丧失的话,那么能力就可能被慢慢地泯灭,形成凡事长篇累牍的惯性思维。事实上,欧阳修把他的这种能力也应用到了具体工作中,他撰写的《新五代史》,"法严词约",为后世留下了一部颇具价值的史书。苏轼评价道:"论大道似韩愈,论事似陆贽,记事似司马迁,诗赋似李白。"这就是提倡"语简事备"的现实成效了。

"语简事备",不是说文章长不得,而是强调不要说废话。倘若机械地"惟字数论",也容易陷于偏颇。晋朝的张辅认为班固不及司马迁,首要的理由就是司马迁的著述"辞约而事举"。他还举例说,司马迁的《史记》写了三千年的历史,用50万字,而班固的《汉书》不过才二百年的事情,就用了80万字。这样算账,也算稀奇,以此作为班固不及司马迁的论据,却有失公允。《史记》是我国第一部通史,《汉书》是第一部断代史,就学术地位而言,二者不相上下。南朝刘宋史学家范晔曾经论道,司马迁、班固二人都有良史之才,只是各有所长,"迁文直而事核,固文赡而事详"。唐代史学家刘知几认为"史有六家",其中《史记》和《汉书》就各占一家,所以唐以后,《史》、《汉》或班、马仍然并称。清代学者齐召南说得更直截了当:"固才似若不及迁者,然其整齐一代之书,文赡事详,与迁书异曲同工,要非后世史官所能及。"事实正是如此。《汉书》比较全面地提供了西汉政治、经济、文化各个方面的基本情况,其史料价值在二十四史中被评为第一。这就可见,如果一味地以字数界定文章的高低,要贻笑大方。

如上所言,"语简事备",强调的是不要说废话。明初的茹太素因为陈时务,被太祖朱元璋当廷打过屁股。这里有两方面的原因:一方面,茹太素抨击朝廷用人不当,认为"才能之士,数年来幸存者百无一二,今所任率迂儒俗吏",让朱元璋极其恼怒;另一方面,则是因为茹太素的上章冗词太多。洋洋万余言,朱元璋令人"诵而听之",听了两天,才听出"可行者四事"。他承认"为臣不易",茹太素挨揍有点冤,但他也道出了苦衷:"朕所以求直言,欲其切于情事。文词太多,便至荧听。"什么问题都不咸不淡地扯几句,反让人弄不清楚究竟要表达什么了。朱元璋认为,"太素所陈,五百余言可尽耳"。五百字能说清的问题,硬是侃出万余,谁听着都是受罪,难怪朱元璋要发脾气。打完了人,朱元璋没有就此拉倒,而是专门令中书"定奏对式",以确保"陈得失者无繁文"。这个约束很有必要,但不知朱元璋这样要求了下属,自身做起报告来是不是置之度外。

看起来,在任何时代,"语简事备"都是可堪倡导的文风。不仅学术文字如此,官场文字也要如此;不仅普通人应当如此,帽子上有乌纱的人更要如此。

2001 年 5 月 20 日

能、逞能、劝人逞能

能喝酒,在我们中国一些人看来是件很了不起的事情,有句话叫做"英雄海量"。海量这个词有两个含义,一指酒量很大,一指宽宏的度量。我怀疑缀在"英雄"的后面,本意更应该是指后者。

能喝者的确不乏。魏晋间写过《酒德颂》的刘伶,整天拎着酒壶,但对这个"以酒为名"的人物,明朝的崔铣就大不服气,酒到酣处,每每要挖苦他几句:"刘伶能饮几杯酒,也留名姓在人间。"崔铣跟一个食量大得出了名的人打赌,对方吃多少碗饭他就喝多少碗酒,硬是让那人服了。这种匹夫之能,谈资而已。据《玉堂丛语》载,明朝永乐年间交趾(今越南)来了两个贡使,"饮量绝人",状元曾棨主动请缨去较量高低,结果一个通宵下来,令"二使皆醉愧而去"。成祖高兴地夸奖道:"不论卿文学,只是酒量岂不作我明状元耶!"曾棨之举,打击了对手的嚣张气焰,给国家争得了荣誉,使百姓看上去总要联想到腐败的觥筹交错,在某些时候某些场合完全属于工作需要,意义变得更积极起来。

能喝,姑且认作是英雄吧,有了这个虚拟名号的诱惑,便有了不能而逞能。《归田琐记》载,清朝江南总督松筠赴任途中,一个当官的朋友在自己的地头设宴款待他。两个人喝,松筠觉得寂寞,就让朋友找个"知酒趣者"。这朋友早就把部下都喝遍了,深知底细:"即有之,亦不过数十杯就颓然,求可以陪我两人者,殊不易得。"忽然他一拍大腿,想起有个副将还可以,就是官阶低了点。松筠倒不嫌弃:"但取能饮,何较官职。"那副将真的显出了本色,一声不吭,"一杯复一杯,不敢留涓滴",用松筠的话说,"饮得甚闲雅"。第二天因为风大,朋友劝他不要走了,再喝。可是再去找那位副将的时候,人家说他昨晚回来"即不能言动,今晨已奄逝矣"。喝死了!松筠吓得够呛,"草草饭毕,即回舟,冒风解缆去"。这就是说,那副将其实并非真的"闲雅",而是因为长官意志在硬撑着。说他逞能,不免有欠厚道,他要争表现,不能不逞,同时也可能是不敢不逞。至于他后来有没有被算作工伤或追认为烈士,就不得而知了。

不能,不想逞能,在酒桌上往往并不意味着可以逃脱干系,因为国人还有一个习气,就是力劝他人逞能。明太祖朱元璋有天修改了大臣的一篇《秋水赋》,得意之余,想显示一下自己有学问,就请学士们也各写一篇,然后备好酒菜,大家坐下来品评。宋濂的年纪大,喝点酒就难受,皇帝可不管那么多,要他"姑试饮之",只好勉强喝了一杯。未几,又要他"门前清",宋濂受不了,"再起固辞"。朱元璋就笑他,一杯酒能叫你趴下吗?宋濂鼓起勇气把杯子送到嘴边,还是"瑟缩者三"。朱元璋又激一句:"男子何不慷慨为?"不喝了这杯,连男人也不算了,没办法,宋濂"勉强一吸至尽"。这下可不得了,不仅"颜面变报,顿觉精神遐漂,若行浮云中",而且"下笔字不成行列"。关于皇帝劝酒,还有一则趣事。在南宋孝宗之前,皇帝请客,大概事前不洗杯子。据《四朝闻见录》,有次孝宗赐宴,"丞相王淮涕流于酒,已则复缩涕人鼻",这一流一吸,令吴琚兄弟端起杯子后觉得恶心,孝宗"微扣左右知其故",以后才"有诏涤爵"。

不吃劝的人总是有的。比如宋宁宗,让随从扛一块牌子,写上"少饮酒,怕吐",开宗明义,走到哪都先把牌子一亮,谁要是来套近乎,也不用多说,"指屏以示之"。王安石也不吃劝。有一天包拯衙门里的牡丹开了,"置酒赏之",请了一帮同僚。司马光"素不喜酒",但是包公开了腔,拗不过他,"亦强饮",而王安石则"终席不饮"。司马光由此看出了王安石"不屈"的个性。其实劝酒这种很不好的习气,古人便已经认识到了。《东斋记事》载契丹冯见善说:"劝酒当以其量,若不以量,如徭役而不分户等高下也。"宋朝的学者们更从中了解到,原来契丹征收赋役的对象和他们那时代一样,也是以户为单位。

总是听到人说,我们中国的"酒文化"如何,不知此文化究竟是指什么,也不知道是否包括能、逞能和力劝别人逞能。但愿没有吧。

2001年5月27日

"何用碑为?"

韩愈对一个朋友说过,给他一块石头,他在上面写点东西,就能"令后世知有子名"。韩愈说的石头,指的是立碑。古人比较注重立碑,立碑的目的,大抵是为了歌功颂德——至于可不可歌,有没有德则是另外一回事。诗人杜牧给一个秀才写的墓志铭云:"生年二十,未知古有人曰周公、孔夫子者。"对那个其实没读过什么书的秀才狠狠挖苦了一顿。这种情况比较少见，看那些留传至今的相关文字，还是谀辞为多。

碑，由人们衷心拥戴而立当然最好，缺乏这种基础，也可以授意别人，或者干脆自立。西晋的杜预就曾经自立。他有灭吴的"勋绩"，使天下由三分归为一统，怕后人给忘了。不仅立，而且一家伙立了两通，一置山上，一置山下。他说："焉知此后不为陵谷乎？"将来，大地变迁，陵可能变成谷，谷也可能变成陵，立两通呢，则无论怎样，他的碑都可以安然存在。不过宋朝的庄绰在他立碑的那个地方当官的时候，专门去凭吊过，发现山上的那通早就没了，山下的因为汉水改道，也早就给淹没了，"哪有出期？"所以庄绰认为："二碑之设亦徒劳耳。"其实早在庄绰之前，唐人鲍溶便曾以诗嘲笑这种做法："襄阳太守沉碑意，身后身前几年事，汉江千古未为陵，水底鱼龙应识字。"在鲍溶看来，杜预的碑铭要发挥作用，只有寄望鱼虾们读过书了。

碑的家族里面有一个很特别的品种，就是无字碑。关于这种碑，世传以武则天墓前的最为知名。为什么无字，千百年来人们揣测不已，没有定论。其实早在秦始皇泰山封禅的时候就立过无字碑，令"解者纷纭不定"。东晋那个因淝水之战而闻名的谢安，墓碑也是"有石而无其辞"，不过当时有人肯定地说："以安功德，难为称述，故立白碑。"秦桧的墓碑同样无字，据说"当时将以求文，而莫之肯为"。这一点不大可信，因为秦桧是在相任上死的，死时尚未背负后世定论的恶名。举一个旁例或许更能说明问题。王安石不仅是位政治家，而且是位大学者，"以多闻博学为世宗师"，当时的读书人得出其门下者，"自以为荣"。但当王安石政治上失意时，大家都变脸了，"人人讳道是门生"；当其被重新肯定，又得配享神宗时，"人人尽道是门生"。这一"讳"一"尽"，说明人在某些时候是厚颜无耻的。所以秦桧的无字碑一定另有别的原因，倘说时人憎恶秦的卖国求荣，不肯为之，不屑为之，未免拔高了他们的境界。

关于立碑，为《三国志》作注的裴松之与隋文帝杨坚都有过精辟的论述。裴松之说："碑铭之作，以明示后昆，自非殊功异德，无以允应兹典。"他认为一旦"勒铭寡取信之实,刊石成虚伪之常",坏处之一是"真假相蒙",淆乱视听。所以他指出立碑宜慎,这样起码可以"使百世之下,知其不虚"。隋文帝则连碑的实物本身都否定掉了,他说:"欲求名,一卷史书足矣,何用碑为?若子孙不能保家,徒与人作镇石耳。"做镇石,就是拿去废物利用。写《梦溪笔谈》的沈括发现过这么一块,他看到一个厨子压肉的石头上面好像有镌刻,就把石头洗干净一瞧,是南朝刘宋海陵王的墓碑。此碑还是当时的文豪并书法家谢朓撰文并书写的,字类钟繇,令沈括爱不释手。这就是说,虽然是名家手笔,也未逃出镇石的命运。武则天死后立的是无字碑,在位时可是给自己立了块铜碑。碑的规模相当之大,"征天下铜五十万斤"乃成之,高九十尺,直径一丈二尺,号曰"天枢"。然而这块铜质的碑,也才存在了二十来年,开元初即为玄宗下诏毁了。

种种迹象表明,实物的碑,除了它或许存在的文化意义,委实不足道。隋文帝的"一卷史书",实际上就是文天祥"留取丹心照汗青"中的"汗青",惟此方为检验"殊功异德"的标准尺度。武则天的是非功过,即使她墓前的碑上有字也不足为凭;杜预的碑早就找不到了,但是谈到西晋的统一,又怎么能不提起他呢?一个人究竟为国家、社会和人民做了些什么,用不着自己去张扬或遮掩,历史自然会铭记。

2001年6月3日

"声色"事

王士禛《分甘余话》里谈到一位"腐儒"。此乃作者对乡里一个读书人的蔑称。何以蔑之?那是读书人应邀赴宴,席中有妓女劝酒,劝到他那里,他很认真地问人家:"卿业此几年矣?或不得已而为之乎?抑有所乐而为之乎?"话音刚落,满座"皆大噱"。人们是笑他读书已经读傻了,居然对这种社会现象如此惊讶,还要来一番"社会学调查"。王士禛仕宦几五十年,颇受称道,这一声"腐儒",说明"声色"之事他在官场上也早已是见怪不怪。

声色，一般指淫声和女色。成语之声色犬马，即指旧时歌舞、女色、玩狗、跑马等四种享乐方式。因之坏了名分，构成的是声色之累。然而对声色事，从来为一些人趋之若鹜。唐伯虎点秋香之类——尽管可能是杜撰的，后世也都津津乐道。明朝还有个"山水人物入神品"的画家吴伟，成化皇帝让他画幅《松风图》，他假装把墨汁无意碰翻，然后似乎信手涂抹了几下，"风云惨惨"的新作就诞生了，令成化皇帝赞叹"真仙人笔也"。吴伟也特别好妓饮，"无妓则罔欢"，所以要得到他的画，"集妓饵之"，没有办不到的。

"声色"事自然从未远离过官场。在北宋历史上，当过宰相的王旦口碑极佳。他在任时，朋友交了不少，然"无敢以私请"，因为他从不做无原则的事情。在修养方面，王旦也达到了极点，人们"未尝见其怒"。即使有人告他的状，他也"引咎不辩"，先检讨自己是不是确实存在那些问题。但在"声色"事上王旦却留下了非议，此事载于苏辙的《龙川别志》。那是宋真宗有天闲得没事，与群臣谈论声色。他听说王旦"性俭约"，家无侍妾，乃赐银三千两，"责限为相公买妾"。王旦一开始并不情愿——不知道是不是装的，"然难逆上旨，遂听之"。但王旦正是自此不能自拔。当初沈伦家败，有不少银器之类要转卖给王家，净是吴越王钱俶曾经用来打点朝中权要的好东西，王旦的态度很明确："吾家安用此？"等到姬妾齐备时，王旦主动叫来管家，"问昔沈氏什器尚在可求否"。管家向他请罪，说当时自作主张，偷偷地买了下来。不料王旦非但没有责备他，反而非常高兴，吩咐赶快拿出来摆上，"用之如素有"。王旦的变化令苏辙感慨万千："声色之移人如此！"

如果说王旦的"声色"事还只牵涉自家的名誉，还有一些人则是因之而渎职乃至枉法了。《鹤林玉露》载，宋高宗绍兴年间，王鈇治理番禺（今广州），"有狼藉声"，朝廷派韩璜前往调查。消息传来，王鈇吓坏了，"寝食几废"。他有个小妾原来是钱塘的妓女，了解了情况之后说："不足忧也。"她认识韩璜，不仅如此，韩璜当年逛妓院，他俩还是相好，更了解韩的短处：这人只要多喝几杯，就会丑态百出。所以她给王出主意，如此这般，不怕他。韩璜到的时候，王去郊迎，示以隆重，但韩璜睬都不睬；进了城，仍"岸然不交一谈"，硬气得很。第二天王鈇在豪华别墅里为他接风，"固请"，韩璜就不推辞了。王鈇安排几个妓女，"诈作姬侍"，侍候他。酒到一半，小妾吭声了，"帘内歌韩昔日所赠之词"。韩璜一听，"狂不自制"，他找这小妾好久了，想不到竟在这里。但小妾并不出来，只是隔着帘子不断地要他满上。待韩璜酩酊大醉，小妾又说，你以前最喜欢起舞，"今日能为妾舞一曲，即当出也"。韩璜已经完全不能自持，"即索舞衫，涂抹粉墨，踉跄而起"，结果一家伙便摔倒在地。王鈇于是"亟命索轿，诸娼扶掖而登"，把他送回去。夜半韩璜酒醒，觉得衣衫不大对劲，"索烛揽镜，羞愧无以自容"。随即打道回府，对王鈇的事情，"不敢复有所问"。一个曾经心高气壮的钦差，就这样因为"声色"的把柄，被一个贪官钻了空子。

杜绝"声色"事是不太现实的，但将之剔除出官场却是可能的，且是必须的。官员身为其累，可能变质。唐太宗写过一首"艳诗"，虽然他口称"戏作"，虞世南还是兜头给他泼了一盆冷水："圣作虽工，体制非雅。上之所好，下必随之。此文一行，恐致风靡。"这就说明，有识之士早已认识到了"声色"在官场的危害。至于一些官员以之为能事，乃至除了"声色"事再无谈话的兴趣，那是应该划归恬不知耻的一类了。

2001 年 6 月 10 日

"悻门如鼠穴"

宋太宗说过："悻门如鼠穴，不可塞也。"悻门，乃奸佞小人进身的途径。这话是说，那些成天惦着向上爬的人，总能找到爬的门路，像老鼠钻的洞一样，堵得住这头堵不住那头，防不胜防。用鼠穴来比拟，很有意思。据有关研究，人类和老鼠较量了已经不止千百年，招数不少,却始终奈何不了鼠的猖獗。按宋太宗的逻辑推理,堵塞幸门也是不可能的事情。

幸门的确是五花八门。赵匡胤要登基了,还缺受禅文书,翰林学士陶谷马上从怀里掏了出来,得意地说:"已成矣。"他那里早就准备好了。《默记》云,晏殊为陈州守,盛夏的一天与一帮名士聚会。天热得很,晏殊忽然想起江南冬天才能吃到的柿子:"当此时得而食之,应可涤暑也。"但他明白,这是不可能的。想不到本地人李宗易一拍胸脯,这没有什么难,给我个家什就行。果然不一会儿,他就弄来了,"正如盛冬初熟者,霜粉蓬勃"。王辟之《渑水燕谈录》载,寇准有天和同僚聚餐,喝汤时不小心沾到了胡子上,丁谓赶忙"为公拂之"……

赵匡胤靠"陈桥兵变"夺取后周的政权,当然需要受禅文书来摆摆样子,陶谷揣摩好了,预先拟定;长官想吃的东西,在斯时似乎是个不可能的任务,而能立马奉上,此等行为的意欲显而易见。所以谈到堵"鼠穴",问题固然有能不能,还有想不想。陶谷这个人本来很了不得,自五代至宋初,"文翰为一时之冠",但是"倾险狠媚"。赵匡胤早就不喜欢他,"然借其辞章足用,故尚置于翰院";通过这件事,更"薄其为人",终不重用。在晏殊那里也是同样,李宗易的行为反而引起了他的警觉:"此人能如此,甚事不可做!"从此疏远了他。鼠穴,在他们这里都被堵住了。但在寇准那里,事情有了小小的变化。起初,寇准尚义正词严:"君为参政大臣,而为宰相拂须耶!"令丁谓"大愧"。不过魏泰《东轩笔录》载,寇准曾屡次向李沆推荐丁谓,因为没有奏效,有一天还当面对李沆表示不满:"相公终不肯用,岂其才不足用耶?抑鄙言不足听耶?"李沆说:"如斯人者,才则才矣,顾其为人,可使之在人上乎?"事实表明,丁谓其人正如李沆所言,甚至寇准后来被贬岭南,也因丁谓所致。但在当时,"拂须"之举显然见了成效。

陈洪谟《治世余闻》载,明朝弘治年间,丙辰科进士还没录取时,忽传要选十一人,同旧进士一人,"分拨五府、锦衣卫修书"。大家都觉得莫名其妙,选新进士罢了,怎么还要加个旧的?后来人们才终于弄明白其中的究竟。原来进士登科的人,都不乐意外选,分到外地任职的,总要找个借口比如养病之类回到京城里来,"因以为后图"。上一科有个进士,正是如此,"百谋未遂"之际,打听到首相徐溥雅好古董,"可通"。这个人"素雄于赀",不在乎花钱,"乃购古琴古画并珍品投之"。徐溥收了他的大礼,就绞尽脑汁想出了这招:"令各衙门纂修会典",编部门志。府、卫尽是武职,胜任不了笔墨差事,那好,从进士中选些人帮他们,"俟成书皆准授京职"。如此一来,不是礼既得了,人家的事情又给办了?徐溥这种人,是甘愿被"老鼠"在身上掏个窟窿的,何谈去堵!

说鼠,自然要想到猫。猫是鼠的天敌。陆粲《庚巳编》中讲到一只猫,那是西域一个小国准备进贡给明朝皇帝的。路过陕西驿站时有人问,一只猫有什么稀奇,要当贡品?贡使到晚上便给大家演示。他把这猫罩在两层铁笼子里,不让它跑出来,再放进一间空房子。第二天早晨领着大家去看,"有数十鼠伏笼外尽死"。贡使说,这猫奇就奇在这里,它走到哪里,不用出击,"虽数里外鼠皆来伏死"。这故事颇有点神话意味,但它讲了一个道理,倘若猫的震慑力极强,鼠辈受死不及,又焉敢打猫的主意?

韩愈有诗曰《泷吏》,里面写道:"不知官在朝,有益国家不。得无风其间,不武亦不文。仁义饬其躬,巧奸败群伦。"勾画出了某些官吏的真实嘴脸。所以悻门为何如鼠穴,问题出在相应的官员身上。如果猫不仅不与鼠为敌,而且乐意与鼠做交易,那么你又能对猫指望些什么呢?

2001年6月24日

"清白信居官之要"

历史上,但凡留下口碑的官员,对清廉这一概念在宦海生涯中应当占有怎样的地位,都有比较深刻的认识。金埴在《不下带编》里告诫自己:"一丝一粒,民之脂膏也。故廉是居官分内事。"罗大经在《鹤林玉露》里论道:"士大夫若爱一文,不值一文。"同书所载的杨伯子更直截了当:"士大夫清廉,便是七分人了。"如此等等。

"清白信居官之要",是张瀚在《松窗梦语》中的表述,可以视为同类语句中的经典。与上面那几句,意思没有什么不同,但是心平气和,也干脆简明。对于贪官,骂是起不了多大作用的。你骂他贪得越多,人格越贱,骂他是禽兽,都是一时之快,那些没暴露的家伙仍可能没事人一样,睬都不睬。对多数可以教育好的官员来说,还是要晓之以理,用榜样的力量来引导。

康熙年间的顾嗣协当广东新会知县,甫一到任便写了幅对联挂在衙门口,开宗明义:"留一个不要钱的新会县,成一个不昧心的苏州人(顾籍苏州)。"同朝的广西学政陆琦,深得士心,人们把他的贡献比作"开化"广东潮州的韩愈。陆琦留给子孙的遗言有三不妄,其中一个是"不妄取一钱"。为后世留下《广东通志》的阮元,虽贵显而家居清贫,有人借为其父拜寿为名摸去他的家,带上贺礼,阮父一眼看穿了他的用意:"君奈何无故而为我寿,不恤千金?若曰有乞于吾之子,吾子受朝廷重恩,清廉犹不足报万一,而以此污之乎!"接着他厉声道:"君以礼来,吾接君以礼,君以贿来,恐今不可出此门阈。"阮父甘愿清贫,把捍卫儿子的"清白"看得比什么都重要。诸如此类,都是生动的教材。

杨伯子也是如此。他之重视清廉,是因为他认为"公忠仁明,皆自此生",如果前提没了,一切都无从谈起。他在番禺卸任的时候,"有俸钱七千缗,尽以代下户输租",自云"脂膏留放小民家"。对俸禄也有"脂膏"意识,这样的官员怎么可能不廉?在路过石门那个著名的贪泉的时候,他留诗一首对自己作了总结:"石门得得泊归舟,江水依依别故侯。拟把片香投赠汝,这回欲带忘来休。"晋朝吴隐之饮贪泉水而言志的故事,世人皆知。吴隐之在去任时,发现行李中有香一片,"举而投诸石门中"。杨伯子囊中"片香"亦无,可谓更加彻底。后来,杨伯子以"靡侵公帑之毫厘",而为时人举为真正的廉吏。

"清白信居官之要",道理并不高深,讲起来人人都明白,值得注意的是,有的可能嗓门还更大,调子还更高。南宋大儒朱熹批判过一种人:"叫他说廉,直是会说廉,叫他说义,直是会说义,及到做来,只是不廉不义。"这种"两面人"被朱熹称作"能言鹦鹉",学舌而已。海瑞还遇到过另外一种。有天他偶去一个官员的家,那家本来"屋极壮丽",但那人知道海瑞节俭得很,当知县时,"布袍脱粟,令老仆艺蔬自给",且以刚直著称,什么人都敢不给面子,便"尽撤厅事所陈什物,索旧敝椅数张待之"。这是一种带有表演性质的廉,是假惺惺的廉。说到这里,须提罗大经对于诗的一番高论:"其胸中之不淳不正,必有不能掩者矣。虽贪者赋廉诗,仕者赋隐逸诗,亦岂能逃识者之眼哉!"他举例说白居易的诗,世人多认为其清高,但朱熹从中看出,其实白居易特别迷恋官职,因为"诗中及富贵处,皆说得口津津地涎出"。罗大经为此心生一叹:"乐天之言,且不可尽信,况余人乎!"朱熹的洞察力确实超乎寻常,但鉴别现实中的"两面人",远不需要如此高深的功力,往往是一戳就破。

战国时的神医扁鹊认为有六种病是没办法医治的,必死无疑,"轻身重财居其一"。那些官场上的身败名裂者,应该最能体会出扁鹊的话的意味。人一旦把钱财看得比什么都重要,就会不顾一切,不择手段。官员"重财",因其手中多了权柄,有了敛财的资本,势必膨胀欲望,欲而不能止,东窗事发,便可能丢了卿卿性命。然而倘若惟有在身陷囹圄或行将送命之际才恍然大悟的话,才能明白"清白信居官之要"的话,又着实让人感到那些所谓体会者的可悲。当然,是不是做戏,也还有待具体分析。

2001年7月8日

"推下卅磨"

《吴下谚联》是清朝王有光撰写的一部笔记,专门博采谚语,加以注释,亦庄亦谐,俗不伤雅。其中有一条叫做"推下卅磨"。

众所周知，石磨有上下两爿，上爿是转动磨盘，而下爿是固定磨盘。下爿磨怎么推呢？推不了。王有光集该谚的目的，旨在讥讽三种人：一种是没分清对象，"妄用其力"，到推不动时才发现推错了；另一种是知道为下爿，偏要较量较量；再一种是明知下爿不能转动，"偏乐此而不疲"，用来消磨岁月。

莽撞、不自量力、消极颓废，王有光针砭的寓意应当在此。不过，第二种中还可以衍生出另外一个结果：推动了，虽然转得不那么如意，毕竟动了；或者尽管用尽了气力，也绝不善罢甘休。现实之中，这方面的例子数不胜数。从这个角度来看，推下爿磨的行为也有不失为勇气表现的一面。

唐宣宗时，郑光倚仗其国舅的身份，"庄不纳租"。郑光这种人就属于典型的往往令人无可奈何的下爿磨。京兆尹韦澳当然清楚得很，但他硬是把庄上管事的抓了起来，限期五天，"不足必抵法"。郑光找到太后，太后找到宣宗。宣宗了解了事情经过，问韦澳如果今天交足了，是否放人呢？韦澳坚决地回答："尚在限内，来日即不得矣。"宣宗深为韦澳所感动，他告诉太后："韦澳不可犯也，且与送钱纳租。"韦澳的这一"推"，固然得到了宣宗的支持，但是归根到底还取决于他自身的勇气。他在任时，"豪右敛手"。倘若因为这些人物背景力量的强大而先来个装聋作哑，一切又从何谈起呢？

明朝成化年间，汪直横行霸道，他的喽啰一天夜里摸去兵部郎中杨士伟的家，肆意拷掠。陈音住在杨家的隔壁，登墙大呼曰："尔擅辱朝臣，不畏国法耶！"对方威胁道："尔何人，不畏西厂！"陈音厉声回答："我翰林陈音也。"明朝天启年间，不少正直之士因为触怒魏忠贤而遭厄运，"为人刚方贞介，疾恶如仇"的周顺昌，为他们鸣不平，"指斥无所讳"。他甚至当面正告魏忠贤的喽啰："若不知世间有不畏死男子耶？归语忠贤，我故吏部侍郎周顺昌也。"汪直、魏忠贤当道的时候，谁不知道他们杀人不眨眼？但陈音、周顺昌们却敢于置生死于不顾，奋力去"推"这"下爿磨"，这分明是孟夫子"威武不能屈"的最好诠释。

和珅掌权时,他有个心腹家奴常坐他的车摆威风,"横行都市无所惮",人们只有避让的份,不敢出声。御史谢振定巡城的时候遇到了,"命卒曳下",要用鞭子抽他。那家奴气势汹汹地叫嚣:"汝何人?敢笞我!我乘我主车,汝敢笞我!"结果谢振定不仅把他痛打了一顿,而且还在大街上一把火把车也给烧了,引得围观的百姓热烈欢呼:"好御史!"谢振定更因此得了"烧车御史"的美名。谢振定怎么会不知道和珅的手段?怎么会不预知这一"推"的可能结果?事实上,和珅也的确因此把他恨透了,"假他事削其籍"。但正是这一"推",也才让百姓对王法没有完全绝望。

《庸闲斋笔记》里有一则记载,蒯德标说:"作官者,私罪不可有,公罪不可无。"所谓私罪,即为了一己私利而利用职权从事贪赃枉法的勾当,"不可有"是应该的、绝对必要的。所谓公罪,即以自己的身份地位为坚持原则而"推"了本来推不动的什么,从而冒犯了什么,当然"不可无"。倘若一个官员,只知道随声附和,明哲保身,连一点正义都不肯主持,那么他就是一个十足的爬虫而已!清朝康熙年间,刑部尚书王士禛处理过一宗逼奸民女的案件,事实非常清楚,而地方的结论却是民女一方有罪。王士禛大怒,"立碎其牍掷地",责问那些地方官:"汝曹畏势乎?徇情乎?纳贿乎?"事实上,不敢"推"或不肯"推"的官员,不外乎出于这几种因素。

综上所述,对于推下爿磨的表现,王有光未免过于悲观,没看到积极意义的一面。正是推者的勇气,让百姓看到了希望,社会也才有了希望。如果连尝试去推的人也没有了,事情倒真的会可怕起来。

2001年7月15日

官讳

忌讳是一种有趣的民俗现象,也是文化人类学中的一个重要课题。忌讳的种类很多,宗教的、生产的、语言的,等等。语言忌讳是日常生活中的常见现象,比如对长辈和自己所尊敬的人,不该直呼他的名字,要用尊称来代替。这种做法在古代叫做避讳,表现得更为极端。司马迁的父亲名谈,《史记》中便找不到谈字。宋朝刘温叟的父亲名岳,他终身连音乐都不听,来客要是不小心犯了他的讳,"则恸哭急起,与客遂绝"。五代的石昂以公事上谒,上司家里讳石,传达的人硬给他更石为右,唱成"右昂",气得石昂"解官而去"。

名讳中还有一种自讳。宋朝的皇族赵宗汉,"恶人犯其名",遇到"汉子"统统改成"兵士"。于是在他家里,老婆供奉的罗汉成了"罗兵士",儿子教授的《汉书》成了《兵士书》。最典型的要算同朝的知州田登,讳灯为火,元宵放灯称为"放火",留下"只许州官放火,不许百姓点灯"的俗谚。鲁迅小说中的阿Q,通常都认为是中国农民形象的代表,周作人则别有一说,认为指的是士大夫。证据之一就是阿Q的自讳。阿Q的头上有癞痢疮疤,便讳说"癞"字以及一切同音的字,又波及"光"字、"亮"字,后来甚至连"灯"、"烛"也都忌讳了。周作人认为自讳为士大夫所独有。

官讳也是一种有趣的现象。所谓官讳,是乞求当官、当得安稳、当得长久等而避免的不吉利的话或事。这种现象不知道该怎样归类,倘若称其为民俗,总觉得十分别扭,称其官俗最恰当,却又没这种说法。其实归类的事也许还不必着急,关键在于事实本身。

《癸辛杂识》载,唐朝长安城中有一块"钉官石","色青黑,其坚如铁",凡是新进士想要求官的,都用一枚大钉子去钉那块石头,如果一下子钉进去了,预示着要"速得美官",否则很可能当不上,或者就算当上了,"亦不能快利也"。从"石上之钉皆满"不难看出,当时不知有多少人来过,而且满意而归。

《桯史》里有一个笑话。说有客人拜访一位朝士,那朝士不在家,门人便回答"不在"。客人纠正他,你怎么敢这么说话,"凡人之死者,乃称不在",难道你家主人不忌讳吗?门人请教客人应该怎么说,客人答道,主人既然是外出访友,就应该说他出去了。这下门人更犯难了:"我官人宁死,却是讳'出去'二字。"在那位朝士的词典里,"出去"意味着罢官,比死还难受,万万说不得。

《朝野金载》载,唐朝源乾曜当宰相的时候,不知怎么有天"移政事床"。这可不得了了,当时宰相的一个忌讳就是移床,"移则改动",官要当不成。另一个宰相姚崇正在家里休假,回来看到后,十分生气。源乾曜恐慌得很,至于要向姚崇"下拜"来表示歉意。在《唐语林》转引的《大唐传载》里,也有这么一张移不得的床。那床也在政事堂中,"移之则宰臣当罢",或者"不迁者五十年"。但宰相李吉甫觉得这种说法非常荒谬,他说:"朝夕论道之所,岂可使朽蠹之物秽而不除?"他坚决要移,因为床底下实在太脏了,必须得打扫了。他声称自己若因此而罢官,"余之愿也",不怪别人。结果从床底下"铲去聚壤十四畚",可见宰相们忌讳移床已经不知道有多少年了。

凑巧的是,移床不久,源乾曜和姚崇果真都丢了相位。是不是真的因此触怒了什么庇护的神灵呢?不是。问题在于他们本身。源乾曜为官纯粹是一个摆设,当到宰相这个级别,他已经相当满足了,接下来就是明哲保身。所以遇事"皆推让之",自己一点主意没有,"但唯诺署名而已"。姚崇呢,是个人才绝对不假,但在一些原则问题上不能把握好自己,纵容子女收受贿赂,又百般庇护,为下属开脱罪责,不惜徇私枉法。如此等等,使得玄宗对他不再信任,姚崇害怕了,才"频面陈避相位,荐宋璟自代"。所以二人为相不成,皆因自身的作为,与挪不挪床,又有什么关联呢?

官讳是可笑的。一个官员是一味地以权谋私,贪赃舞弊,还是全心全意地为百姓谋利益,也就是说这个官当得怎么样,百姓的心里清楚得很。那么他的命运实际上既掌握在自己手中,也掌握在百姓手中。倘若他的作为属于前者,却单靠忌讳什么不吉利的字眼或事情来乞求平安,绝对是无济于事的。

2001年7月22日

科举录取之怪状

科举的创立，拓宽了选拔人才的途径，表面看来是提供了人人均等的机会。但在录取方面，却往往是成绩退居其次，而由太多不确定的卷面之外的因素所左右，造成事实上的不平等。这当中，除了帝王级人物的随心所欲外，还有大量施展浑身解数的官吏和举子，有钱的用钱，有权的用权，有势的用势。无论哪一种方式取得的成功，都意味着对公正构成了讽刺。

明朝洪武时有年会试，前三名的顺序是黄子澄、练子宁和花纶，殿试后前三名的顺序则是花、练、黄。按道理，这一科的状元不管怎么说，也不会出这三人之外。不料录取前一天因为朱元璋梦到一颗钉子，就把丁显从后面拎了上来，"擢为状元"，钉、丁谐音，合他的梦兆。慈禧太后取刘春霖为状元，卷面的因素也在其次，而是因为他的名字里水分充足，当时正天下大旱。像这样的随心所欲，比比皆是。

《玉堂丛语》载，明朝天顺年间，柯潜主考应天（今江苏南京）的乡试。有个考生深夜摸上门来，"叱之，彼固以请"，后来索性"以所赂遗置公前"。柯潜大怒，将其"执付有司，治以法"。这是单纯用金钱开路的一类。该书另载首辅翟銮两个儿子的科举历程，则属于利用权势的一类。乡试时，主试官在上任之前专门跑来拜见他，惟恐效忠不得。翟銮也不含糊，该发话时就"恫喝关节"，弄得经办官吏"咸唯唯"，考试本身变成了装装样子。会试后"取上第"，实乃顺理成章。这件事的败露还是借助于官场上的钩心斗角。当年首辅夏言被罢，翟銮接任；但严嵩入相时，"终恶銮，不能容"，千方百计寻找机会打倒他。舞弊一事，正给严嵩抓住了把柄，而且证据确凿。结果嘉靖皇帝将翟銮父子一并打发回家，相关人等削职为民，乡试主考还被"杖六十"。嘉靖诏称，翟銮的两个儿子就算有苏轼、苏辙兄弟的才能，也"不得并夺寒士路"，何况还是舞弊。

明朝的另一个首辅张居正的儿子录取为榜眼，也有见不得人的黑幕，张瀚的《松窗梦语》披露了此事。那是万历二年，张瀚"奉命入阅廷试卷"。张居正因为二儿子参加了会试,"避不阅卷",形式上还摆出了一副公允的架势,一切由亚相张蒲州出面。张蒲州拟定的序次,张子为二甲之首。这个结果把张居正气得够呛,后来他对张瀚说过,张蒲州是我提拔起来的,"何吝于一甲,不以畀吾子耶?"言外之意,张蒲州很不懂事。没办法,张居正只有亲自出马,在给万历钦定的材料上做了手脚,硬是给儿子争到了一甲第二名,也就是榜眼。

应该承认,像张蒲州这种"不懂事"的人是不多见的,现实中,惯于体察上司意志的"聪明人"更是多数。有的"聪明人"甚至聪明过头,弄巧成拙。《唐语林》载,唐宪宗元和二年那一科录取了27人,侍郎崔郾带着名单来呈报宰相李吉甫。李吉甫问:"吴武陵及第否?"原来李吉甫当年在信州当刺史的时候,跟吴武陵打过交道,很讨厌他,也知道他没什么水平。但崔郾会错了意,他理解成吴武陵一定是李吉甫的关系,袖子里的榜文上虽然没有吴武陵的姓名,但"遽言及第"。正巧这时朝廷来人向李吉甫传达皇帝的口敕,崔郾便利用这个间隙偷偷地把吴武陵的名字填了上去。李吉甫再问:"吴武陵至粗人,何以当科第?"不料崔郾以为李吉甫故意正话反说,还在一味讨好:"吴武陵德行未闻,文笔乃堪采录。名已上榜,不可却也。"活生生地让李吉甫背上了黑锅。

所以,科举录取中的怪状迭出,全是人为操作的缘故,牵涉的根本问题,还是官吏的腐败问题,权势可以践踏一切。柯潜那一科、张子那一科、崔郾拍错马屁的那一科,张榜后的舆论评价分别为"咸称得人"、"缙绅咸为不平"和"观者皆讶焉"。从中不难看出,官吏的廉洁与否,权势的介入与否,以及官吏对权势的膜拜与否,对录取的公正程度产生的影响。因为内讧之类而查处,不是治本的查处,况且,如果不是那个毫不足道的举子夜赂柯潜,而是翟銮、张居正们直接下达旨意,我们又有理由为柯潜担忧了。所以,录取虽然呼唤公正,但是如果吏治问题不解决,是不可能有什么公正可言的。从这个角度说,种种怪状甚至称不上怪,而是一种必然。

2001年7月29日

居家之俭与居官之廉

在《庸闲斋笔记》里，作者陈其元表达了这么一个观点："居家俭，则居官廉。"在他看来，官员在行使权力时是不是廉洁奉公，和他在家里的生活作风有很大的关系。节俭呢，则廉洁；按此推理，奢侈呢，则贪。他这样说，有他的经验作理论支撑："吾历官数十年，见奢者未尝不以贪败。"这个体会不错。"成由勤俭败由奢"，早就被公认为一条普遍真理。此中的成败，有寄语事业的成分，当然也包括官员宦海生涯的善终还是夭折。

不过，在《巢林笔谈》里，龚炜有一种与之针锋相对的观点："做官做家，截然两事，并而为一，不祥莫大焉。"就是说，治理政事和治理家事，完全是两码事，不仅不能混为一谈，而且混了还会非常有害。那么显然，居家之俭与居官之廉之间，也没了相应的逻辑关系。至于怎么个"不祥"法，龚炜没有进一步阐释。总之，他不能苟同。

把官事和家事搅在一起，在封建时代不是奇怪的现象。为《资治通鉴》作注的胡三省考证过，从东晋成帝时起，"官家"还成了皇帝称呼的一种。他认为这个合二为一的称呼来自两种可能：一是西汉称天子为县官，东汉谓之国家；二是自古云五帝官天下，三王家天下，所以官家乃"兼而称之"。到宋朝，官家已为人们挂在嘴边。比如宋徽宗，人们说他琴棋书画样样皆通，"只是不会做官家"，皇上当不好。《水浒传》里刚刚劫了生辰纲而逃上梁山的阮小五，面对进剿的官兵朗声唱道："打鱼一世蓼儿洼，不种青苗不种麻。酷吏赃官都杀尽，忠心报答赵官家。"翻看官、家之论及实践，宋人的也是尤其的多。比方有个陈贯，他常常这样反问僚属："视官物为己物，容有奸乎？"另有一个冷应澄，他的口头禅是："治官事当如家事，惜官物当如己物。"还有一个李先，调动过不少地方，然"所至治官如家"，被俚语呼为"照天烛"，这是赞其明察秋毫。此外，还有名臣范仲淹的儿子范纯仁，也曾身居高位，且在政声上毫不亚于他的父亲。他曾寄语宗族子弟："唯俭可以助廉。"居家做到一个俭字，对于居官之廉则大有裨益。范氏子弟们以之为修身之要，甚至有人把它当作座右铭。

陈贯、冷应澄们的言论都很有道理，强调的是作为一名官员所应有的一种心态，想要挥霍的时候，想要枉法的时候，就不妨将心比心地想一想：如果是自己家的钱，还这样挥霍吗？如果是自己家的事情，承受得了这样的不公吗？但倘若使之绝对化，以为居家之俭对居官之廉确有神奇的功效，就未免失之偏颇。为官腐败，岂是因为治家不严！这也不禁使人联想起另外一个类似的理论：贪官背后往往都有个"贪内助"。逻辑上或许如此，现实未必然。放论者当然举得出一系列的实例，但是这里也可以举出反例。且说章惇吧，他在《宋史·奸臣传》里是挂了号的，但老婆张氏却"甚贤"。章惇刚入相的时候，张氏正在生大病，但是不忘"监督"他："君作相，幸勿报怨。"这是让他不要胡乱使用权力。章惇和老婆的关系很好，张氏死后，他悲痛不已，曾对好朋友吐露心声："悼亡不堪，奈何？"那朋友堪称诤友，一针见血地指向了他的作为："与其悲伤无益，曷若念其临绝之言。"但是，章惇终以"穷凶稔恶"的面孔存世。妻贤矣，夫则何如？

居家之俭与居官之廉之间也一样，没有必然的逻辑关系。如果说有关系，也只能是对那些个人修养极高的官员而言。范纯仁的名言之一是："有愧心而生者，不若无愧心而死。"有没有愧心，就要取决于自我，贪官物为已物视作当然，怎能生出愧心？对那些制度一旦没有到位便以为有机可乘，或者千方百计地要钻现行制度的空子的人来说，居家"外示节俭"的假象不难做到，这样一来，居官的作为反而有了极大的隐蔽性和欺骗性，龚炜"不详莫大"的忧虑也许正在于此吧。所以，倘若就此得出结论，什么妻廉家安，什么为官须治家之类，对吏治建设而言纯属舍本逐末。制约官员的作为，关键还得依靠法律，牢牢抓住这一点就足够了。法律都约束不了的事情，弄些别的什么花样又岂能奏效？

2001年8月12日

政绩的考察问题

余继登《典故纪闻》里，记录了明成祖对吏部尚书蹇义的一段谈话，针对的是官员的政绩考察。

成祖说，官员在地方工作的能力如何，换言之这个人提拔得准还是不准，要派御史下去"分巡考察"得出结论；可是听闻御史们到了地方，完全是走个过场，大门不出，"但坐公馆"，找几个人来谈谈话，把听到的东西就当作实情交差了，"如此何由得实?"要全面了解一个官员的政绩，光听和看面上的东西绝对不行，得深入进去，最主要的是要了解清楚那里是不是"人民安，吏无奸欺"，哪个官员如果能做到这一点，则"贤能可知"矣。

从这一段谈话来看，明成祖对官员的政绩考察是个不喜欢轻易下结论的人。就算是彼一时的心血来潮吧，起码谈到了如何考察的要义：不要为表象蒙蔽。而现实中的诸多长官正喜欢陶醉于表象之中。宋朝的第二个皇帝太宗，有一天出去转了一圈，便洋洋得意地对大臣们自夸道：后周时候天灾人祸，简直一塌糊涂，百姓还以为从此"无复太平之日矣"，可是到了我"躬览庶政"，谦虚点说也做到了"万事粗理"，不是一切都有了转机？他因此得出结论："理乱在人。"谁知宰相吕蒙正听了之后，不仅没有颂扬太宗的英明，反而兜头泼了一盆冷水。他说："乘舆所在，士庶走集，故繁盛如此。"皇帝能看到的地方，哪有不好的？不好的地方，下面的人能叫你看到吗？吕蒙正说他亲眼见过"都城外不数里，饥寒而死者众"，那么如果太宗走得稍远一点，稍微深入一点，看到的就完全是另一种景象了。所以他忠告太宗，"视近以及远"，了解得全面了再下结论，如此方为"苍生之幸"。像宋太宗这样的上司，如果没有吕蒙正的谏言，客观上对"面子工程"一定会起到推波助澜的作用，纵容官员们以投机取巧的方式来赢得政绩。

明成祖还认为，考核官吏的政绩，朝中一片叫好之声也不行，"只凭在官数人之言以定贤否"，会使"君子中正自守，小人赂遗求誉"，给另一种心术不正的官员钻了空子。这一方面更有太多的实例可寻。战国时，齐威王派人到即墨和东阿摸过底，知道即墨那地方"田野辟，人民给，官无事，东方以宁"，奇怪的是对主政的即墨大夫的评价却"毁言日至"；相反，东阿那里"田野不辟，人民贫馁"，可是对东阿大夫却是"誉言日至"。齐威王后来弄明白了，原来即墨大夫"不事吾左右以求助"，而东阿大夫"厚币事吾左右以求誉也"。换言之，他身边的人是被东阿大夫给"搞掂"了，"誉言"是买来的。于是就在明白了的那一天，齐威王烹了相关人等。把人给煮杀，是那个时代的通行做法，虽然残忍了些，但对于公然的舞弊，也惟有严厉打击才能收到实效。就齐而言，不仅"群臣耸惧，莫敢饰诈，务尽其情"，而且最终使"齐国大治，强于天下"，实力一度跃为战国七雄之首。

在这两个官员的政绩面前，齐威王没有轻信，而是做了深入的考察。倘若东阿大夫的行径得逞，齐国的官场风气就堪忧了。所以如何考察官员，关键还在于上司的态度。如果上司是个乐意"喜讯"频传的人，其考察方式必然如宋太宗一样，对不想看的和不想听的视而不见、充耳不闻；如果明了官员们的沉瀣一气，欺上瞒下，败坏的是国家的事业，那么就会如齐威王，毫不留情地予以处治。明成祖在最后谈道："自今御史及按察司考察有司贤否，皆令具实迹以闻。"这话不知他以前说过没有，可以肯定的是，倘若没有齐威王般的惩治手段，将来势必还要三令五申。但是明成祖显然很清楚，下属只做面子上的事，上司只喜欢面子上的事，自家的江山会有危险的。

有一位朝臣曾经要送给吕蒙正一面古镜，说它的神奇之处是能照下方圆二百里。朝臣肯把宝贝奉送，目的是要得到吕蒙正的关照，有机会的话更希望得到提携。吕蒙正明白他的意思，笑着告诉他，我的脸面不过碟子大小，"安用照二百里哉？"作为拒贿的方式，吕蒙正的行为可圈可点。不过这样一面开阔视野的镜子却不妨用于对官员的政绩考察，那是不能只盯住"碟子"大小的地方的，除非有意如此。

2001年9月2日

出行未必得"警跸"

旧时皇帝出行,是件惊天动地的事。有个专门的名词,叫做警跸,就是于所经路途侍卫警戒,清道止行。明人流传至今的绘画作品《出警图》和《入跸图》,便记录了某个皇帝出行的壮观场面:陆地水中,骑侍步随,前前后后,左左右右,护卫的、仪仗的,数不清的人头攒动。"九千岁"魏忠贤当道的时候,也极讲排场,出个门,动辄"千骑竞指乎神州,万乐齐鸣于警跸",威风得很。

其实不要说他们,就是普通的官员出行,也比较讲究。不同的级别,享受不同的待遇,车舆的构造、颜色以及附带的装饰,仪卫的多少,每一细微的差异都足以显示乘坐者的不同身份。换言之,官员可以摆多大的排场,都有明文规定。对能够享受的人来说,既然制度允许,不讲究白不讲究。

是不是所有的官员都如此呢?也不是。比如《邵氏闻见录》载,司马光的出行就很简单,经常"乘马或不张盖,自持扇障日"。有人说:"公出无从骑,市人或不识,有未便者。"意思是说连个开路的都没有,百姓不知道是高官,就不会避让。司马光回答:"某惟求人不识尔。"在司马光看来,不过就是在街上过一下,干嘛非要呼呼喝喝地让百姓都得知道乃至骚扰他们呢?还有王安石,虽然辞相,也是享受相当级别的,但他"惟乘驴",人们劝他坐轿子,他正色道:"自古王公虽不道,未尝敢以人代畜也。"在王安石眼里,以人代畜不啻对人的蔑视。邵伯温写到这里,很为司马光和王安石的矛盾而扼腕,说"二公之贤多同",真可惜在变法问题上弄得势如水火。

与排场相对应,出行中最普通、最大众的工具应该是骑驴。明初,太祖听说府州县官"多乘驴出入",认为"甚乖治体",乃"令官为买马"。《东观奏记》载,唐宣宗喜欢出门闲逛,"跨驴重载,纵目四顾,往往及暮方归大内"。骑着驴,皇帝也能扮成普通百姓。正因为驴的低贱吧,就有人借此以推断人的级别。《萍州可谈》载,宋朝宰相富弼致仕,有一天跨驴出郊,"道逢水南巡检,呵引而来"。呼喝开路的人叫富弼下来,待在一边,等他们的"领导"先过去。富弼哪肯买他的账,"举鞭促驴",走得更快了。开路的便厉声喝问他是什么人,富弼报出名字,立刻把个巡检吓得滚鞍落马,"伏谒道左",不胜惶恐。但有的高官却没富弼那么好的脾气。《客座赘语》说明朝的刘清惠"性颇卞",也就是非常急躁,他在家守孝,"出入衰服骑驴",本地衙门的官吏不认识他,倘有"误诃之者","往往厉声色愧其人而去",开口便骂。骂喽啰是没意义的,这里的"其人"一定是指那些官吏,因为看他骑着驴,就狗眼看人低。在广东,师承陈白沙的大学者湛若水——亦为高官,拜访学界的朋友时,常常也是屏去随从,骑驴前往。记载此事的顾起元感慨道,"其在今日,则万万无舍车而骑者",如果这样,"人必以失体消之矣"。也就是说,官员不摆威风,要给人讥笑的。《谷山笔麈》里有个吴岳,正是这方面的例子。吴岳是嘉靖末年的真定巡抚,眼见严嵩气焰嚣张,因之把官场也看透了,乃"移疾自罢",置办"茅屋数间,薄田一二顷",在乡间隐居以待时机。吴岳很少出门,出则"惟跨一驴",当地人便纷纷议论他矫情,放着好好的官不当,可怜巴巴地骑头驴,给谁看呢?

清朝大学者赵翼在《檐曝杂记》里谈到自己守镇安时的风光:"万山中一官独尊。鼓吹日数通,出门炮声如雷",乘舆的前后各有骑侍十余人,"可谓极秀才之荣矣"。读书人出行能得到这种待遇,可以心满意足了。但赵翼在陶醉之余,并没有忘乎所以,而是"心窃自恐不能消受"。这个心底里的嘀咕,倒真是值得许多心安理得的官员也认真思量一下的。

"行路贱避贵",是封建社会的一条公认准则,因其如此,飘浮着浓浓的腐朽气息。倘若抱守残缺,动辄以前呼后喝、招摇过市为能事,看似威风,实乃可笑至极。喜欢摆谱的官员,倒不妨学学司马光、王安石,退一步也不妨想想赵翼,当然,前提是得有人家的素质和修养才行。

2001年9月9日

不敢、不敢……

建立清朝的满族,是一个惯于马上征战的民族。入关定鼎之后,还保留有每年奔波数百里去木兰围场打猎的习俗。所以清初那几个皇帝,都非常善射。据说康熙西巡途中,于杂草中发现虎迹,"御弧矢,壹发噎之"。至于康熙一生在围场射杀了多少虎豹熊罴,也都有具体的数字记载。不过,据《郎潜纪闻初笔》记载:"凡围场,上未发矢,莫敢纵镝。惟突围之兽,从官先射。"就是说,成千上万的人从四面八方把猎物轰赶到一起之后,要静待皇帝张弓搭箭。那么,康熙等在围场纵有不俗的表现,是以大臣们的"莫敢"为前提的。

《涑水记闻》里有彭乘等大臣陪同宋仁宗去钓鱼的故事,与之类似。当时的规矩是:皇帝如果还没钓到,臣子"虽先得鱼,不敢举竿"。即使鱼已经咬钩了,也先要假装没那回事。仁宗钓到了,"左右以红丝网承之,侍坐者毕贺",然后大臣们才得以各显身手。

等级规定是封建社会的一个显著标志。什么级别的官员穿什么衣服,坐什么车子,住什么房子,规定得明明白白,超过了就叫僭越。但是除此之外,还有另一种人为的自我束缚,不是法,而是官场中约定俗成的规矩,所谓识趣,不要让上司难堪;或者本身诚惶诚恐,害怕抢了风头,上司开罪。"不敢"先发矢、先举竿,就都属于此类。用在皇帝的身上,当然正常;不正常的是一些人将此风推而广之,扩大针对的对象,使人们始而不能,继而"不敢"。彭乘的同事钓到了鱼,刚要举竿,马上也被旁的人"止之",说:"侍中未得鱼,学士未可举也。"侍中,指当时的重臣曹利用。有了这样一个拍马屁的先例,以后自然形成了制度,皇帝不在场的话,要看曹利用之类的举止行事了。

种种"不敢"的实例在生活中可以拈出不少。《万历野获编》载张居正当国时,因为丹药吃得太多,"毒发于首",冬天戴不了帽子。于是每天朝退后再来拜见他的大臣们都"必摘暖耳藏之",个个不敢戴帽子,而北京的冬天其实很冷。沈德符同时记录有一位戴着帽子的老臣的狼狈相:"涕洟垂须,尽结冰箸,俨似琉璃光明佛,真是可怜。"眼泪鼻涕已经都冻成了冰凌,再不能戴帽子御寒,惨相更是可以想见了。其实这事丝毫怪不得张居正,他并没有这种要求,是大臣们自找的。但自找却不是空穴来风,"不敢"的惯性使然。

无独有偶,在《老学庵笔记》里还有更荒唐可笑的事。当过宰相的韩琦到姻家赴宴,看到盘中有荔枝,就随意捡了一颗。不料一直盯着他的司仪立刻高声唱道:"资政吃荔枝,请众客同吃荔枝。"资政是韩琦罢政后的头衔。想吃个荔枝,却被他给嚷嚷一番,让大家都瞅着,韩琦很不高兴,就把荔枝又放下了。谁知司仪又唱道:"资政恶发也,却请众客放下荔枝。"让韩琦觉得又可气又可笑。恶发,怒也。因为有个曾经的高官在场,吃点东西都不敢轻举妄动了。

诸多的不敢、不敢,带来的直接恶果就是培养了官员凡举止行为必瞻前顾后的恶劣风气。《归田琐记》里讲到明朝嘉靖时京城里有一个著名的裁缝,"所制长短宽窄,无不合度",所以常常有官员来找他做衣服。度身之前,他总要问人家当官的年限,初来的人往往奇怪,这跟裁剪有什么关系呢?他认为很有关系,说刚当官的人,"意高气盛,其体微仰,衣当后短前长";当了一段时间的,"意气微平,衣当前后如一";而那些当得久了想再往上升的,"其容微俯,衣当前短后长"。作者梁章钜认为,此虽无稽之谈,"却有至理"。这个过程分明是众多"不敢不敢"的戒条,如何把一个官员的棱角逐渐磨平的过程。如果光想着当官的话,由不得你不"其容微俯",低声下气。

这诸多生活中的不敢、不敢,也极可能演变为官员在处理政事中的夹起尾巴做官,不论遇到什么问题,上司没发话,便明哲保身;或者,上司有了旨意,不管正确与否都不敢越雷池一步。这种情况下,监督更成为侈谈,除了良心上过不去的谏诤者,或者如《归潜志》中的李子迁,"平居循谨,唯恐伤人",一旦喝醉了才敢"虽王公大人谩骂不恤",否则,连异样的声音也不会存在,是一种很可悲的情况。

2001年9月16日

窥"哭"

从定义上看,哭,是人们因悲伤痛苦或情绪激动而流泪、发声。不过从各种生活中的事实来考察又不难发现,哭,也有其功能性的一面,成为人们借助的能够充分宣泄情感的一种载体。所以,哭,能够折射社会乃至人生百态。

许多野史笔记都有唐朝大文豪韩愈在华山大哭的记载。那是韩愈和客人在登山时,因为好奇,"攀缘极峻,而不能下",上去了,但下不来,"度不可返",韩愈乃"发狂恸哭"。也有人说根本没这回事,瞎编的,他们怎么可能会那么幼稚?但韩愈在诗中对登华山的事却有记载。他在《答张彻》的开头便写道:"洛邑得休告,华山穷绝径。倚岩睨海浪,引袖拂天星。"末了又说:"悔狂已咋指,垂诫仍镌铭。"至于韩愈的哭,也是很有可能的。方勺在《泊宅编》里有个统计:"韩退之多悲,诗三百六十,言哭泣者三十首。白乐天多乐,诗二千八百,言饮酒者九百首。"这个数字不知准确与否,但多少能从侧面说明韩、白的性情。那么韩愈的哭,乃是他情感的真实流露。

福格《听雨丛谈》载,粤东人家嫁女,都要先将女儿"闭置帷中",亲朋来贺,一迈进门,女儿便开始在帷中哭别。不是干嚎,而是有哭词,事先拟好,"因人而施"。比如福格老师的女儿出嫁时,对福格哭道:"素知阿弟好心肠,相送殷勤最感伤。可惜明年春正好,不能亲见状元郎。"接下来连哭带唱并举的一首,则是请他代为照顾父亲。有意思的是,其哭"不必皆出于嫁女之口,即姐妹仆妇婢子,均可于帷中助之"。那么这种哭,不是真哭,也没有悲伤的意味,而成为特定情况下能够顺畅交流的方式。

《分甘余话》载,田元均为官,每每"温言强笑",用他自己的话说:"吾为三司使数年,强笑多矣,直笑得面似靴皮。"也就是说,一天到晚满脸堆笑,不该笑的时候也要笑,把脸都笑皱了。这是官场中常见的景观。其实官场中也不乏哭。吊唁的事便不必说了,《倦游杂录》载,郑向和王耿两个人"屡以公事相失",以致互相上书弹劾对方;朝廷尚未定论,王耿先死了,郑向"往哭之,尽哀"。同僚们都给弄懵了:这两个对头原来还这么有感情。不过有人在旁一语道破:郑向"待哭斯人久矣"——早就盼他死了。《古夫于亭杂录》亦载,董讷由御史大夫改任江西总督,有位同事来向他辞别,"甫就坐,大哭不已",令董讷非常感动,然"举坐讶之"。果然,这个人走了后,马上跑去另一位同事那里,"入门揖起,即大笑"。那同事明白,董讷走了,对那位先哭后笑的人来说,"拔去眼中钉也"。这两个哭,具有相当的迷惑作用,董讷当时被感动了,王、郑的同僚差一点也被感动。

唐朝有个政策:"天下有冤者,许哭于昭陵下。"昭陵是太宗的陵寝。人们都知道,唐太宗是历史上一个难得的明君。从逻辑关系上看,一定是昭陵之下先有了不少的哭诉者,然后才有这个政策的出台,如此方称得上"许"。去向死了的太宗诉冤,却从侧面说明了人们对现世的绝望。唐人是不是爱哭,不得而知,但有个"善哭"的唐衢却是肯定的。唐衢乃落第进士,他的哭声每令"闻之者莫不凄然泣下",有一回在人家的酒桌上就哭开了,弄得"一席不乐,为之罢会"。唐衢为什么善哭,哭什么,白居易有过概括:"贾谊哭时事,阮籍哭路歧。唐生今亦哭,异代同其悲。唐生者何人?五十寒且饥。不悲口无食,不悲身无衣。所悲忠与义,悲甚则哭之。太尉击贼日,尚书叱盗时。大夫死凶寇,谏议谪蛮夷。每见如此事,声发涕辄随。"就是说,唐衢的哭不是因为自己多愁善感,而是出于对政事的激愤,尽情宣泄。这种哭,引起了白居易的共鸣:"我亦君之徒,郁郁何所为?不能发声哭,转作乐府辞。"元和年间,唐衢听到白居易被贬,也曾"大哭"。所以唐衢死后,白居易又写了一首诗:"何当向坟前,还君一掬泪。"再一次表达了惺惺相惜的心情。

《巢林笔谈》载有张景州的一首《长歌行》,里面写道:"君不见华山绝径退之哭,高处须防一失足。"这是由韩愈的那个经历来借题发挥了。意在警醒身居高位者——当然是那些想干或者在干坏事的人,如果收不了手或不想收手的话,要小心完蛋。真的到了那个时候,哭——不论真心忏悔还是假惺惺,都已经来不及了!

2001 年 9 月 23 日

当"名片"左右办案

《镜湖自撰年谱》是清人段光清的著作。该书以年谱的形式记载了浙江省在鸦片战争后期及太平天国时期的若干社会状况,诸如帝国主义的侵略、散兵游勇的横行、官吏的无能和腐败等等。因为当时段光清本人正在浙江为官,先后任慈溪、海盐、江山、鄞县等地知县,所以他的耳闻目睹不乏真实的、颇具史料价值的一面。

段光清在书中谈到了"名片"左右办案这样一件事。那是他以候补官员的身份在杭州待命的时候,当差之余,知县也常请他"至署问案"。他发现,凡是当地的显贵们打官司时,诉状内"必附一显贵名片",甚至他们的族人和亲友也"多借其名片夹附呈内"。这种现象,令段光清感到奇怪。知县派人告诉他说,有名片的都是有来头的,相当于提前打个招呼,问案时"以便照应"。段光清初入官场,还弄不清其中的猫腻,便提了一个问题:"狱讼须凭官问原委,以断两造屈直",如果凭借"名片"即条子来办案,那不是要委屈没权没势的百姓吗?那人并不直接回答他,只是说:"历任太爷都如是。"就是说,委屈不委屈百姓是另外一回事,在这里已经形成了这样的惯例,遵守就是。段光清终究还存一丝血气,认为"以力为理也,不可为训"。他不仅是这样说的,在他审理的第一个案子中,也是这样做的。

那个案子很简单:钱塘县赵绅士的轿夫向赵绅士讨要工钱,赵绅士不肯给,反诬轿夫"奸拐婢女"。这两个人较量起来,本来就不属于同一级别,况且赵绅士又假惺惺地拿起了法律武器,不过,在一纸状子之余再加个名片直接递给杭州知府,是非曲直便有了要颠倒的意味。果然,知府不分青红皂白,当即嘱托知县"必须重责定罪"。知县呢?因为上级已经给案子定了性,管他三七二十一,"只须竟责轿夫"

就是。正因为他认为这案子非常好办,就交给了初次问案的段光清,让他"但用刑可也"。谁知段光清不像他那么"醒目",并没有遵从他的意志,而是一板一眼地按程序办事。先把事情经过向轿夫一五一十地了解清楚,确认了是赵家蛮横无理,还给轿夫出了个主意,说我知道你是无辜的,但事情肯定不会就此了结,别的人不会放过你,不管情形怎样,既然没有奸拐,就万万不能承认,"索钱不过受责,奸拐则必办罪矣"。这一难得的公正,令轿夫"叩首而去"。然而,赵家的人因为没有达到目的,马上跑到知府那里告状,说段光清"庸懦糊涂",审不了这案子,得立刻换人。知府大人真的就屁颠屁颠地亲自出马,"先责而后问供"。后来,知府也知道的确是赵家在"恃势欺压平民",但"无如绅士何也",乱判的葫芦案就当没那回事。而因为段光清的节外生枝,"嗣后凡词呈之夹有名片者",知县也不再找他了,不是一路的人,也免得他再坏了"规矩"。

　　由这个案件的审理作契机,段光清发现了当地官员和显贵之间存在着千丝万缕的联系。"地方官每借词讼做人情,以鱼肉平民,而媚贵人";显贵们呢?则视地方官如"弁髦"。弁髦,这个词很有意味。弁,一种黑布做的帽子;髦,童子的垂发。古代男子行冠礼,先加黑布冠,次加皮弁,后加爵弁,三加后,即弃黑布冠不用,并剃去垂髦,理发为髻。因而弁髦被用来比喻无用的东西,引申的含义则为鄙视。这就是说,地方官员虽然有权,但显贵们是不把他们放在眼里的,他们用手中的钱已经"买断"了官员们的权,使官员们代掌的属于国家的印把子,沦为自己为所欲为的工具。因为"交易"在先,美其名曰交朋友实则甘愿堕落的官员便不可避免地要被呼来使去,叫他立刻来,他就不敢迟疑;叫他干什么,他就不敢不干什么。杭州知府一定要替赵绅士撑腰,也就是这个原因。二人私底下早已打得火热,等到用得着权力的时候,知府能不或曰敢不挺身而出吗?

　　其实,在封建社会,法律也是为了维护并巩固其社会制度和社会秩序而制定的,它所维护的道德、伦理等价值观念,也是容不得肆意践踏的。当"名片"之类可以左右办案,人们便不仅能够窥见司法腐败的缩影,而且能够窥见吏治腐败的缩影。或者说,正因为有了吏治腐败,才有了无孔不入的形形色色的各个领域各个方面的腐败现象。这种情况下,倘若只是专项治理哪里,不免穷于应付。

2001 年 10 月 7 日

"谣言"漫议

"谣言"一词,今多用于指没有事实根据的传言。但在起初,却是另外的含义,指民间流传的歌谣或谚语。典籍中的"小儿呼曰"、"童谣曰"之类,大抵指的都是"谣言"。作为一种政治措施,古代有专门的机构负责采风、采诗,即采集民间歌谣,目的是从"谣言"中观风俗、知得失。我国最早的诗歌总集《诗经》,在朱熹眼里动辄是在"言后妃之德",或"后妃自作",充满了贵族气;不过今天的多数研究者认为,其中的"国风",大部分就是民间歌谣,反映了当时社会的各个方面。

"谣言"具有相当的舆论力量,很多真实的故事,都从"谣言"开篇,继而为之应验。秦末的陈胜、吴广要起义,先让人四处去传谣:"大楚兴,陈胜王。"元末刘福通他们要造反,也是先使"石人一只眼,挑动黄河天下反"的"谣言"满天飞。南朝的张敬儿十分贪残,在地方当官,"人间一物堪用,莫不夺取"。这个人中了邪一般,老是"自云贵不可言",他也编了"谣言"让人到处传唱:"天子在何处?宅在赤谷口,天子是阿谁?非猪如是狗。"张敬儿老家宅前有个地名叫赤谷,他刚生下来的时候名唤狗儿,发迹后,宋明帝觉得这名字太端不上台面,就给他改名敬儿;他那个叫猪儿的弟弟,同时被改成恭儿。张敬儿让人传谣的目的,无非是说皇帝要出在他们家了。这是在利用"谣言"制造所谓"天意"的舆论。

"谣言"是现实的镜子,忽视之,对其时的认识势必有所局限。西汉的"以贫求富,农不如工,工不如商,刺绣文不如倚市门",被班固收进了《汉书》。这就是说,那时的人们并非只知道土里刨食,农业、手工业、商业,创造经济效益的次序等级,认识得清清楚楚。同书的《货殖列传》里还有好多因为冶铁、煮盐、做买卖而"富至巨万"的发家实例,班固谈起来,都是津津乐道的口吻。倘若一味指责封建社会的人们小农意识、缺乏经济头脑,便是失之偏颇了。

《南村辍耕录》里记载有好多反映民间疾苦的"谣言",比如"四地歌":"奉使来时惊天动地,奉使去时乌天黑地,官吏都欢天喜地,百姓却啼天哭地。"奉使,是元惠宗派下来"察政事之臧否,问生民之疾苦"的官员,本来他们的职责是要如实地向上反映问题,结果一下来却纷纷和地方官吏沆瀣一气,成天觥筹交错,百姓更倒霉了。江右儒人黄如徵向皇帝上书,揭发王士宏等奉使在他们那里的所作所为。他知道自己这样做,有"斧钺在前"的危险,但是义无反顾。他更担心王士宏们回去后,"妄称官清民泰,欺诈百端,昏蔽主聪"。不幸的是,他的担心还是变成了事实,王士宏不降反升。陶宗仪认为,其直接恶果就是使一地之痛苦,"与天下共之",皆大欢喜的汇报既然能够奏效,王士宏们没有理由不走到哪里而应用到哪里。

《三垣笔记》载,明朝崇祯时的"未去朝天子,先来谒书手",反映的也是官场中事。崇祯刚继位的时候,把钱粮问题作为对知府政绩考核的一项硬指标,规定凡是完不成任务的,一票否决,"不得与考选",也就是别想升官。这么一项看上去没有商量余地的政策,硬让一帮小和尚把经给念歪了。负责管理官员的户部堂司"皆穷于磨对",对查验核对的事还能认真起来,那些底下负责具体事务的人员却不管那么多,"若得贿,便挪前推后,指未完作已完,不则已完亦未完也"。什么叫指标完成没有?谁肯出血,谁就早点回家去做美梦;不肯,那你老人家就多熬上几天吧。该"谣言"形象地揭露了若干职能部门的工作目的,就是利用手中的小权敲竹杠。

正因为"谣言"是现实的种种折射,早在差不多两千年前,东汉灵帝曾"诏公卿以谣言举刺史、二千石为民蠹害者"。这大概是依靠民意来决定官员黜陟与否的最早记载。在当时,正常渠道的考核评语一定起不到什么作用了。像太尉许馘、司空张济等,自身很不干净,对"宦者子弟宾客,虽贪污秽浊,皆不敢问"。这样的太尉、司空早就靠不住了。况且一个官员无论怎样作秀,他的真实面目也瞒不过辖区的百姓。所以汉灵帝之诏未尝不是一个大胆尝试。

综上所述,"谣言"在很大程度上是能够体现政治得失的,尤其是所谓"怨谣",更应当引起当政者的警觉,它不仅陈一时之弊,兼可作后世之前车。

2001年10月14日

周锡恩的"无行"

无行,谓作风不好或品行不端。《汉书》云:韩信当初"家贫无行,不得推择为吏"。这是说那个时代选拔人才应用察举制,而韩信"无善行可推举选择也",品行不好,便无人举荐,也就谋不到差事。韩信之流是武夫,我们听得最多的还是文人无行,知书能文的人理应具备相应的道德修养,品行出了问题更令人瞩目吧。"过尽千帆皆不是,斜辉脉脉水悠悠,肠断白蘋洲",唐朝诗人温庭筠的文字多漂亮,可惜他就是"有才无行"的人物,并因而"卒不登第";另一位宋之问,五言诗"当时无能出其右者",品行也是不堪一提,人们甚至恨恨地称他为"畜吐人言"。

《世载堂杂忆》载有周锡恩的"无行"。周是湖北黄冈人,清末的名翰林。因为他在家乡"纳族女为妾",引起轩然大波,而"周氏宗族多人控告",却治不了他的罪。无他,这个文人早已依附了权贵。当知县杨寿昌发誓说"我必办你"的时候,周锡恩毫不客气地回敬道:"你不配。"没办法,杨寿昌只好抬出自己的上级:"我上省禀督抚,参捉你到案。"不料周锡恩觉得自己更硬气:"我上省禀老师,调走你出黄州。"要让杨寿昌连官都当不成。本来人们可以欣赏一次权力的对撼,看看公法与私情如何较量,不过凑巧的是,杨寿昌说的督抚与周锡恩说的老师正是同一个人:湖广总督张之洞。

张之洞非常器重周锡恩。光绪十五年（1889年），他刚调任湖广总督，马上派人召集在湖北的旧时门生。周锡恩得知后，认为机会来了，特地"由翰林请假回籍"，掌教黄州经古书院，因之成为首选人物。周锡恩很懂得投其所好，张之洞不是提倡洋务吗？他的时务课就开《拿破仑汉武帝合论》、《唐律与西律比较》等等，即便作诗题咏也不是风花雪月，而让学生们对着"显微镜、千里镜、气球、蚊子船（即英国的小炮艇）"去抒发感慨。张之洞非常满意，"每游宴，必延锡恩为上客"，还曾当面夸奖道："予老门生只汝一人提倡时务，举省官吏士大夫对于中国时局，皆瞢瞢无所知，而汝何独醒也？"

对门生有这样高的评价，出了事，无论是非曲直，当然都要加以庇护。所以当周锡恩"急用重金，雇快船"，赶在杨寿昌之前对他大哭的时候，官司的天平已然倾斜。上司叫了停，杨寿昌自然不敢继续，但是惩办的誓言已经讲出去了，如果不能兑现，用他自己的话说，"卑职何以临民？"不料这一层张之洞也早为他考虑到了："可与某缺对调。"就这样，这个头顶"保护伞"的文人，戏弄了一回习惯法，也戏弄了一回朝廷命官。

有权贵作靠山，则恬然不知廉耻为何物，此乃周锡恩的无行。然而张之洞认识到这一点，却是因为后来的事。张之洞五十五岁大寿，收到了不少贺词，其中周的那篇"通体用骈文，典丽矞皇，渊渊乎汉魏寓骈于散之至文也"，令张之洞"大为激赏"，推为第一。不仅如此，"名辈来，之洞必引观此屏"。谁知这件好事却被一位机要文案看出了破绽，说那篇东西眼熟，很像龚自珍的文字。张之洞翻检龚自珍集，果然找到一篇《阮元年谱序》，"两两比对，则全抄龚文者三分之二，改易龚文者三分之一，而格调句法，与龚文无以异也"。张之洞感慨道："周伯晋（锡恩字）欺我不读书，我广为延誉，使天下学人，同观此文者，皆讥我不读书，伯晋负我矣，文人无行奈何。"从此与他疏远，"几至不见"。因为这个前科，后来周锡恩为备升迁而进行的考试中，"实则写作冠场"，但是"阅卷大臣不敢列于一等"，大家都有了戒心，不知他又是从哪抄来的，当然，主要还是怕张之洞怪罪。

周锡恩的无行,也是一些文人的缩影。不是说文人不能结交权贵,二者还不至于水火不容,而是说文人一旦以依附权贵为能事,拉大旗作虎皮,就不同了,彼此就成了相互利用的关系:一方利用学识为另一方提高"品位",一方利用职权对另一方进行"关照"。如此的官员很可能涉嫌腐败,如此的文人则必然丧失其独立人格,所谓学问,就可以肆意揉捏,变得无非迎合而已、诠释而已,无行,可以说是时间早晚、顺理成章之事。周锡恩们不会不明白这个道理,不以为耻,反而自鸣得意罢了。

2001年10月21日

阮大铖的"推之不去"

知道《桃花扇》故事的人们,对阮大铖这个人物都不会陌生。李香君、侯方域悲欢离合的爱情遭遇,大抵都与他的作梗相关。《桃花扇》是孔尚任创作的一部戏曲,情节当然可以虚构,但里面的主要人物却实有其人,阮大铖就是一个。这个人本身也是著名戏曲家,因为曾拜臭名昭著的魏忠贤为义父,到了"粪争尝,痈同吮"的地步,同时也干了不少坏事,在《明史》中便"有幸"忝列《奸臣传》。

李清的《三垣笔记》补正史之缺,记载了阮大铖的一件逸事。那是他在南明弘光小朝廷里重新发挥作用的时候,有一次面露得意地对一位同僚说,他负责考察一个人能不能升官,事后那人"以二千金相送,推之不去"。接着,他似乎觉得还不尽兴,又翻出了履历,说自己在省里当官的时候,有两个人各送一卮(即酒器),都是银子制成的;如今这两人再出手呢,是送"黄爵(亦酒器)",金家伙,不过他再次强调,他"不纳不已"。不想收,可是不行啊,人家非要给,推脱不掉,身不由己。好嘛,"推之不去"、"不纳不已",多无奈呀,所以那些看官员收点儿什么就动不动往受贿上靠拢的人,真是太没有同情心了,从来没看到官员的难处。

但是阮大铖显然把别人都当成了傻子。人家非要给他送钱,非要给他送银器或金器,为什么?难道是他有什么不得了的人格魅力?当然不是。在阮大铖当政的时期,"凡查处降补各员,贿足则用"。不仅如此,因为花钱买官的轻易,至有"职方贱如狗,都督满街走"的民谣流传。李清有一次路过阮大铖的家门口,问看门的:"主人在否?"看门人没有正面回答,只是告诉李清:"若主人在,车马阗咽矣,如此寂寂耶!"阗咽,意思是堵塞、拥挤。在看门人看来,李清真是呆得够呛,这么冷冷清清的情景,你说主人可能在家吗?主人在家的话,早就车水马龙、门庭若市了!那么多人乐于蜂拥阮大铖的家门,无非是看中了他的地位及其所掌握的权力。

阮大铖甚至把卖官当作一项事业来对待,公开提倡不妨卖官。他说:"国家何患无财?即如抚按纠荐一事,非贿免即贿求,半饱私囊耳。但命纳银若干,欲纠者免纠,欲荐者予荐,推而广之,公帑充矣。"这就是说,反正现在干什么事都得花钱,国家不收也落到个人腰包去了,干脆只要谁愿意出钱,想免灾的就给他免灾,想往上爬的就让他爬,长此以往,国库还愁没钱?而且他已经实践了一回,有个人想求监纪,"初馈金五百,不纳,再赠千金,亦不纳,直至二千,用以充饷。"从事实来看,正是在小朝廷得以充饷的同时,阮大铖也有了"推之不去"的诸多机会。

所以,阮大铖的所谓"推之不去",是主观意识支配下的必然行动,用李清的话说根子上的原因在于"身实为贪"。其实,即便社会风尚已经到了不忍卒睹的地步,以这个怪论作为受贿的堂皇借口也是站不住脚的。在阮大铖之前不久,万历年间的进士谢杰,就是一个"推之可去"的人。他作为使者去册封流球,那里要表示意思,谢杰"却其馈";他们的使者晋京,"仍以金馈"。按阮大铖的逻辑,这是称得上"推之不去"了,但谢杰"卒言于朝而返之",终于也没有收。在其他事情上,谢杰也是如此。他推荐属下,完全是按才能行事,有一些升了官的人带着钱来感谢他,参照阮氏理论,这又可名之"不纳不已"了,不过谢杰却告诉他们:"贿而后荐,干戈之盗。荐而后贿,衣冠之盗。"此话被当作名言而广为流传。在谢杰看来,官员收了银两才办事,和强盗带着家伙打劫属于一个性质。倘若还有那么一点良知,阮大铖也应该脸红才是。

一般来说,承认对贿赂的"推之不去",应该是落马者试图减轻罪责的遁词,仍然在位者便敢于毫不掩饰,乃至带有炫耀的口吻而津津乐道,说明其本人,其时的社会风尚已经把这种丑恶现象视为自然而然的事情,不以为耻。李清在记录此事之后愤愤地抨击阮大铖"无耻孰甚",不仅道出了百姓的心声,也无异于给了自以为聪明的阮大铖们一记响亮的耳光。

2001年12月9日

正己之难

《唐语林》载有裴佶的一次经历。说的是有一天他去姑夫的家——姑夫是朝廷官员,"有清望",声名不错——正赶上退朝后的姑夫在大发感慨:"崔昭何人,众口称美!此必行货赂者也。如此,安得不乱?"事有凑巧,姑夫的话音刚落,门人通报崔昭来访。裴佶先看到"姑夫怒,呵门者,将鞭之",仍然义愤填膺的样子;可能是门人已经告诉主人在家了,不出去不行,"良久,束带强出"。然而只一会儿的工夫,姑夫再转进来时,不仅脸上的怒气早飞去了爪哇国,而且忙不迭地张罗起来,"命茶甚急,又命馔,又令秣马、饭仆"。裴佶给弄糊涂了,他问姑夫:"前何倨,后何恭?"姑夫这时"出怀中一纸,乃赠官绢千匹"。绢者,粗绸也……

刚刚还在骂人家说崔昭好话的肯定是收了贿赂,还在担心这样下去风气要成问题,转眼之间,就在崔昭亲自奉送的千匹粗绸子面前败下阵来。这件事足以应验了一句俗语:"正人易,正己难。"有一些人,在抨击社会不良现象的时候还有那么一丝正义感,还可以慷慨激昂,但轮到他自己,就换了一套标准,如同裴佶的姑夫,一旦有了机会,也可以不自觉地、甚至毫不犹豫地跳入丑恶的阵营中。这倒真要让人怀疑他先前不是愤怒而是迁怒,迁怒于崔昭为什么别人那儿都跑了,却为什么没有给他也提供同样的机会!

　　正己之难,还难在对待现行制度的态度上。那些非同一般或自以为非同一般的人往往也总是把自己排除在外,在他们看来,制度只是要求别人来遵守的。明朝的正德皇帝曾经微服出来闲逛,"由大同抵太原,城门闭,不得入。怒而还京,遣中官逮守臣不启门者"。再往前溯,西汉的"飞将军"李广也有相同的不光彩的历史。李广罢官在家,每天打猎自娱,有天回来晚了,"还至灞(霸)陵亭",醉酒的灞陵尉不给开门。随从乃高声叫道:这是"故李将军"!那边厢答:"今将军尚不得夜行,何乃故也!"未几李广复出,重新踏上抗击匈奴的征途,大敌当前,却前嫌不忘,"即请灞陵尉与俱,至军而斩之"。应当承认,灞陵尉的话听了是不大舒服,尤其是李广落魄的时候听起来,但充其量是方法不当的问题。首先,他的行为本身并没有错,李广违禁夜行,叫做犯夜,是可以抓起来的;其次,随从的自报家门流露着可以例外的霸气,仗着酒力的灞陵尉难免大不服气。

　　城门该关的时候就不能随便开启,况且皇帝是微服,守门人认不出他;落职的李广还要耍一回威风,当然也可以不被买账。显而易见,门卫们是在恪尽职守,但因为他们触动的是享受特权惯了的人物,就得不到应有的谅解。正德皇帝的大怒,使"巡抚以下皆大惧",幸有布政使何麟挺身而出,晓以大义,自身又挨了六十大板,才令"帝怒稍解"。而灞陵尉呢?没有人为他说话,就只剩下死路一条了,一代名将所表现出来的又岂止是气量褊狭的一面?可叹的是,后世的人们大多没有理智地看待这件事,众口一词地责备灞陵尉。初唐四杰之一的骆宾王感叹:"朱门无复张公子,灞陵谁畏李将军?"大诗人杜甫在《南极》中认为:"乱离多醉尉,愁杀李将军。"南宋词人辛弃疾夜读《史记·李广传》,"不能寐",挥笔写了首《八声甘州》,起首便道:"故将军饮罢夜归来,长亭解雕鞍。恨灞陵醉尉,匆匆未识,桃李无言。"在这些文豪们的笔下,因为李广有功彪千古的一面,灞陵尉就成了不可宽恕的势利小人,依规则办事,没有乖乖地给李广开门更成了一项罪名。

灞陵尉的遭遇对于后世的同行究竟产生了怎样的示范作用不得而知,但有了这个可鉴的前车,小心谨慎是必要的,"灵活性"也是要讲的了。权势者不正己,势必导致执行制度的人们放宽执行的尺度,从而使制度的严肃性大打折扣,也可能会被一点点地蚕食殆尽,形同虚设。从历史的经验看,在对权力的制约相对不起作用或作用甚微的情况下,居官者正己的程度如何显得尤为重要,惟其如此,难度也尤为突出,凭着自觉来秉公,那得要多深的修养啊!

2001年12月16日

孝行的名与实

古人很相信人的行为能够感天动地。《芦浦笔记》里有篇《祭蝗虫文》,说"汉之循吏,一有善政,而蝗不入境",当官如果时时为百姓着想,会感动蝗虫不来本地为害。还说唐太宗感天的本领就更不得了了,"吞一蝗而众蝗死",好家伙,对蝗虫不是杀一儆百,而是能杀一灭百。同样,古人也相信孝行感天。正史及野史之中,"孝义"往往都是一个不能忽略的记述类别,本朝的或本地的孝义事例,大大小小,都要尽可能地罗列出来,以彰显当朝当地的良好社会风气。著名的《二十四孝》,为后人树立了标准的样板。这本书相传还是元代大科学家郭守敬的弟弟郭守正编的,汇集了二十四位尽孝的典型人物,有禹舜、汉文帝、曾参、董永、王祥、郭巨、老莱子、黄庭坚等等,跨越了时空界限,还拆除了人物等级身份的樊篱。

孝行之"感天",功效很不得了。比如汉晋间"笃孝纯至"的王祥,隆冬之际母亲想吃鱼,他"解衣将剖冰求之,冰忽自解,双鲤跃出";母亲想吃烤黄雀,"复有黄雀数十飞入其幕"。王祥的孝行就感动得鲤鱼、黄雀争相献身、慷慨赴死。《双槐岁钞》载,明初一些能够"感天"

的孝子还因此擢官。有个"卧冰求母尸"的官至布政使;有个"刲肝及股以愈其母"的官至鸿胪司仪署丞;有个孝行引来群鸟飞鸣、筑巢母墓的擢为知州。极端的要算原乐安知县权谨,他本来因患眼疾而去职在家,母亲去世后的孝行表现,使他赢得了重新出山的资本,"驿召至京",然后"超升"为文华殿大学士。这个职务是替皇帝批答奏章、承理政务,要有相当的政策水平和工作能力,权谨的孝行可能不假,但"文章非其所长",就实在有点勉为其难了。当时的社会这般提拔孝子,应当来自明成祖的一个论断:"能孝者必忠。"在成祖看来,臣民对自己尽忠就可,能力可以放在其次。

人的行为究竟能不能感天,只有天知道。但从对为官者善政的期待中,不难看出百姓的一种渴望,宁可信其有。至于孝行感天,尽管史不绝书,大概也很少有人当真。其实社会鼓励孝行,不必扯上什么"感天"之类的鬼话,不妨多强调一点感人。《大唐新语》载,唐高祖李渊大宴群臣,水果里有葡萄,侍中陈叔达"执而不食",李渊问他怎么回事,他说想带回家去:"臣母患口干,求之不得。"李渊很感动,"赐帛百匹",让他想买什么便买什么。这就是感人。这种孝行较之卧冰之类来得也更实在。

对于孝行,感人就足够了。为了感天,为了轰轰烈烈,一些人难免走向极端。明朝洪武二十七年(1394年),山东日照百姓江伯儿的母亲生病,伯儿先"割肋肉以疗,不愈";又请神,且许愿如果母亲的病好了,"愿杀子以祀"。后来,伯儿果真因此把三岁的儿子杀了。这件伤天害理的事情对太祖朱元璋震动很大,在杖戍江伯儿之余,要大臣们重新审视其时的旌表制度,该剔除的条款要坚决剔除。"违道伤生,莫此为甚",大臣们在达成共识的同时,认为江伯儿之举在很大程度上源于旌表的诱惑。从某种角度上看,这也正是旌表的负面作用之一。所以他们的修改方案是:"自今父母有疾,疗治无功,不得已而卧冰割股,亦听其所为,不在旌表例。"得不到社会的承认,旨在博取声名的家伙自然要考虑歇手了。

旌表的意义到底有多大,大概身处其中的人最清楚。《冷庐杂识》载,蔡英在浙江江山县当了二十余年的官,"以扶植人伦为己任,兼留心民瘼",可谓倡孝与善政并举。他以老病去职的时候,饯送的百姓多达数百,纷纷感叹"好官去矣"。针对旌表的功效,蔡英留有一篇《论名》,里面写道:"人世美名,易浮乎实。苟好名而实不相副,即为盗名。名之盗,天之贼也。"发出这样一番感慨,蔡英一定是在被旌表的人物中见到了太多的欺世盗名者。最后,蔡英有一点希望,希望人们"绝去沽名念,而勉为其实则可矣"。这篇文字,未尝不可看作是对旌表制度的一种微词。实际上,无论是善政还是孝行,一旦在名的驱使下而为之,都不免为一些人所利用,如此,则早已失去了表彰的本意。

2001 年 12 月 23 日

王恕的"指窖止贪"

官吏与贪,从何时起开始相伴生,变得形影不离,考证起来也许不是件难事。贪这玩意,在任何正常的社会里都是容不得的,所以,"贪"一出现,最多是稍晚,必然也就开始有了针锋相对的"止贪"之法。从止贪出发来反证就是考证贪之起源的一个思路。历史上如何止贪,方法是五花八门的,不过此篇小文还不具备穷本溯源的能力。

据《涑水记闻》记载,宋朝有个沧州节度使张美,这个人在从政方面很有些才能,但坏事也干了不少,强抢民女为妾不说,还贪婪得很,"受取民财四千缗",被百姓告了御状。宋太祖表现得很"大度",除了代为归还百姓钱财,再赐给张美母亲"钱万缗",并对老太太说,告诉你儿子,"乏钱欲钱,当从我求,无为取于民也"。据说张美被吓坏了,自此"折节为廉谨"。这是宋太祖的止贪一法。《典故纪闻》载,明太祖时郡县官员上任皆给"道里费",具体是知府五十两,知州三十五两,知县三十两,如此等等。不仅发钱,还发做衣服的材料,"文绮罗绢布,及其父母妻子",连家人也都有份。这样做,主要是怕刚上任的官员因为搬家弄得手头紧,惦记侵渔百姓,"故欲其奉公,不得不先养其廉如此"。《庸闲斋笔记》又载,清朝雍正皇帝也曾为各级官员设立一种养廉银,目的也是"保全服官者之操守"。这些做法在逻辑上都存在着可行性,用《庸》书作者的话说,"稍知自爱者,均借此银以恪守官方"。这里的官方不是指政府方面,而是它的另外一个含义:居官者应守的礼法。以银养廉,旨在从制度上止贪。然而很可惜,逻辑归逻辑,现实归现实。这种方法大约还不如宋太祖的恩威并施更奏效,既为贪官,又焉有自爱可言?

《原李耳载》里还有王恕"指窖止贪"的故事。说的是明朝王恕为官,"两袖清风,一尘不染"。他这样教育同样也在当官的儿子:"尔忧贫乎?家有素积,不必官中常作仓鼠也。"说罢把儿子领到屋后,指一处云:"此藏金所,有金一窖。"又指另一处云:"此藏银所,有银一窖。"等到王恕死了,儿子到他指的那两个地方去挖,却是什么都没有。

在明朝的历史上,王恕是个足以称道的人物。他是正统年间的进士,历仕成化、弘治两朝。"两京十二部,独有一王恕",民谚或是官谚形象地道出了他在政治上的作为。当朝廷的同事们在关键问题上该说不说、装聋作哑、沦为摆设的时刻,每每是王恕挺身而出。最难得的是,王恕在地方和中央当了四十余年的官,"刚正清严,始终一致"。经手引荐提拔的人物,全凭真才实学,因而像耿裕、刘大夏等,皆成一时名臣。何良俊《四友斋丛说》另载,王恕曾在家门口贴了个告示,上面写道:"宋人有言,凡仕于朝者,以馈遗及门为耻;受任于外者,以苞苴入都为羞。今动辄曰挚仪,挚仪而不羞于入我,宁不自耻哉!"何良俊认为王恕的这一表态,"使非真诚积久而孚,亦不敢自书,书之适足以增多口也"。何良俊是把王恕的话当作肺腑之言的。在他看来,贪官固然可以高谈阔论,而且也可以说得像真的一般,但自己真正怎么样,"亦各自知也",心终究是虚的。所以"老实"一点的干脆不如不说,说了,对公众而言,徒添笑柄而已。

王恕共有五个儿子,从《明史》的记载分析,"指窖止贪"针对的该是他的小儿子王承裕。王承裕的事迹比较简略,但正德皇帝曾经手书"清平正直"褒之，证明他的确做到了不贪。循着这一推理，儿子在王恕去世后真的去挖窖，乃是这故事的蛇足。王恕的"指窖止贪"，犹如曹孟德的"望梅止渴"。但凭这一"指"，士兵暂时收到了"止渴"之效；用于"止贪"也是如此，就算能止，止的也是一时之贪，不可能从根本上解决问题。这样一想，正史不收入这个故事是有一定道理的，根本原因正在于它的故事性太强。廉洁的父亲教育出了廉洁的儿子，人们需要二者之间的逻辑关联，为后人所仿效。那么，以之作为止贪一法去应用于他人，那就是天真了。

不过这故事却实实在在地告诉我们，真心不贪的人，怎样都会找到杜绝贪欲的方法的。

2002年1月27日

"人无百事皆行"

"尺有所短，寸有所长"，比喻的是人和物各有长处，也各有短处。有句话说得更明白，叫做"人无百事皆行"。

《玉壶清话》载，宋太宗时有个武官党进，大字不识一个。有一年被派去西北防秋，出发前想跟太宗叙别。别人告诉他边臣不须如此，但党进犟得很，"坚欲之"。人家就"写其词于笏"，给他准备了几句话，让他背熟，到时候照着说。可是见到太宗了，党进却忽然间不着边际地冒出这么一句："臣闻上古，其风朴略，愿官家好将息。"话一出口，立刻引得"仗卫掩口，几至失容"。后来人家问他"何故忽念此两句？"党进讲了老实话："我尝见措大们爱掉书袋，我亦掉一两句，也要官家知道我读书来。"措大，指的是读书人。党进打仗行，但是读书不行；读书不行，还要让人觉得行，有学问，难免要闹笑话。

其实不要说党进了，《不下带编》里有个名流，还出过诗集呢，算是有成果的，结果仍然是个伪名流。那是有一天大家雅集，要求"赋诗各一律赠太守"。按道理，有著作的人对这种应景文字应该是小菜一碟,可名流硬是"搜吟半日,改抹终不成章"。有人见他太窘,打圆场说先把肚子问题解决了吧,名流"大喜,即拉登筵"。同好们于是明白了,"盖其人虚名卅载",所谓著作乃"假手于他人也"。似名流这一类的人,"行"的一面只局限于拉关系、找枪手,当场考查专业水准,当然要露馅儿。

《归潜志》载,金朝的赵闲闲是个很有意思的人物。他的书法造诣很高,名声又大,好多人向他求字,"公甚以为苦"。怎么办呢?在礼部墙壁上,他写了一纸告示:"当职系三品官,为人书扇面失体,请诸人知。"表明自己作为朝廷高官,老给人家写扇面什么的,成什么话?人家请他喝酒,他知道这是要套近乎,先声明:"吾今往,但不写字耳。如求字者,是吾儿。"哪知求字的人根本不在乎,说老先生年纪这么大,德行又这么高,我们当回儿子算什么?致仕回家,没官职了,则在大门口写道:"老汉不写字。"就是这个赵闲闲,"以文学名一世,于吏事非所长",处理官场上的事务不行,从他那些书生气的拒绝办法中,人们似乎不难想见他在政治上可能的稚嫩了。

当官不行,似乎是个笑话,比方《池北偶谈》转引《炙輠录》曰:"仁宗皇帝百事不会,只会做官家。"看,什么都不会的人,会当皇帝,别说当官了。其实说宋仁宗"百事不会",是冤枉他的。《渑水燕谈录》里载有苏辙的一篇对策,文章写道:"闻之道路,陛下宫中贵姬,至以千数,歌舞饮酒,欢乐失节。"瞧,在吃喝玩乐方面,仁宗就有许多拿手好戏。但是按照"坐朝不闻咨谟,便殿无所顾问"来推断,仁宗分明不会做官家,偏偏被说成只会,大约是言者骨子里的轻蔑吧。苏辙这篇东西是他在嘉祐年间参加选拔官吏的考试时写的,初出茅庐,胆子天大。有意思的是仁宗没恼,考官们先不干了,指责苏辙一派胡言,"欲黜之"。最后反而仁宗一句"辙小官如此直言,特与科名",苏辙才算幸免。这样看来,说那些考官只会做官倒是恰如其分。

但是不会做官,却绝对不是笑话。明人《四友斋丛说》里有一位隆庆朝的赵大周和一位万历朝的海瑞,在一些人眼里是不会当官的典型。赵大周"刚直有口,遇事辄发,不能藏垢";海瑞呢?"不怕死,不要钱,真是铮铮一汉子。"这样的品格,本来是为官者极优秀的品质,但赵大周"一直不容于群柱,故不久而以论罢";海瑞的"第一不知体",在于"既做巡抚,钱粮是其职业,岂有到任之后,不问丈田均粮,不清查粮里侵收,却去管闲事"。此中的闲事,作者诠释了,"无非为民也"。因为刚直而发的事情,必然是官场中见不得人的东西,但因此为同事所排挤;为百姓着想,居然是管闲事。在许多人看来,为官的宗旨就是对上负责,明哲保身,用这个标准衡量,赵大周、海瑞哪里是混迹官场的料?

人无百事皆行。但官场之中,赵大周、海瑞式的不行却是难能可贵的。这种不行,对他们本人的宦海生涯是一种不幸,但对朝政和百姓而言,不啻为大幸。倘若连这一点中流砥柱也没有,社会真的要让百姓失望到极点了。所以一个很浅显的道理是:与其多一些如考官之流当官"行"的人,宁愿多一些如赵大周、海瑞这些当官"不行"的人!

2002年2月3日

官与妓

宋人周煇说:"士大夫欲永保富贵,动有禁忌,尤讳言死,独溺于声色,一切无所顾避。"这是他给一些官场人士画的素描。周煇当然知道,唐宋时专门有一种供奉官员的妓女,叫做官妓,官场上有个应酬、宴会之类,都由她们侍候。但官员与声色,何时以及为何能够如此紧密地纠缠在一起,周煇还是感到困惑。

据说,不少脍炙人口的唐诗宋词,其实都是风流才子与妓女之间的唱和。这些风流才子里面有相当一部分就是官员。那时当官的人大多是科举出身,文字是他们的一项基本功。苏东坡的那首"海棠虽好不留诗",就是他在黄州当官的时候,当场写给他所喜欢的妓女李琪的。当面尽兴之余,人们也借助客栈驿舍、楼苑台榭等的墙壁发表作品。周煇读过不少这类文字,有一次在旅行中他发现,那些"笔画柔弱,语言哀怨",尽管是"好事者戏为妇人女子之作",也更容易吸引旅人的眼球。有一首假装署名"女郎张惠卿"的,等他不久后再路过此地,就发现"和已满壁"。在这类"园地"上,好的作品自然不胫而走,但一般人的被传诵开来,还是有较大的偶然性,时间一长,还没遇到慧眼呢,墙壁可能就被重新粉刷以为后来者提供方便了。相对而言,官员的作品更有条件留存下来,甭管好赖。这可不是瞎说。《不下带编》载魏野与寇准曾经同游一所寺院,"各留题";后来两人又一起重游时,发现"寇诗用碧纱笼"给保护起来了,而裸露着的"魏诗则尘昏满壁",奄奄一息。有位官妓过意不去,上前以衣袖拂之,令魏野非常感动,对寇准自嘲曰:"若得长将红袖拂,也应胜似碧纱笼。"寇准的文字被保护,就不是出于偶然,时谚"乌纱帽下好吟诗"说得很明白,有乌纱帽罩着,吟出来的东西就会被另眼相待,因为有的人专盯着官员的级别行事。

　　这些过嘴巴瘾的事例似乎不足以证明周辉的观察,官与妓的"无所顾避"更在于官员们要身体力行。《清波杂志》载,范仲淹有位幕僚叫滕达道,范仲淹每一宴客,对他来说听或讲黄段子大约已经不过瘾了,"必出追妓",令厚道的范仲淹毫无办法。该书又载,周世宗遣陶谷出使南唐,因为在人家那里狎妓,还被灭了威风。陶谷这个人"强记嗜学,博通经史,诸子佛老,咸所总览",本事很有一些,自己也因此"恃才凌物",谁都不放在眼里。但在给他接风的宴会上,尽管他本人"谈笑未尝启齿",还是硬给南唐的韩熙载看出了破绽。陶谷那眼神一定是色迷迷的,因为韩熙载敢这样跟手下打赌:"观秀实(陶谷字)非端介正人,其守可隳。请诸君观。"他认为从这里可以突破他,于是找了个绝色妓女,"诈为驿卒孀女,布裙荆钗",楚楚可怜地在陶谷的住所每日洒扫庭院。果然陶谷一见就没魂儿了,"久而与之狎,赠以长短句"。但这一切,全在韩熙载的掌握之中。一日,南唐国主开宴,立妓于前,歌陶谷所赠"邮亭一夜眠",立刻让陶谷没了脾气,"满引致醉,顿失前日简倨之容"。因为丧失了国格,回到后周,陶谷还"坐此抵罪"。

在《镜湖自撰年谱》里，段光清还记载了一件好笑的事。清朝道光年间，举子府试，须由教官"至郡送考"。有个分水知县越俎代庖，来了，却"泊坐船于河下"，天天往妓女的船上跑。这妓女很有些手段，此前已把不少应试考生迷了个神魂颠倒，"莫不争游其船"。攀上县官，妓女的身价高了，便鼓动县官把衙门大堂里那套家什统统摆出来，让差役也拉开架式，站在船头，好像现场办公的样子。哪知胆子大的考生们并不买账，彼此相曰："此岂县官行杖可以吓人之地乎？"于是"集多人硬入其船"，三下五除二，打跑了差役，把什么签筒、笔架、行杖全给扔进了水里，吓得知县赶紧跳船逃跑。他到知府那里告状，要求追查闹事考生，"先除考名，再议罪名"。知府在犹豫间，段光清说话了："（知县）自称殴辱官长，官长究在何处？被殴行凶，究因何事？"他是从"官体"的角度考虑这个问题的。送考生至府，本是学官的事，何必知县来呢；既然来了，"又何以县官之威而作于名妓之船上？"在段光清看来，这样的官员已经先没了体统，还好意思追究别人什么呢！

段光清所说的"官体"，很值得憧憬声色的官员三思。你自己可以不要脸面，但你的身份毕竟使你的言行举止已经不是仅仅代表个人，总要顾及一下玷污了什么吧。

2002年2月24日

阎立本的"伏地吮毫"

阎立本是唐朝大画家，他的画即使在当时也被誉为"神品"。《太平广记》说他"尝奉诏写太宗真容"，就是给李世民画标准像，后来别人再临摹他这幅画，犹可见太宗"神武之英威"。南山有猛兽害人，骁勇者捕之纷纷落败，而虢王元凤一箭而毙，唐太宗对这件事甚为称道，"使立本图状"。阎立本并未亲眼目睹那惊心动魄的一幕，但作品硬是达到了"鞍马仆从，皆写其真"的程度，令观者"无不惊服其能"。

阎立本的名作有《秦府十八学士图》、《凌烟阁功臣图》等,"时人咸称其妙",而流传至今的《步辇图》,更使现世的人们也得以一饱眼福。

《隋唐嘉话》里有一则关于阎立本的趣话。他曾慕名到荆州一睹南朝画家张僧繇的真迹,初初一眼望去,没看得起,便草率地下了结论,说人家"定得虚名耳"。第二天忍不住又去看了看,观点动摇了,认为张僧繇"犹是近代佳手",承认了,然语气仍有些勉强。第三天再去,终于看清楚了,赞叹道:"名下定无虚士。"竟至于"坐卧观之,留宿其下,十日不能去",到了爱不释手的地步。张僧繇曾经画过一幅《醉僧图》,道士们如获至宝,每每以此嘲笑僧人;僧人们在羞耻之余,则"聚钱数十万",劳驾阎立本画了幅《醉道士图》,终于找到了心理平衡。这两幅画,在作者撰写此事的时候仍然存世,对比欣赏一定极具趣味。

阎家有"善画"传统,绘画可以说是祖传的看家本领。但阎立本这个大画家却想到他这里为止,不愿再要儿子承继下去。他对儿子说:"吾少好读书,幸免面墙。缘情染翰,颇及侪流,唯以丹青见知,躬厮养之务,辱莫大焉。"面墙,比喻不学而识见浅薄。阎立本认为自己固然是凭借作诗绘画跻身于官僚阶层的,但实际本领远不止于此,可惜"上面"只是欣赏他的"小技",以此"躬厮养之务",被人使唤来使唤去,真是耻辱啊。所以他要儿子"汝宜深戒,勿习此也"。

这一番感慨当然不是没来由的。据《大唐新语》记载,有一天唐太宗与群臣泛舟春苑,"池中有异鸟随波容与",令太宗"击赏数四",乃"诏坐者为咏,召阎立本写之"。皇帝高兴,要把所谓的祥瑞记录在案,是一件正常不过的事情。阎立本时为主爵郎中,大约还不够资格陪侍,所以要临时传呼而来。听到召唤,立本丝毫不敢怠慢,"奔走流汗,俯伏池侧,手挥丹青,不堪愧赧"。这就是说,表面上阎立本是一副奉命行事、诚惶诚恐的模样,其实心里憋气得很。正是在这事之后,他对儿子倾吐了上述心声。奉命行皇帝的事,不会"辱莫大焉",阎立本实际上是愤恨那些在座"为咏"的人,那句"颇及侪流"说得很明白,他一点不差过他们,而陪侍皇帝的好事却轮不到,他是实在不甘心自己斯时的地位。

阎立本后来如愿以偿地当了官,而且"官位至重"。据《旧唐书·阎立本传》,唐高宗总章元年(668年),阎立本拜右相,与左相姜恪"对掌枢密"。但他的官却当得实在不怎么样,主要是他"唯善于图画,非宰辅之器",根本不是官场上的料。因为姜恪曾立功塞外,所以时人如此评价二人:"左相宣威沙漠,右相驰誉丹青。"在《新唐书》阎的本传中,说他"但以应务俗材,无宰相器"之余,更在那评语之后加上"之嘲"二字,表明关于阎立本的那半句并非夸奖,而是嘲笑、讥讽。其实,阎立本这般看重官职,然而后人提起他,又有谁记得他当过官、当过多大的官呢!

明朝的叶权对这位大画家毫不客气。他在《贤博编》中写道,唐明皇召李白赋宫中行乐诗,李白"必俟赐之无畏,两宦扶掖,始展其技";阎立本不过是把其乐融融的场面记录下来,哪里就到了"伏地吮毫,不敢仰视"的地步呢?难道是"太宗威严过于明皇"?不是,"乃立本人品不及太白耳"。人品之说,切中要害。李白曾为供奉翰林,有很好的向上爬的条件,但他"犹与饮徒醉于市",醉了的时候,还曾"引足令高力士脱靴",把明皇身边的红人也给得罪了,并"由是斥去"。而李白"顾瞻笑傲,旁若无人",根本不以为意,何其洒脱。叶权也不苟同阎立本的戒子,认为"此不可归之择术之过"。在他看来,阎立本的"伏地吮毫",纯属其本人的自贱行为,人品不济,无论有怎样的一技之长,都免不了作出类似的举动。

2002年5月26日

裴宽自律的可贵

郑处诲《明皇杂录》载有裴宽埋鹿肉的故事。说的是唐玄宗时有年除夕,润州刺史韦诜(一作韦铣)"日闲无事",便带着老婆和孩子"登城眺览",不意发现一户人家的园子里,好几个人正在埋什么东西。韦诜觉得奇怪,派人前去打听,原来那是参军裴宽的宅子。他便把裴宽找来,"诘其由",问他在干什么,裴宽回答在埋鹿肉。他说,我常常自戒,绝不"以苞苴污家";可是今天有人送来鹿肉,"置之而去",我"既不能自欺,因与家童埋于后园",没别的目的,就是想保全自己的操守。

苞苴,乃馈赠的礼物,引申则指贿赂。过年了,有人送来鹿肉,也许并没有不良的用意,起码暂时没有附加什么条件。但在裴宽看来,无故接受馈送,是"以苞苴污家",仍然有悖自己的准则。那么,他把鹿肉埋掉,实际上是一种自律的行为。偷偷地埋,是因为他并不想张扬,更不想通过这一件小事,就把自己吹嘘成廉洁的典范。这正是裴宽自律的可贵之处。韦诜被他感动了,参军虽然只是个低级官员,但他不仅"降阶"以示恭敬,还当场把女儿许配给他。本来,韦诜物色女婿是非常挑剔的,而论起外表来,裴宽简直就不堪一提,"疏瘦而长",形如鹳鹊,第一次登门时,令韦家人等"大噱"。韦夫人在"涕泣于帷下"之余,更认为准女婿看上去分明是个"人奴之材",而韦诜看中的是裴宽灵魂深处的亮点。事实证明,韦诜的眼光不错,裴氏夫妇不仅白首偕老,而且裴宽的从政也可圈可点。

古谚云:"咬得菜根,定百事可作。"又云:"须是硬脊梁,于事始有担荷。"这些励志的言语与其说是在教导人们怎样成就事业,不如说是在教导官员应该怎样为官。明人于慎行便由此悟出:"士大夫生平要以固穷为第一义。"固穷,意思是信守道义,安于贫贱穷困。其实一个当官的,哪里就至于惨到那个份儿上?于慎行不过是想说,当官的人要保持平和的心态,如果整天惦记着发财,那么"百事可做"中的事,一定是坏事,见不得人的事。

裴宽自律的可贵,还在于他的不受苞苴,是自己加给自己的戒条,而好多时候,达到其行为的效果,需要由国家颁布相应的法律法规,还不见得顶用。北宋仁宗庆历三年(1043年),朝廷就出台过这么一项政策:"自今中书、密院执政官,非休假日,私第不得见客。"在宋朝,中书、密院(枢密院的省称)称为二府,在那里工作的官员,是要上朝奏事的。规定他们"私第不得见客",一定是不少人假借"见客"的名义,干了非法的勾当。而逼出一项制度,更说明事态的严重可能已到了非整治不可的地步。

在对待馈送的态度上,清朝的张伯行也值得一提。据《郎潜纪闻二笔》载,他任督抚时,发布过一道"禁馈送檄",开宗明义,就是要禁止官员收人家东西。檄文说:"一丝一粒,我之名节;一厘一毫,民之脂膏。宽一分,民受赐不止一分;取一文,我为人不值一文。"最后,他又一针见血地指出了接受馈送的危害和实质:"谁云交际之常?廉耻实伤;倘非不义之财,此物何来?"其实不用张伯行点得这样明白,当事人自己都清楚,把接受馈送口口声声说成正常的人际交往,仅仅就那么简单吗?

裴宽自律的可贵,在其仕宦生涯中得到了充分展现,"不附权贵,务于恤隐",因而政声卓著。他由蒲州刺史升任太原尹的时候,唐玄宗曾赋诗赠之:"德比岱云布,心如晋水清。"岱云,乃喜雨之云。皇帝这样赞许一位地方官吏,评价是相当之高了。这也从侧面证明,裴宽埋鹿肉之举,不是一时的"作秀",自律的意识在他的头脑里是扎了根的。后来,裴宽官至户部尚书兼御史大夫,而他的去职实在令人扼腕。奸相李林甫做了一个梦,梦中有人跟他非常过不去,醒来后李林甫说,那个人长得很像裴宽。现实中李林甫非常害怕裴宽入相,并且认定"宽谋代我",这个梦加剧了他必欲去之的决心。

裴宽最终被贬出了京城,使他没能更大程度地有所作为,但这个严于律己者面对馈送的示范,对后世的为官者还是能够产生积极意义上的启迪,那就是:检验一个官员的品行如何,关键在于他的所作所为,尤其在监督不到位的情况下,仍然能够保持住自己的操守,才是真正的"硬脊梁",也才显得更加可贵。

2002年6月9日

荔枝叹

《云麓漫钞》载有苏东坡《四月十一日食荔枝》诗的两句："海中仙人降罗襦,红绡中单白玉肤";"似开江珧斫玉柱,更洗河豚烹腹腴。"据钱锺书先生考证,这首诗写的是宋哲宗绍圣二年(1095年)苏东坡被贬惠州后,第一次吃到荔枝时的情景。前一句赞美荔枝的颜色,后一句是赞美荔枝的滋味。东坡自注该诗曰:"予尝食荔枝,厚味高格两绝,果子无比,惟江珧柱、河豚近之。"江珧柱乃海味珍品,河豚的鲜美更不消多言,东坡甚至说过"值那一死"的话。显然,东坡从一开始就为这种岭南佳果所倾倒。

荔枝属热带水果,所以一向好吃且足迹遍布不少地方的东坡,只是到了广东才得以享此口福。然而蔡絛在《铁围山丛谈》中谈到,宋京开封的艮岳也曾种过荔枝。艮岳,是宋徽宗不惜民脂民膏在平原地带生生堆起的一座供自己玩乐的假山。蔡絛记道,从艮岳的正门进去,"则夹道荔枝八十株,当前椰实一株"。东西少,吃起来就要讲究级别。宋徽宗每召群臣游览其间,"则一珰执荔枝簿立石亭下,中使一人宣旨,人各赐若干,于是主者乃对簿按树以分赐,朱销而奏审焉"。这意味着,每棵荔枝树结了多少荔枝都是登记造册的,分配了多少也要记录在案。蔡絛有一次陪他爸爸蔡京进艮岳观赏椰子,见"一小珰登梯,就摘而剖之",大小太监们还各分到了两颗荔枝。另据陆游《老学庵笔记》载,宋徽宗曾手摘荔枝以赐燕帅王安中,且赐以诗曰:"保和殿下荔枝丹,文武衣冠被百蛮。思与近臣同此味,红尘飞鞚过燕山。"把吃荔枝提高到了激励士气以期收复国土的高度,可见荔枝在当时的地位已经远远超出了作为水果的功效本身。

关于吃荔枝,还有人们熟知的惨烈故事。史载杨贵妃"嗜荔枝,必欲生致之,乃置骑传送,走数千里,味未变,已至京师"。所以杜牧留下了著名的诗句:"长安回望绣成堆,山顶千门次第开。一骑红尘妃子笑,无人知是荔枝来。"东坡另一首《荔枝叹》则反用该诗,指斥得更直露:"颠坑仆谷相枕藉,知是荔枝龙眼来。飞车跨山鹘横海,风枝露叶如新采;宫中美人一破颜,惊尘溅血流千载。"但这进贡荔枝的账及其造成的灾难性后果,最早却不能算到杨贵妃的头上。《后汉书·和帝纪》载:"旧南海献龙眼、荔枝,十里一置,五里一候,奔腾阻险,死者继路。"就是说,早在东汉和帝的时代,就已动用驿路运送荔枝了。此中死者,即直接参与运送的人员,他们未必是累死,更多是指驿马昼夜奔驰之时,遭遇的虎狼之害。东汉时的南海,即今之广州辖区,当年属于瘴疠之地,"恶虫猛兽不绝于路"。这种为了吃荔枝而草菅人命的做法,遭到了正直之士的强烈反对。临武(今湖南临武)长唐羌上书切谏,正常的社会应当是"上不以滋味为德,下不以贡膳为功",现在这样算怎么回事呢?他气愤地说:"此二物升殿,未必延年益寿。"和帝采纳了他的建议,进贡才算终止。然唐羌对当官已经深深失望,上书之后即"弃官还家,不应征召"。事实上,在杨贵妃之后,类似做法仍然没有绝迹。在《金史·世宗记》里,世宗说过:"朕尝欲得新荔枝,兵部遂于道路特设铺递。比因谏官黄久约言,朕方知之。"这里虽然没指明荔枝是从哪里进贡的,但既有谏官所言在先,取缔在后,说明兵部铺递荔枝的危害,不会小于动用驿站。

东坡固然爱吃荔枝,但同时想到这好东西难免也是祸根。唐羌那句"以贡膳为功"点得很明白,特产往往会成为一些人邀功争宠的资本。《荔枝叹》接过唐羌的话茬说:"永元荔枝来交州,天宝岁贡取之涪;至今欲食林甫肉,无人举觞酹伯游。"诗中的永元,为汉和帝年号;伯游,为唐羌的字。王士性《广志绎》大概顺应了东坡的说法,也认为杨贵妃吃的荔枝乃涪州(今重庆涪陵)荔园所贡,其时涪州仍存一棵荔枝树,因为"献新扰民",被人们愤而伐倒,且"根而绝之"。这是迁怒于树,其实,东坡把李林甫恨得咬牙切齿,才是恨到了根本。满足杨贵妃的嗜好,不是得归结为李林甫的马屁吗?"面柔而有狡计,能伺候人主意"的李林甫,"凡御府膳羞,远方珍味",上面一旦表达了意思,立刻可以"道路相望",源源不断而来。在东坡看来,李林甫之流杜绝不了,但今天的人们忘记了唐羌,才是更可悲的。

可惜,《荔枝叹》忽焉又云:"我愿天公怜赤子,莫生尤物为疮疒。"刚想通一点,东坡把矛头又转回杨贵妃了。

2002年7月7日

"枪手"考

科举应试时冒名代考的人,俗称枪手或者枪替。

枪手,本意是指宋代广南东路的乡兵。宋代的兵分为三种:一种是禁军,即天子的卫兵,守京师,备征戍;一种是厢军,即驻扎在各州的部队;再一种就是乡兵。《宋史·兵志》云:"乡兵者,选自户籍,或土民应募,在所团结训练,以为防守之急也。"既不离乡,也不离土,寓兵于农的性质。至于枪手的称谓,可能与所操的兵器无关。比方同样是乡兵,广南东路(相当于今天的广东)的叫枪手,广南西路(今广西、海南)的就叫土丁,陕西的又叫义勇和护塞,如此等等,名号不一。宋仁宗嘉祐六年(1060年),广州、惠州、梅州、潮州、循州(今广东龙川)始设枪手,此乃其原始出身吧。

"枪手"成为冒名顶替的代名词,非无缘由。乡兵的服役都有年限,一般是"年二十系籍,六十免,取家人或他户代之"。这制度一直执行得颇严,至于有些地方的乡兵因为得不到递补,"虽老疾不得停籍",硬要在那里充数。宋真宗咸平四年(1001年)放宽了政策,规定"自今委无家业代替者,放令自便",于是"虽非亲属而愿代者听",就是说不是亲属也可以顶替,愿意就行。这就有了"枪手"的日后含义了。那么,假如第一个使用的人选了别的称谓词,日后谈论冒名顶替,不叫"枪手"而叫"土丁"之类也说不定。

科试时代早有防备枪手的措施,"面貌册"就是其中之一,寥寥几笔记下考生的面貌特征。然而因为简略,不免闹出笑话。《履园丛话》载,有一年常熟有个考生叫沈廷辉,面貌册上写着"微须",正解应该是有胡子,但不多。可是来江苏视学的胡希吕偏偏训微为无,"凡有须而填微须者,俱不准入场"。胡希吕所本乃《论语·宪问》,里有句子曰:"微管仲,吾其披发左衽矣。"这话是说,如果没有管仲,我们这里就是夷狄的天下了。此中的微,即无之意。沈廷辉得知胡希吕如此训微,赶紧去找学书改正,刚巧学书不在,"寻至三更"也没找到,第二天就要进场了,乃"不得已往剃头铺将须剃去"。谁知那学书素与沈廷辉要好,已经先代他改成了"有须"。这一来弄巧成拙,不要说胡希吕,换上谁都会认定沈廷辉必是枪手。但当有个考生真的以微须被逐时,却没那么乖乖离去,他笑问胡希吕:"若然则孔子微服而过宋,脱得赤膊精光,成何体制也。"胡希吕哑口无言,"后无被逐者"。这故事也说明胡希吕虽然工作认真,但是个读死书的人,只知其一,不解其二。

在科场之外,也有别类枪手。南宋有个状元出身的张九成,在对金议和的态度上因与秦桧意见相左,被贬去南安。秦桧事前点拨过他:"立朝须优游委曲。"张九成却书生气十足:"未有枉己而能直人。"在南安期间,张九成干脆潜心治学。《清波杂志》载张九成逝后,他的外甥于恕给他编了《语录》,即是出文集吧。但对该书的成色,人们颇多质疑,尤其是里面的《论语绝句》与张九成已出过的《论语解》内容大致相当。而张的学生郎晔直截了当地说:"此非公之文也,《语录》亦有附会者。"这就是说,于恕借编书的名义,顺手塞了不少私货。张九成"一话一言,举足为法,警悟后学宏矣",那么,于恕主动当"枪手",是为了搭舅舅的车,使自己的学术地位得以提升。

隋朝还有大臣想给皇帝当枪手的事。公元589年,隋灭陈,使自西晋以来分裂了几近300年的江山重新得到一统。但在战后,两员大将贺若弼和韩擒虎因为功劳问题在文帝杨坚面前公开吵了起来。贺若弼说:"臣在蒋山死战,破其锐卒,擒其骁将,震扬威武,遂平陈国;韩擒虎略不交阵,岂臣之比!"韩擒虎说:"臣以轻骑五百,兵不血刃,直取金陵,降任蛮奴,执陈叔宝,据其库府,倾其巢穴。弼至夕方扣北掖门,臣启关而纳之,斯乃救罪不暇,安得与臣相比!"杨坚的评价为:"二将俱为上勋。"这评价相当客观公允。但贺若弼为了压倒韩擒虎,偷偷地"撰其所划册上之,谓为《御授平陈七策》"。杨坚当然清楚贺若弼的用意,看也不看地说:"公欲发扬我名,我不求名;公宜自载家传。"

凡枪手,都有一定的目的。在科场,往往属于赤裸裸的金钱交易;在科场之外,就不大容易说清了。比方于恕是想在学术上欺世盗名;贺若弼呢,则是想讨取欢心,争得头功,巩固官场上的地位。这两个实例,管窥一豹而已。然而可以肯定的是,无论属于心甘情愿还是迫不得已,枪手的派上用场,当事的一方或者双方必隐藏着不可告人的一面。

2002 年 7 月 28 日

奔竞之风

《榆巢杂识》载,清朝乾隆二年(1737年),有官员提议:"上司、钦差所过地方,止许佐贰杂职于城外驿亭迎送,其正印各员非有公事传询,不得轻迎出城。"与此同时,"禁止教官率领文武生员迎送道左,以杜奔竞之风。"这就是说,当时若是有一定级别的人物路过,不管有没有事,那里的地方官员都是亲自出城迎送的,甚至还要把文武生员拉出去以壮声势。从禁止的目的在于"以杜奔竞之风"来看,这种迎送活动未必是那些上司、钦差的颐指气使,而是地方官员为自身利益拨动的小算盘。

在官本位的社会里,当官对一些人是不小的诱惑。"眼前何日赤?腰下甚时黄?""眼赤何时两?腰金甚日重?"这些话听起来似乎有些莫名其妙,但却是流行于宋代的人们见面相戏的用语。据《倦游杂录》载,宋朝翰林学士"得服金带",有"朱衣吏一人前导";而到了中书省和枢密院的地位呢,则"朱衣吏两人,金笏头带佩金鱼"。所以前面那一句等于是说:什么时候当官呀?后面那一句等于是说:什么时候升官呀?人们这么喜欢当官升官,一旦被坏了好事,当然是不答应的。《玉壶清话》载谢泌负责考校,因为"黜落甚众,群言沸摇",有一些人甚至"怀甓以伺其出"，揣上砖头等着拍他。吓得谢泌猫在衙门里几天没敢出来，最后宋太宗给他换了个职位，主要目的就是让他"避掷甓之患"。《玉堂丛语》里还有一件事，明朝有一次"诏汰在京诸司冗官"，大的原则是由"两坊长官简贤者留之，庸者汰之"。而即便贤庸泾渭分明，左坊长邹缉还是"执笔畏缩不敢下"，说得容易，汰谁呀！最后他干脆"称疾不出"。谢泌断了准官员们的美梦，等着他的这个结果不算意外；邹缉知道必然会有类似结果，所以怕得不得了。

喜欢当官、升官，而自己掂量斤两不足的，奔竞便成为一种本能。这方面的例子不胜枚举。比方《治世余闻》里有个松江推官王纶，"欲求为京官，乃托人延誉于朝"。这王纶"为人谲诈务名"，根本不是什么好东西，但他有本事把自己吹得天花乱坠，又懂得奔竞，"遂破例荐为职方主事"。如愿之后，王纶"其志洋洋矣"，那个得意的样子就别提了。唐朝有个太仆韦觏，似乎不大明白其中的道理。据《东观奏记》记载，他想当夏州节度使，居然傻呼呼地寄托于巫师。夜深人静，家中备好酒宴，巫师要韦觏把想当什么官写在纸上，他来打醮。韦觏正静等好事呢，巫师忽然仰天大叫曰："韦觏有异志，令我祭天！"这不是说韦觏要造反吗？吓得韦觏全家立即跪倒，央求他"无以此言，百口之幸也"。这巫师纯粹是个骗子，但有了拿捏韦觏的把柄，什么要求还都得满足他。后来巫师的同伙犯了事，把巫师供了出来，巫师干脆把韦觏也给供了出来，弄得韦觏差点连现职也保不住。为了当官，寄托于神怪，也让人见识了某种官员的素质。

如韦觏般低能的毕竟不多，多数人懂得把握现实。周密《齐东野语》载，宋朝奸相贾似道当国时，"每岁八月八日生辰，四方善颂者以数千计"。对擅长奔竞的人来说，这是个不可多得的良机。贾似道高兴得很，把这些贺寿文"悉俾翘馆誊考"，由专家来品评，"以第甲乙"。这一下更令大家找准了脉门，"一时传诵，为之纸贵"。然而用周密的话说，这些文字"皆诣词呓语耳"。为了佐证，周密还选了其中几首，奇文共欣赏。廖群玉的《木兰花慢》说，"一时几多人物，只我公，只手护山川"；奚倬然的《齐天乐》说："万宝功成，无人解得，秋入天机深处。闲中自数,几心酌乾坤,手斟霜露。护了山河,共看元影在银兔。"陆景思的《甘州》简直就是喊口号了:"千千岁,上天将相,平地神仙。"而尤以郭居安的《声声慢》令贾似道垂青,里面那句"比周公,多个彩衣"听起来格外受用,但贾似道佯装责怪道:"此词固佳,然失之太俳,安得有著彩衣之周公乎?"奔竞之风在当时是怎样地大行其道,这些"谄词呓语"本身是个最好的说明。

奔竞的手段五花八门。可以说,如果一个官员肯动奔竞的脑筋,就一定产生相应的方式方法。地方官员平素接触不到上面的头头脑脑,路过了,那不是绝佳的奔竞机会?所以,尽管杜绝这种做法的建议有可能形诸条文,但人们有理由相信它根本不会得到实施;一定要极端地推行,那提建议的官员倒可能要提防"掷甓之患"了。

2002 年 7 月 15 日

名人崇拜

张率是南朝萧梁很有名的文人。他十二岁即"能属文",还给自己规定每天最少作诗一首。金埴《不下带编》载,在张率出名之前,虞讷一点也看不起他,"见而诋之"。没办法,有一次张率假装说自己的这几首诗是沈约写的,虞讷的态度立刻变了,"句句嗟称,无字不善"。《归田琐记》里还有个南宋的陈谠,有次冒充名儒叶适去见宰相韩侂胄,殊不知"正牌"叶适已然在座。名片递进来,门外又有叶适候见,令"坐中恍然",但大家先不急于拆穿,倒要看他这么大胆子究竟有什么本领。这陈谠毫不含糊,提笔即为几件书画作跋,"辞简意足",这回又令"一坐骇然"。韩侂胄问他为什么要冒充人家呢?陈谠笑曰,今天若不冒叶适的名字,"未必蒙与进至此耳"。

名人或名人的东西就得高看一眼,是国人常见的心态。西汉的庆虬写了《清思赋》,没人当回事,后来托名司马相如,"遂大重于世"。三国时曹冏的《六代论》,要说是曹植的方被接受。有研究者更认为,

《离骚》其实也非屈原所作,而是假借屈原的名义得以流传。对这种种现象,金埴下了个结论:"世多虞讷之见,自古如此。"陈说的境遇则说明,权要们在这一点上也没有高明多少。虞讷崇拜沈约,当然不无来由。王士禛《分甘余话》云,南朝齐梁间江左有"沈诗任笔"之谓。沈即沈约,任乃任昉。时人谓文为笔,因此这话是说沈约之诗、任昉之文在当时独步天下,代表最高水平。去梁300多年后,还有人推崇沈约的诗,只是没有分清对象而被贬了官。《东观奏记》载,唐宣宗于政事之暇,常常赋诗,有天给翰林学士萧寘赐了一首,萧寘赶快表态叫好:"陛下此诗,虽'湘水日千里,因之平生怀',亦无以加也。"唐宣宗第二天悄悄地问学士韦澳那是什么意思,韦澳说那两句诗是沈约的,萧寘引用是在赞美您的诗"睿藻清新"。谁知宣宗一下子不高兴了,认为是低看了他,"将人臣比我,得否?"从此竟对萧寘"恩遇渐薄",后来更把他贬去浙西。

其实,别说把皇帝比作人臣了,汉武帝在神仙面前也不肯小瞧自己。武帝好神仙是出了名的,他吹牛说连神话中长生不老的西王母(就是唐朝以后的王母娘娘)他都会见过,自己说说就算了,可笑的是史书也煞有介事地记载。《太平广记》云,有一天神仙卫叔卿"乘云车,驾白鹿,从天而下"来找他,大约是像叶公好龙一样被他感动了,他却摆出了皇帝的架式,说卫叔卿"乃朕臣也,可共前语"。这可把神仙气得够呛,"叔卿本意谒帝,谓帝好道,见之必加优礼。而帝今云是朕臣也,于是大失望,默然不应。忽焉不知所在。"神仙被气跑之后,才令汉武帝追悔莫及。明朝洪武年间国子学新落成,朱元璋要去祭祀孔子,手下人也是首先指出:"孔子虽圣,人臣也。"圣人怎么了,也是臣子,那是告诉他犯不着行大礼。诸如此类,是为另话。

同样是名人,也可以分出三六九等。比如沈约这个大名人,"见人一善,如药箭攒心",不痛快得很,以致后人有"再世尚愁逢沈约,前身则怕是刘贲"的诗句。赵翼《檐曝杂记》云,乾隆时,他曾客居汪由敦府第,代其起草诗文。汪由敦是当时的大家,诗、古文造诣极深,状元出身的赵翼钦佩得很,说自己起草的文字"每经公笔削,皆惬心餍理,不能更易一字"。汪由敦也从不霸占赵翼的成果。有次赵翼代拟东岳庙楹联:"云行雨施,不崇朝而遍天下。理大物博,祖阳气之发东方。"人们说,此等好联"必出自公手",汪由敦说不是,赵翼的句子。又有一次,赵翼代拟了一首诗,乾隆赞叹道:"毕竟汪由敦所作不同。"大臣们也"皆谀公"。汪由敦又说那是赵翼作的。似沈约之与汪由敦,虽同为名人,高下即可立判。实际上在王士禛眼中,沈约也并没有那么神奇,他说:"余观彦升(任昉)之诗,实胜休文(沈约)远甚;当时惟玄晖(谢朓)足相匹敌耳,休文不足道也。"在他的排行榜里,沈约连第二名的资格甚至都不够。王士禛身为学者,又身处后世,才敢于对沈约这么不客气吧。

对名人盲目崇拜的直接恶果,再用金埴的话说,就是:"今人无论文之佳恶,但云出自名腕,则恶亦称佳。"

2002年8月19日

下　　编

意外或偶然

近几年来,盗墓问题在我国正变得日益严重,从文物盗掘到销赃的全部环节和流程,仅仅需要几天时间,完全形成了产业链,无数珍贵文物正在通过各种渠道源源不断地流向海外。这一种丑恶的社会现象得不到遏制,等于漠视 5000 年文明的流失。

据专家考证,盗墓在我国已经有几千年的历史了。但历史上的盗墓,不像今天纯粹出于谋财,还有的是为了争风水、为了祈禳、为了报复、为了政治目的等等,总之是五花八门。比如东汉末年的军阀董卓,令大将吕布带兵盗挖西汉诸陵,特意叮嘱吕布一定要留意汉武帝刘彻墓中的秘方妙药。原来董卓为了医好自己的哑巴孙女董白,推测痴迷于长生不死的汉武帝可能真的搜集到了什么偏方。

如同如今的小偷可以偶然"偷"出贪官一样,古代的盗墓也往往伴随着某种"意外"——当然今天更多,但往往是惊喜,并非本文意义上的意外。陆容《菽园杂记》载,明朝成化年间,宋朝名相韩琦的墓被盗,"得金银器颇多",其中仅金腰带就有 36 条。唐宋官员尊卑等级的差别主要表现在三个方面:品色制度、腰带和章服。韩琦生前是个口碑极佳的人物,其在大名为官,老百姓还给他立了生祠。欧阳修称他"临大事,决大议,垂绅正笏,不动声色,措天下于泰山之安,可谓社稷之臣"。对这样一个"好人",其行为人们必然要往好处猜想,对这些金腰带也不例外。有人说肯定是皇帝赐给他的,"若其自置,则失之不俭,受之人,则失之不廉"。陆容甚至断言:"必其子孙愚昧,致有此耳。"但陆容没有反过来想一想,就算其子孙愚昧,把不该放的东西放进去了,给今人以把柄,但他家总要有这么大数量的好东西可放才行啊？另有人说,韩琦的墓早给人盗发了,这应该是另外一个姓韩的人……

人们的善良愿望可以理解,但是须知,自古言行不一的人和事就有,没有空那时的前,也不会绝那时的后。盗墓的盛行,前提在于厚葬之风,唐太宗李世民可谓提倡薄葬的典范,长孙皇后死时,他亲自撰写了碑文,说"王者以天下为家,何必藏物陵中,乃为己有",况且这样做还可以"息盗之心,存没无累"。说得多好听呀？然而五代时人们盗掘昭陵,所见却是"宏丽不异人间",地上怎么豪华,地下就怎么豪华。再用今天的实例说,媒体去年纷纷报道一条消息,一个在公安机关多次行窃的小偷被抓后,牵出了公安队伍里的蛀虫——陕西省宝鸡市公安局局长范太民。小偷8次从他的办公室盗得财物总计价值人民币8万多元。通过顺藤摸瓜,检察机关最后认定范太民受贿15万元。正是这个范太民,每每自称"我视不义之财为粪土",而且给人的印象从来是"朴素"的,经常脚穿一双解放胶鞋,一个绿色帆布挎包形影不离,因而还赢得了"挎包局长"的美誉。

于慎行《谷山笔麈》载,嘉靖朝的太医徐伟因为"偶然"的一句话而带来的"意外",说不清是喜还是悲。那是他被召进宫中给嘉靖诊脉,"进殿蒲伏膝行",一路上诚惶诚恐得很；见嘉靖坐在小床边,衣服曳地,因为他得跪在皇帝身边,又不敢"以膝压衣",只好说:"皇上龙衣在地上,臣不敢前。"嘉靖一听,把衣服撩起来,"出腕而诊"。徐伟是很偶然的一句话,不料嘉靖记在了心里,马上"手札赐内阁"曰:"伟适诊脉,称'衣在地上',足见忠爱。地上,人也；地下,鬼也。"写了一堆表扬话不说,还对徐伟"赏赉甚厚"。在嘉靖看来,这一字之差,实则人与鬼的分野,他把说"下"的人推断成有意咒他也是有可能的。而徐伟见札,顿时吓坏了,因为他说这话时并没有想那么多,庆幸自己"若有神佑,设使误称'地下'",后果不堪设想,"罪万死矣"。于慎行说,嘉靖帝"严而多忌,误有所犯,罪至不宥,伟偶中上旨,非虑所及,故且喜且惧耳"。我们得承认,这种由长官意志而引发的意外或偶然,是人治社会的一个常态。

以恶意来推测典籍中"贤良"的古人实有些大不敬,但小偷能"偷出"腐败分子,盗墓怎么就不能"盗出"呢?范太民感叹"一个小偷会给我带来这么大的灾难",似乎事出偶然;其实类似的事已非止范太民一宗,在广东就还有省商检局原副局长李军,李军是因为他的住宅被三名歹徒打劫、失窃财物共计 120 多万元才露馅儿的。这就说明,"意外"或"偶然"之中,往往蕴涵着某种必然。

2003 年 3 月 7 日

设誓

如今一些地方的新任领导干部走马上任,流行宣誓,誓词大抵为要"奉公守法、清正廉洁"等等。

古代的人也喜欢设誓,当然不仅仅是上任之时。比方 1965 年在山西晋城出土的"侯马盟书",一共 5000 余件,就是用毛笔把誓言书写在圭形的玉石片上。这一批研究先秦时代盟誓制度的最好实物,涉及宗盟、委质、纳室、诅咒、卜筮等几个方面的重要内容,成为 20 世纪最重大的考古发现之一。再比方春秋时期郑庄公的"掘地见母"也很典型。母亲姜氏一定要偏向弟弟共叔段,弟弟因此胆子越来越大,最后起兵反叛,要与哥哥分庭抗礼。庄公乃与母失和,并且气愤地发誓:"不及黄泉,无相见也!"那是说,生前不想再见到母亲了。后来经过颖考叔的感化,庄公大约意识到此举缺了点人性,但誓言发出去了怎么收回?手下人便出主意来个"掘地及泉,隧而见母"。逻辑上虽然说通了,但是后人因此讥讽庄公的行为"太浅陋"。

《水窗春呓》载,清朝道光年间秀水令江某赈灾,那里的工作开展不下去,他就把当地的乡绅领去了城隍庙,掏出准备好的一纸誓文,一同跪下对神宣誓。江某"朗声诵誓文一遍,令绅董各诵一遍,词意森严,闻者无不懔栗"。以此为开端,秀水的赈灾工作顺顺当当。这是奏了效的誓言，与其说是誓言，不如说是针对工作所采取的一种非常手段。有一些官员，上任之初便发誓，是要当好官。这里面可以进行一定的区分，有的是例行公事，上面这样要求；有的是在作秀，表演一下给大家看看。《四友斋丛说》载明朝有个叫郑九石的，"始事之日，即率公正良民人等至城隍庙设誓"。但记载此事的何良俊当时对这种做法就看不起，他"闻而笑曰"："信不由衷，质无益也，况要盟者无信乎此。"他不是看不惯官员发誓，而是基于这样一种认识："朝廷大事，苟一心持正而峻法以行之，谁敢不肃，乃必假之盟誓耶？"那意思是说，发这种誓非常多余，朝廷有法律摆在那里，你如果能依法办事，维护法律的尊严，谁不怕呢？来这虚伪的一套干嘛？接着，何良俊又进一步指出："夫朝廷赫然显著之法，彼不知畏，犯者接踵；若但怖之以冥漠无据之神，彼亦何惧哉！"这就更戳到了问题的实质。和朝廷明确的法律条文约束比起来，城隍神算是什么呢？它自己本身还是虚无缥缈的，管得了什么？事实上，在秀水江令那里，也并非单纯的誓言在起作用，而是有强硬的后续手段作支撑。设誓之后，他制作了两种匾，一种写着"乐善好施"，一种写着"为富不仁"，然后视乡绅捐不捐钱、捐多捐少来选择一种挂在人家大门上。这一来，很有点野蛮的意味，但在那个时代，从良好的动机出发，也未必要苛责之。同时至少也证明，缺乏"支撑"的誓言，单凭空口一说，难免有"虚弱"的一面。

光发个誓显然是不可能制约行为的。沈阳市原市长慕绥新在1998年换届时曾经郑重宣誓，要"依法从政、廉洁奉公、牢记宗旨、报效人民"，这也算得上掷地有声了，但他实际上是巨贪一个，和他那些誓言半点也不合拍。河南省交通厅近年连续有3任厅长相继落马，其中的曾锦城甚至以"血书"发誓："绝不收人家的一分钱，绝不做对不起组织的一件事。"如今看来，这些誓言都成了笑柄。正是基于这诸多的空誓，有人开始提议设立"伪誓罪"，说是能给贪赃枉法行为以一定程度上的制约。我想，如果认为设"伪誓罪"比党纪国法更能制约贪官的话，倘何良俊在天听到，恐怕又要"闻而笑之"了。不客气地说,如今的一些宣誓只是一件时尚的应景活动,是为了跟风,宣誓者自己其实清楚得很,那么,有口无心,说完拉倒,正常不过。

另据清代石成金的《笑得好》记载,从前有个官员到任后,立即在大门上贴了一副像是誓言的对联,其中半联声称自己"若受暮夜钱财,天诛地灭"。人们以为这回可来了清官了,后来发现其实不然。原来凡是对他行贿的,在白天可以,在夜晚别来。这故事似乎是个笑话,但它告诉我们,对所谓誓言也要"一分为二"去看。在今天,当誓言之类为慕绥新们践踏之后,誓言本身所具的神圣性、庄严性和责任感大大降低,有了这些负面的实证,对曾锦城式的所谓毒誓也不必当回事,更没必要跟他们事后较真,爱说就叫他说去,至多改动孔夫子的一句名言送过去:"汝谁欺?欺天乎?"

2003 年 3 月 28 日

胥吏的能量

《西游记》第九十八回云,唐僧师徒历尽九九八十一难好不容易到了西天,不料如来佛虽然已经承诺给他们真经了,手下的阿傩、伽叶"引唐僧看遍经名后",却向他们索取"人事"。这个人事,当然并非今天官员的升降任免涉及的那个人事,而是指赠送的礼品。许观《东斋记事》云:"今人以物相遗,谓之人事。"唐僧当然没有想到,说自己"来路迢迢,不曾备得"。那俩家伙一听没有,笑道:"好,好,好!白手传经后世,后人当饿死矣!"就把真经调换成"白纸本子",害得唐僧师徒只好折返回去,到底把来时唐太宗御赐的紫金钵盂"双手奉上"了事。

这虽说是一个神话故事,然而比照现实生活,谁也不会觉得突兀。这样的事情在生活之中,是很有可能发生的,就是说绝对不能小觑胥吏的能量。有一句老话叫做"阎王好见,小鬼难求",胥吏有时就相当于"小鬼"。邵博《邵氏闻见后录》载,王安石还没当大官的时候,打算编一本唐诗选之类的书,他发现同僚宋次道家藏有不少唐人诗集,乃"尽即其本择善者",然后夹个标签,"令吏抄之"。王安石选诗,在自己心目中是有个优劣标准的,岂知抄书的胥吏也有他们的标准,"厌书字多,辄移荆公所取长诗签置所不取小诗上"。就是说,王安石如果选的诗比较长——估计是"将进酒"、"蜀道难"之类,他们就把标签偷偷挪个位置,换成短的——估计是五言绝句之类,抄起来好不费劲,反正篇数够了。偏偏安石编书的责任心又不够强,选完了拉倒,"不复更视"——也正是胥吏们摸到了这个"命门"才敢随意调换吧。只是这本名曰《唐百家诗选》的书一面世,受到了不小的非议,人们说"唐人众诗集经荆公去取皆废";知道底细的人则认为该书与其说是王安石的选本,还不如说是胥吏的选本。

胥吏不过是个小吏,办事的,本来没什么权限,但他们因为是政令的执行者,倘如王安石这样交待完了了事,不再过问,不免给胥吏们钻了空子,按照自己的意愿完成种种外人看来不可能的任务。偷工减料,放在王安石这件事上是一种偷懒的行为,一旦手里有了权,就可能干出一点"名堂"了。阿傩、伽叶那两个家伙还是神仙呢,不是也不能免"俗"吗?"管珍楼的力士,管香积的庖丁,看阁的尊者"等等都笑他们"不羞!不羞!需所取取经的人事",把阿傩的"脸皮都羞皱了",他不管那么多,"只是拿着钵盂不放"。

岳珂《桯史》的一则记载,更足以让人领略胥吏的能量大小。宋孝宗淳熙年间,广东增城平盗,虽然说是由弓级陈某带人具体执行的,但负责治安的增城尉张某也理应分享荣誉。但张某因为别的事和县令闹过别扭,县令就在上报的功劳簿里把他的名字给抹去了。张尉在上一级四下托关系,陈述事情的原委,人家都说该不该给他请功,"视县辞而已",得根据报上来的材料,那上边要是没有,就没办法。等到任满回京,张尉灰溜溜的,因为毫无政绩,连继续当官都成了泡影。偏巧这件事给一个部胥知道了,他先是听得"色动",再琢磨了两天,主动来找张尉说:我不跟你打什么赌,反正我能让你有官当,"君能信我,事且立办"。张尉怕遇上骗子,没敢答应。第二天部胥又来了,说你不相信不要紧,我可以先不拿钱——这种事当然要由钱来交易,事成了再给。于是,二人讨价还价了一整天,以千缗成交。这一过就是两个月,正当张尉"深咎轻信"之际,半夜三更的时候那部胥又来了,"喜见眉睫",果然是好消息,张尉"名登于进卷矣"。这回真的轮到张尉吓了一跳,初始他还以为是部胥伪造的文书,来了个偷梁换柱,后来有条件时,上上下下都验证遍了,却是绝对地如假包换。原来部胥的手脚做得很简单,把上报材料"增城县尉司弓级陈某,获盗若干"中的"司"字左边添上一竖,改成了"同",这一改,功劳就由陈某一个人的变成了他们两个人的,而且他还署名在前。当然这一改,同时要做到"笔势浓纤无少异",让人看不出破绽。

部胥就这么小小地一动,足足改变了一个人的命运。不要说县令公正与否,胥吏能够随意增损既成的文书,其能量由不得欲走旁门左道的人不去信服、不去跃跃欲试。因此,这也提醒世人,必要反腐败,仅仅盯住"上头"还是不够的,还要警惕"胥吏"。

2003 年 4 月 4 日

纪晓岚

荧屏又在热播纪晓岚,这一回是续集。已有好几部关于纪晓岚的戏,"张国立"、"王刚"、"张铁林",晃来晃去,至于续的是哪个,续到什么程度了,之二还是之三都搞不大清楚。对历史剧,早有人劝告有一定史料知识的人们不要去较真。百姓看着高兴,主创者又十分兴起,经济效益不错,就行了。纪晓岚故乡的人们早就开始向世人推介这位乡贤,费了那么大劲,不是远不如电视剧带来的效应轰动吗?看,社会效益也是可观的。因此,不需要所谓真相来败坏大家的兴致。我对关于纪晓岚的电视剧,因为偶尔一瞥,也常常被逗笑,于是在野史的阅读中,对清代的便格外留意,总想自己发现一点纪晓岚与和珅斗嘴的原始记载。遗憾的是,迄今还没有如愿。但零零星星的关于纪晓岚的若干轶闻，觉得有趣，不拎出来，心里怪痒痒的。

陈其元《庸闲斋笔记》载，纪晓岚"酷嗜淡巴菰，顷刻不能离，其烟房最大，人称'纪大烟袋'"。淡巴菰就是烟草，初入国门的时候，有人按读音就给它定了这个名字。梁章钜《归田琐记》记载了纪晓岚的烟袋锅大到什么程度，"能装烟三四两，每装一次，可自家至圆明园吸之不尽也"。纪晓岚在北京的家——"阅微草堂"在珠市口，珠市口在城南，属于今天的宣武区；而圆明园在城的北郊，已是今天的四环路开外。纪晓岚那年头去趟圆明园应该是坐轿子什么的吧，起码得走几个钟头吧。走那么远的路还抽不完，那么，他的烟袋锅大到什么程度也由此可知了。因为过于出奇，有一回烟袋丢了，纪晓岚满不在乎，让人"但至东小市觅之自得"，果然第二天以"微值购回"。纪晓岚心里有谱，"此物他人得之无用，又京中无第二枝"，捡到的人只会拿到市场上卖掉它。相比之下，"张国立"的烟袋拿在手里总觉得不够分量，轻飘飘的，跟寻常的差不了多少。

《庸闲斋笔记》说，有一天轮到纪晓岚当值，正抽着呢，忽然乾隆召见。看那纪晓岚，"亟将烟袋插入靴筒中，趋入"。没想到这回"奏对良久"，没彻底掐灭的烟惹了祸，在靴子里慢慢地烧将起来，连袜子也烧着了，痛得纪晓岚"呜咽流涕"，又不敢说。乾隆不知他那副表情是怎么了，吓了一跳，"惊问"之，纪晓岚才懦懦地说："臣靴内走水（即着火）。"等得到命令赶紧跑到门外脱靴灭火，发现"烟焰蓬勃，肌肤焦灼矣"。纪晓岚平时走路特快，同僚们戏称之"神行太保"；经过这一番折腾，走路一瘸一瘸的，"不良于行者累日"，同僚们又改口叫他"李铁拐"。这说明，纪晓岚平素里叼着大烟袋洋洋自得可能不假，但那是在家里或者在同僚周围，在乾隆面前可得收将起来，半点儿不敢"放肆"。

纪晓岚这人当然并非只会抽烟，烟袋大只是名人的一点花絮，两部电视剧的名字已经勾勒了他的特性，一个是"风流才子"，另一个是"铁齿铜牙"。陈康祺《朗潜纪闻初笔》云，纪晓岚曾说自己"自四岁至老，未尝一日离笔砚"。他还给自己预写过一副挽联："浮沉宦海如鸥鸟,生死书丛似蠹鱼。"刘镛刘罗锅当时开玩笑说,第一句一点不像你,如果用来挽陆耳山还差不多。谁知过了三天,陆耳山的讣告真的来了,纪晓岚还因此认为凡事皆有先兆。因为好笔墨,纪晓岚也喜欢集砚。《朗潜纪闻三笔》云,他的一个书斋名就叫"九十九砚",而且砚必有铭。比方"挈瓶砚"铭云:"守口如瓶,郑公八十之所铭,我今七十有八龄,其循先正之典型,毋高论以惊听。"由这个砚铭似乎看出,纪晓岚未必是个敢于直谏的人,要么就是老来才明哲保身吧。他那个时候是终身制,屁股始终指挥脑袋,既然没退下来,说话的胆子也就始终大不起来。

应该说,纪晓岚在乾隆面前是底气不足的,那么潇潇洒洒地在皇帝面前与和珅似演小品一般地逗笑,是不大可能的。剧集的一位主要编剧同时承认,纪晓岚并非极其清廉之辈,但也没有记载说他是贪官。那么,纪晓岚其实就是一个身上文化气息浓一点、尚存一丝正义感的封建官员吧。瞧,说着说着还有跟电视剧较真的味道,无聊。

2003年4月11日

取名

国家语委准备出台《人名规范用字表》,对部分国人喜欢用冷僻字为孩子"起名"作进一步的规范。据说,现在有的人是钻到《康熙字典》里去寻找所谓富有含义的冷僻字,以显示自己有"文化"。这种做法其实并不足取,而且,也为人为己带来不便。有报道说,前两年高考发录取通知书前夕,记者在上海商业信函制作中心看到,因为不少考生的名字电脑字库里没有,导致通知书上姓名那里出现黑块。还有些字,用"王旁加君"、"吉旁加力",或者"大"字的两边各加个"百"、三个"土"字成"品"字形叠加等怪里怪气的表达方式。据统计,因为电脑无法识别名字而影响通知书打印的,约占1‰。

电脑的字库固然有扩充的必要,但一味地用生僻乃至废弃了的汉字取名,很值得非议。清末丁柔克的笔记《柳弧》谈到过类似问题。他说,原来有个童生,"名号皆用僻字,令人不识"。有个上面派下来督学的官员大概给难住了,就把他找来讲道理:"名号须用人人皆知者,此定理也,如用别字、僻字、古字,则不成事矣。"这个童生,被丁柔克称为"狂生",也就是无知妄为的人。可见使用并不通行的字来作人名,前人已经很看不惯。事实上,如果以为用僻字、古字来剑走偏锋就是"文化"的体现,纯粹是一种误解。文化的深浅正体现在寻常语词的巧妙运用之中。《履园丛话》载,有位孝廉作诗"善用僻典",且"尤通释氏之书",经常用到佛门禅语,"所作甚多,无一篇晓畅者"。一天给钱泳看了两首,钱即"口噤不能读",不懂得写的是什么,乃委婉地对别人说:"记得少时诵李、杜诗,似乎首首明白。"闻者大笑。钱泳因此悟出:"诗文一道,用意要深切,立辞要浅显,不可取僻书释典夹杂其中。"他接着说古人诗文,"不过将眼面前数千字搬来搬去,便成绝大文章。"起名字也是一样。明朝陈景行的四个儿子,分别叫昌言、嘉言、善言、名言;许进的五个儿子,分别叫诰、赞(繁写作讚)、诗、词、论,既排列整齐,又表达了相关的含义,寄托了父辈的期望也说不定。

　　南宋名臣辛弃疾字幼安号稼轩,这个号是他后来自己取的。辛弃疾认为,"人生在勤,当以力田为先",因此以"稼"名轩。辛弃疾以词名世,被后世称为"词中之龙"。在《稼轩词》留下的620余首中,举凡四季田园风光、春秋农事更替、田野劳作、家舍副业、民风乡俗,乃至与农家的友好交往,无不行诸笔端。"明月别枝惊鹊,清风半夜鸣蝉。稻花香里说丰年,听取蛙声一片。"(《西江月·夜行黄沙道中》)描绘了农村夏夜的清幽和充满生机的静谧。"父老争言雨水匀,眉头不似去年颦。殷勤谢却甑中尘。"(《浣溪沙》)则写尽了民生疾苦与丰收在望的欢悦。如此等等,不胜枚举。而作为一个封建官僚,辛弃疾也的确怀有深深的悯农之意。他甚至这样来解释农民造反:"田野之民,郡以聚敛害之,县以科率害之,吏以乞取害之,豪民以兼并害之,盗贼以剽夺害之,民不为盗,去将安之?"因此,他上书宋孝宗,当"深思致盗之由",并"申饬州县,以惠养元元为意,有违法贪冒者,使诸司各扬其职"。那么,辛弃疾为自己取的这一个"稼"字,不仅当真是发自对社会底层人民的热爱,可以说是自己一生实践了的座右铭。

两宋之际另有一个大臣徐俯,"买婢名昌奴",内中也蕴含了相当的深意。宋钦宗靖康元年(1126年),金太宗大举南侵,钦宗亲至金营投降。次年,金军北撤,建立了一个国号为"楚"的傀儡政权,立张邦昌为帝,同时将徽钦二帝、后妃、大臣、亲王、贵戚和能工巧匠共2000多人一起当作俘虏带到北方,北宋王朝从此宣告灭亡。张邦昌甫一僭位,徐俯便致仕还家,不屑与之为伍。然而不管张邦昌原来是什么货色,当皇帝了,人们就得避他的讳,工部侍郎何昌言和弟弟昌辰因为"昌"字犯了讳,都改了名字。徐俯则不仅不理这一套,反而为婢女取名"昌奴","遇客至,即呼前驱使之",用种种故意的行为,毫不掩饰自己对张邦昌憎恶的内心世界。

因此,名字的蕴含深意与否,毫不取决于用字的冷僻与否。如果从《康熙字典》里找到这个字之前,字与人双方连面亦未曾谋过,说是自欺欺人可能有一点过,但看作是底气其实较虚,恐怕不会差到哪里。

2003 年 5 月 30 日

贬损与虚誉

电视剧《走向共和》播出之后,引来了不少专家级的人物为编导"上课",讲解历史人物的真相其实如何。最近又看到一则消息,片中涉及的赵启霖,其后人要求该剧编导道歉,否则,将诉诸法律。因为赵氏孙辈在查阅了大量史料之后,发现该片对其祖父完全"歪曲"了。本来,赵启霖弹劾段芝贵、载振,一本奏折罢了一个尚书和一个巡抚,间接揭发了军机大臣庆王和直隶总督袁世凯的腐败,史实十分清楚。但在《走向共和》中,赵启霖揭露权贵钱、色、权腐败交易的正义行为却变了味,被说成是瞿鸿机出于私心,为攻击政敌而指使赵启霖进行弹劾,使本来性质明确的弹劾变成了争权夺利的派系斗争,完全没有历史根据。对赵启霖应该如何评价,我是没有发言权的,但想借此谈点相关的问题。

我能理解赵氏后人的心情,然而,休说这只是部电视剧,便是真正的历史,也是要甄别的。魏收在撰写《魏书》时公开声明,他的笔可以翻云覆雨,不管是谁,"举之则使上天,按之当使入地"。所以,《魏书》虽也忝居二十四史之列,但因为有借修史来酬恩报怨的前科,问世之后被称为"秽史",臭得很。司马光《涑水记闻》载,宋朝享誉盛名的杨文公杨亿曾娶张洎的女儿为妻,但这个老婆"骄倨不事姑,或效姑语以为笑",一点"三从四德"的样子也没有,终于被杨亿给休了,然杨、张两家的关系也因此恶化。于是杨亿在后来修《国史》的时候,写到张洎传时,乃"极言其短"。当然,张洎也确有短处。比方他原来是南唐的重臣,南唐亡国,他与另一重臣陈乔相约"效死于李煜之前"。然而陈乔死了,他却恬不知耻地对李煜说:"若俱死,中朝责陛下久不归命之罪,谁与陛下辨之?臣请从陛下入朝。"就这么摇身一变,又在北宋的官场上混了起来。倘若杨、张两家没有交恶,张洎过去那段不光彩的履历虽然人人皆知,但硬是不会出现在历史书中也毫不奇怪。

与刻意贬损同样值得密切关注的,是对历史人物的虚誉,也就是刻意拔高。刘体智《异辞录》云,陈宝箴成名之后,其未达之时在家乡如何"治乡团"、抵御太平军等等事迹广为传诵。然时人虽"知其粉饰",因为陈宝箴声望好,大家也就姑妄听之,宁可信其有。然《清史稿》不知有意还是无意,把传闻当作了信史。刘体智认为,倘若陈宝箴地下有知,"谅不乐于有此虚誉",就是说,把不属于他的尽管是好的事情安到他的头上,他未必高兴。这句话或许不错,历史上能够给自己明确定位的人还是有的。《晋书》卷一〇五载,东晋十六国时的后赵皇帝石勒,问手下他可以与哪个开国皇帝相比,手下立刻奉上一顶高帽子:"自三王以来无可比也,其轩辕之亚乎!"好家伙,别说秦始皇时才开始有皇帝了,上溯至盘古开天地以来,石勒的地位仅次于黄帝,这马屁实在离了谱。好在石勒没有真的飘飘然,他说自己要是生在汉高祖时代,"当北面而事之,与韩(信)、彭(越)竞鞭而争先耳";要是生在光武帝时代,"当并驱于中原,未知鹿死谁手",出不了这二刘之间,哪里敢和轩辕黄帝相提并论呢?纵观历史,我们似乎可以武断地认为,似石勒这样能够清醒认识自我的人物比清廉的官员更加难寻。《走向共和》把李鸿章刻画得近乎完人,有位高三学生发帖子说:"我看到了一个有气节、有民族英雄感的李鸿章,让人同情李鸿章、敬佩李鸿章,更加憎恨腐败愚昧的统治者,而不是一个对历史无能为力的志士!"李鸿章的后人大概就不会站出来指责编导。从一定意义上看,虚誉要比贬损要更可怕。

"信史诚有未足信者矣",这是明朝叶盛的结论。在《水东日记》里,他在总结前人诸如"有欲书而不得书,有欲书而不敢书"、"一时馆职,岂尽刘向、扬雄之伦"等等论述的基础上,指出了五种常见现象:遗漏、避讳、拘泥于著令、偏私不公以及史官之才不足,不幸牵扯到其中的一种,都能够使文字记载的所谓历史打个折扣。因此叶盛尤其强调"修史必以心术为本"。这也可以看作是对所谓"盛世修史"论者的有力回击。

《走向共和》不过是部电视剧,尽管号称"全新视角再现历史",毕竟它不是历史。那么,对里面涉及的"史实",委实没必要过多地苛责,电视剧的功能并非要把历史变成活动的画面。掌握历史"真相"的专家们,没必要以居高临下的姿态去训斥人家,说句不中听的话,那是在干预别一领域的艺术创作。

2003年6月6日

考试录取

一年一度的全国高考录取工作正在进行当中,一些有"能量"的家长照例在托关系、找门路、递条子。孩子成绩不够的,试图进来;能进来的,试图弄个理想专业;还有的纯粹是为求保险,人家这么干了,自家当然不敢高枕无忧。这几年,高考录取已经开始实行网上投档、取档,目的就是通过公开来强化公平公正原则,但是好多家长并不理解,还是习惯于递条子。或者,这种公开在他们眼里根本没当成一回事也说不定。

如果以从前科试录取舞弊来谈论这个话题,简直有太多的话要说。《世载堂杂忆》载顺治十四年(1657年)江南乡试,榜一公布,士子哗然。因为"虽获隽者多江南名士,而中式举人,大半由出卖关节获选"。于是有人在贡院大门上贴了副对联:"赵子龙一身是胆,左丘明有眼无珠。"说那些从事录取的人们真是像三国时长坂坡单骑救主的赵云,胆子大得出奇——虽然"胆子"所指不同;但也有点像留下《左传》的左丘明,左氏双目失明——虽然"有眼无珠"的确指也不同。这还不解气,有人又把门额上的"贡"字添了几笔改成"卖"(賣)字,把"院"字遮住偏旁改成"完"字,"贡院"这样便成了"卖完"。后来,这一科的举人被责令进京重考,"由皇帝亲临",结果其中的"江南名士"吴兆骞竟然交了白卷。吴兆骞原以"惊才绝艳"闻名,所以有人打圆场说,他一定是惊魂不定,"战栗至不能握笔",才是这个结果;还有的说,他这人恃才傲物,故意为此。而从吴兆骞被发往宁古塔戍所、又千方百计求得赦还的事实看,因为傲气而交白卷的可能性微乎其微。

《庸闲斋笔记》载,嘉庆年间江西谢向亭中榜眼,过程亦极有趣。谢向亭答得还算不错,"殿试阅卷大臣取其卷入进呈十本中,次在第五"。当时有个宰辅叫戴连士的也是江西人,久闻谢名,乃谓同乡与阅卷者曰:"本科江西有佳卷乎?"人们回答说,有个排在第五的,是江西谢向亭的卷子。戴连士笑着说,江西自我之后二十年,"竟无大魁者,可叹可叹!"大魁即状元。那么戴连士这句话尽管没有明说,其实招呼打得明白无误。大臣们都不是吃干饭的,"闻言心悟,遂相约次第重检其卷",以满足上司的意愿。很快有阅卷者找到了谢向亭名次可以提前的理由,"此卷书法甚佳"。于是,谢向亭被提了一名,变成第四;又有人说,他的书法的确不错,再提上一名,变成第三;接下来的人还是以这个理由又提上了第二。这样看来，谢向亭的答卷除了书法可能不错之外，实在"挖掘"不出什么了，名次给到了极尽。然事情至此，上司的心愿还未达成，怎么办？这时又进来一个阅卷大臣，有人干脆向他挑明："第二书法甚佳，似可提起。"让该大臣再给提前一名就完事了。但这人并不了解前因后果，便笑着说："书法果佳，但在第二名亦不为低。"于是谢向亭就得了个榜眼及第。国家选人之公器，在操纵它的大臣手里就这样形同儿戏。

还有一种人，貌似公正其实也与儿戏无异。在明清两代，翰林院设有庶常馆，新进士考得庶吉士资格者入馆学习，三年期满举行考试后，成绩优良者留馆，授以编修、检讨之职，其余分发各部，或出为州县官，谓之"散馆"。《万历野获编》载，沔阳费尚伊学习出类拔萃，按惯例"当留无疑"，而万历七年（1579年）散馆前阁试，首辅张居正出了一道论题，叫做"李纲不私其乡人"。因为张居正也是湖广人，与费尚伊是大同乡，所以人们看到这个题目，"相顾失色，知费不得为史官矣"，已而果然，气得费尚伊后来哪里的官都不去当，宁可在家里待着，一个人才生生就废了。然而也正在那一年，张居正次子科举中了榜眼。把这两件事结合在一起来看，人们认为张居正非常虚伪，说你自己儿子不避嫌，"独于乡人示公，何也？"无他，张居正这个人很能耍一点两面派。《松窗梦语》另载，张瀚有年负责庶吉士录取，张居正悄悄叮嘱他留意一位朱姓进士，然而朱某却"竟置不录"。张瀚后来才想明白，二人一定有一层关系，张居正怕被他利用，所以无论朱卷答得怎样，为了表示自己公正无私，也要"牺牲"掉他。

科举录取与高考录取当然不能相提并论，但从为国家选拔人才这个角度看，性质却也没什么两样，必须以对国家负责的态度认真对待才行。

2003年7月11日

是非之心

　　电视剧《处决令下达之后》正在广东电视公共频道播出。尽管有不少大牌明星加盟该剧,然而表演上的呆板和僵硬并不见得好了多少,兼以台词空洞,节奏拖沓,令人乏味。之所以还能看几集,主要在于开始时切入全剧的情节:对待那个将要被执行死刑、然而喊冤不止的女囚,以副检察长为代表,不是从法律的角度出发审视其是否蒙冤,而认为案子是前任检察长、现任市委副书记定的,就不能更改或不好更改。影视作品是对现实生活艺术化的反映,那么,在强调依法治国的今天,如此因为长官意志而草菅人命,发人深思。

　　清人刘体智的《异辞录》里,有一则与此性质差不多的记载。那是刘体智的父亲在江西为官,复审一桩谋杀案。基本案情非常简单:某男与某女通奸,男的鸩杀女夫。因为杀人地点在男家,所以原判为"奸妇不与闻",没女的什么事。但刘父按逻辑推理认为:"杀人于其家,使妇人不同谋,何从着手?"因此他觉得,这应该是奸夫"自知将死",把责任都揽过来,从而"为情妇开一生路"。在推理得到证实之后,刘父准备推倒原判。就在这个时候有人说话了——一如那个副检察长:"如此,则前任有应得处分。"而这前任,刚在广东接手"粤督"之职,能不能,或者敢不敢得罪他呢?这一提醒,刘父也没主意了,问那人该怎么办。那人出主意说,如果这女的对杀人并不知情,老公死了仍和男的继续通奸,那原判就不算错,可以追加她的死罪。按照常理,谁也不愿意和杀人的事有牵连。谁知女的也有点"凛然"的意思,"自认知情,不认续奸",这下子大家都没招儿了。没多久,恰恰又赶上大赦,只好眼睁睁地看着她逍遥法外。

　　丁柔克《柳弧》里讲到一个白字县官,说这家伙真不知道是怎么当上官的,大字都识不得几个。有一次审案,他管人家原告秦簏叫成"秦虎",被告朱绂叫成"朱拔"。人家知道他这是念白字,不计较。又有一次,白字县官审案时,忽然大骂道:"既已打人,怎又将伊之神合龙打坏？"这一骂，弄得堂上堂下大家都莫名其妙，不知"神合龙"是什么东西。过了半天，旁边站着的一个小吏弄明白了，因为他知道状词上有"打坏神龛"的字样，县令准是不认得"龛"字，状词又是竖写的，把龛给分开念了。小吏于是悄悄地告诉他，"神"后面不是两个字，是一个，读"龛"。哪知县令"面赤摇首"曰："我们敝处，皆名'合龙'，尔不知也。"死不承认自己错了。但从他脸也能红这一点来看，虽然嘴上挺硬，心里是明白八九分的。丁柔克称这县令为"市井无赖"，从此事上看，的确没冤枉他。他以为自己独霸一方，嘴里吐出来的东西就从来正确。

明朝的魏骥说过："无是非之心，非人也。"这句话说得很重，几近于骂。《明史》对"忧国忧民，老而弥笃"的魏骥有很高的评价，说他"居官务大体"，对人对己，原则性都极强。比方大学士陈循是他的门生，他以七十几岁的高龄致仕之后，有次陈循来看他，说："公虽位冢宰，然未尝立朝。愿少待，事在循辈。"当场拍胸脯许诺，要利用自己的能量给老师在中央谋个顾问之类的职位，增添点资本。陈循说这话时，一副唾手可得、得意洋洋的神态。不料魏骥并不领他的情，反而立刻正色道："君为辅臣，当为天下进贤才，不得私一座主。"陈循走后，魏骥的气还没消，他对周围的人说："渠以朝廷事为一己事，安得善终。"这里的善终，当然指的是陈循在官场上的结局，如果以为大权在握，就可以为所欲为的话，早晚要出事情。那么，魏骥骂人的话，很可能是针对他所耳闻目睹的官员。

对照魏骥的观点来看，《处决令下达之后》中的那个副检察长正属于没有是非之心的一类。这里在后面所以没有缀个"人"字而说"一类"，是因为魏骥告诉我们：他们"非人"，不算人。是的，只知道讨好上司，维护上司的脸面、权威，骨子里达到保护自己或者继续向上爬的目的，竟然不惜草菅人命，这种毫无人性的家伙，怎么能算作人呢？不配！实际上，因为《处决令下达之后》中因为活生生地涉及了人命，一味讨好的危害才显得极其触目惊心，而现实生活中，不乏大量的并非血淋淋的阿谀逢迎，其危害却很容易为人们所有意无意地忽略。

2003年7月18日

暧昧之事

不久前,湖北枣阳市的女贪官尹冬桂一时间成为"知名人物"。其所以知名,不在于其担任枣阳市委副书记、代市长、市长期间,收受的6.6万元人民币、美金2000元贿赂——那点儿钱在国人眼中已经不算什么,而在于她的"生活作风"问题,说她是"女张二江"。张二江是什么人?也是湖北的,天门市原市委书记,去年因受贿近80万元被判刑,不过更令人震惊的是他曾与107个女人(包括妓女)发生过性关系,因而被斥为"五毒书记"。现在已经证实,围绕尹冬桂的诸如"与多名男子有染"、"霸占司机6年"等等传闻,纯属捕风捉影。但是,捕风捉影的事为什么能喧闹一时?

清人刘体智说过:"国人喜以暧昧之事诬人名节。"再早上800年,宋神宗也曾指出朝中的一种不良现象:"言事者以闺门暧昧之事中伤大臣,此风渐不可长。"这就是说,国人热衷于暧昧之事,很有那么一点传统。

宋神宗的话是为欧阳修辩护的。欧阳修老婆那边有个亲戚叫薛良孺,因"举官不当被劾",想要欧阳修给说说话,但"欧阳避嫌,上言请不以赦原"。薛良孺于是恼了,扬言于众曰:"欧阳公有帷薄之丑。"帷薄即帷幕和帘子,床上用品,引申则指男女欢合。那么,帷薄之丑,显然就是欧阳修的"暧昧之事"了。薛良孺一定具体描述了怎样地"丑",因为御史蒋之奇不会只凭借笼统的一句话就来弹劾欧阳修,且言之凿凿地说是哪天哪天中丞彭思永亲口对他说的。但神宗根本不相信他们的,便有了上面的那句话。后来,蒋、彭虽然"俱坐谪官",而欧阳修"寻亦外迁",可能到底还是受到了影响。《涑水纪闻》里一则记载,欧阳修的外甥女嫁给他侄子欧阳晟,"与人淫乱,事觉",也牵连到了欧阳修。他的反对派"皆欲文致修罪,云与甥乱",直接安到了他的头上。我疑心这就是薛良孺之所掌握的把柄。赵槩站出来说:"修以文学为近臣,不可以闺房暧昧之事轻加污蔑。臣与修踪迹素疏,修之待臣亦薄,所惜者朝廷大臣体耳。"本来,赵槩与欧阳修同在史馆修起居注时,修颇轻槩,关键时刻,赵槩还是从"大体"出发,维护了欧阳修的名节。

刘体智也是针对一件具体的事情发出的感慨。同治皇帝死了,有副对联盛传一时:"弘德殿,广德楼,德行何居?惯唱曲儿钞曲本;献春方,进春册,春光能几?可怜天子出天花。"这对联是针对王庆祺的,上联说他如何得到赏识、特长是什么,下联是说因为他献上的春这春那,把个年轻轻的同治弄出一身病来,否则哪里至于19岁就死了,亲政才不过两年?刘体智认为,王庆祺的确"常以恭楷为'西皮'、'二簧'剧本,朝夕进御。至春方、春册,事本无考",即是说同治的早夭根本怪不到王庆祺的头上。但是"言路闻之,至入弹章",硬是给揪住不放。

当然,人们好以"暧昧之事"议论他人,也是因为一些人尤其是一些官员确实龌龊不堪,果真如此,也真算不得"诬"。清朝钱泳的《履园丛话》云:"唐宋时俱有官妓,如白居易与元稹、欧阳修与苏轼皆所不免。"但那是制度允许的,大学者赵翼有一首《题白香山集后》:"风流太守爱魂销,到处春游有翠翘。想见当时疏禁网,尚无官吏宿娼条。"钱泳说,现在呢,没有官妓,"而竟有太守监司俱宿娼者",不准,却非要干。钱泳和人开玩笑说:"此无他,亦行古之道也。"另据《唐语林》载,诗人杜牧"恃才名,颇纵声色"。他自矜"有鉴别之能"。《扬州画舫录》里有个"家资百万"的公子,"所见大江南北佳丽极多",以至于"未经公子见者,皆为村妓",不上档次。杜牧的"鉴别之能",大约也是这种本事。有一回杜牧听说吴兴郡有佳色,"罢宛陵幕,往观焉",工作都不要了,跑去见识。吴兴使君对他相当礼遇,而杜牧酣饮之余,对那个名声在外的官妓只是斜眼看了看,便极其失望地说:"未称所传也。"后来他跟人家说:"愿泛彩舟,许人纵视,得以寓目。"觉得自己去看、去挑才过瘾。

因为是贪官,张二江的合法妻子曾经也被媒体硬拉进与之"有染"的女人之列,凑足一百单八之数;因为是贪官,尹冬桂便被无中生有地描绘成"女张二江"。有个采访庭审尹冬桂的媒体说,他们就是冲着女市长和男人有染的"猛料"来的。尽管庭审与期望值出了偏差,还是要这样报道。有一分说一分,本该是职业道德所在,为了"猛料",就可以编造吗?

2003 年 7 月 25 日

只恐有人还笑君

广东省纪委、省监察厅日前召开新闻发布会,向媒体通报了广州市原市委常委、宣传部长、广州日报社原社长黎元江案,以及省交通厅原厅长牛和恩案的查处情况,给予二人开除党籍处分,并建议给予行政开除公职处分。鉴于黎元江、牛和恩已涉嫌犯罪,将移送司法机关依法处理。

查处官员,在今天大抵是因为贪。至于附带其他的什么,只是些微小的区别。黎元江与牛和恩正是如此。两个人都是在位期间涉嫌多次收受他人贿赂,区别只在于前一个还"道德败坏,生活糜烂,长期与多名女性保持不正当的性关系",后一个滥用职权为亲属牟利,多次参与境内、境外的赌博活动。

唐朝僧人若虚有一首《古镜诗》,里面写道:"万般物象皆能鉴,一个人心不可明。"清朝袁枚也有一首《咏镜》:"望去空堂疑有路,照来如我竟无人。"这两首诗,放在一起挺有意思,不管作者原来是要借助镜子抒发什么感慨,用在贪官身上却都挺合适。对贪官来说,"伸手"的时候是怎么想的,的确让我们琢磨不透。倘若说他们不明白那些总结出来的教训,那是小瞧了他们能够登上高位的才智,此路不通还要走下去,大概真的是把别人都当傻瓜吧。

方潜师《蕉轩随录》载，明代学者王阳明留有《寄诸弟书》一通，里面说道："大抵人非至圣，其心不能无所系著，不于正，必于邪，不于道德功业，必于声色货利，故必须先端所趋向。"王阳明教导弟弟们要踏踏实实地向学，不要"纵情肆志，而不自觉"。这句话未尝不可以移之于官。为官者不能寄情于国家和人民，则必然要走向国家和人民的反面。明朝的另一位学者杨鼎说，自己"平生无可取者，但识廉耻二字耳"。这就是说，杨鼎其人把廉耻看得比什么都重要。只有为人时先"识廉耻"，为官时才不致对权力观等的认识虚与委蛇。《玉堂丛语》载杨鼎升户部右侍郎，恐不胜任，乃书"十思"于座隅以自省。都是哪十思呢？量思宽，犯思忍，劳思先，功思让，坐思下，行思后，名思晦，位思卑，守思终，退思早。对这"十思"，当然不必完全认同，但由此可以看出，杨鼎具有极强的自律意识，他说自己懂得廉耻，叫做真懂。

所谓真懂，不是自己口头上说懂，而是有相应的行为作佐证。我们都知道，历史上和现实中不乏言清行浊之辈，说得比唱得还动听。朱熹就这样表达过对官员的一种不信任："居官人清，而不自以为清，始为真清。"你先别自己嚷嚷，老夫子讲出这种话，一定是看透了他周围的某些官员的本质。事实上，当代的诸多贪官在落马之前，往往也都调门极高。以黎元江来说，他于去年6月3日被广东省纪委"双规"，而4月19日还在向广州市党政机关干部作报告，"强调"国家公务员要按照《国家公务员行为规范》的要求，带头践行社会公德、行政道德呢！倘说类似这样的人懂得廉耻，真要让人有笑掉大牙之虞。

宋朝的范浚有首《六笑》诗，笑六个古人，包括贺知章、杜甫、韩愈等。笑他们什么呢？"我笑贺知章，欲乞鉴湖水。严陵钓清江，何曾问天子？""我笑杜子美，夙昔具扁舟。老大意转拙，欲伴习池游。""我笑韩退之，不取万乘相。三黜竟不去，触事得逸谤。"范浚的笑，当然不是嘲笑，而是借"笑"寓意可能是他比较崇拜的那几个古人不够洒脱。当然，范浚同时也意识到，即使换上自己，未必就能够好多少。所以他在"笑"完六个古人之后接着写道："客言莫谩笑古人，笑人未必不受嗔。螳螂袭蝉雀在后，只恐有人还笑君。"

只恐有人还笑君，这一句也未尝不可以内涵外延。《过秦论》云："秦人不暇自哀，而后人哀之；后人哀之而不鉴，亦使后人而复哀后人也。"对一些有问题的官员来说，面对贪官落马，不要庆幸，更不要心存侥幸，应当想到怎样检讨自己。因为一旦等到人家"笑"你，就已经来不及了。

2003年8月1日

睡

8月4日，陕西蓝田县政府召开职能部门大会，宣布该县涉农部门的评议结果。有记者在现场采访时看到，不少干部却进入了梦乡。去年，湖南衡阳市有两名副局长在一次紧急会议上打瞌睡，因为"造成了极为恶劣的影响"被免去职务。蓝田有三个涉农部门和24个基层站所被群众评为"不满意"，而从台下当事者事不关己的表现来看，性质差不到哪里去。

睡觉是人的一种本能需求，现代医嘱亦云保持足够的睡眠是健康的基本条件。当然，足够的不等于是任意的，过犹不及。苏轼《东坡志林》载，有两个贫寒失意的读书人相互言志，一个说，"我平生不足惟饭与睡耳，他日得志"，什么也不干，"当饱吃饭了便睡，睡了又吃饭"。另一个说，我跟你不同，"当吃了又吃，何复睡耶！"觉都省了，光想到吃，可见这两个人当时连温饱问题还没解决，对食物的渴盼到了何种程度。就算是前一个人说的那种睡，其实也是傻睡，与动物无异。有意思的是，东坡却一本正经地对那两个人的言语表示赞赏。好睡的人是很多的，古代有不少名人可为参证。周密《齐东野语》说王安石、杜牧莫不如此，后者更有睡癖。王安石在夏天睡觉的时候常用方枕，人家问他为什么，他说："睡气蒸枕热，则转一方冷处。"枕热了换换边，挺正常的事，换了谁大概都会这样，但不知怎地，周密据此认为王安石"真知睡味"。明朝陆容的《菽园杂记》亦载，兵部尚书白圭非常嗜睡，一退堂，"即闭合坐卧，请谒者至，左右拒之，多不得入见而去"，所以当时人们对白圭有"酣睡不事事"之谤，说他光知道睡，把该干的事情都耽误了，该被罢掉。不过在白圭看来，可能觉得下班了，时间就该由自己来支配，我乐意睡就睡。

有一些人喜欢大白天睡觉。欧阳修《归田录》载，宋太宗的孙子允良"性好昼睡"，每天一整个白天就是倒在床上，晚上洗洗涮涮之后，才"衣冠而出，燃灯烛治家事，饮食宴乐，达旦而罢"；白天再接着睡，"无日不如此"。搞得一宫之人都得跟着他"昼睡夕兴"，过黑白颠倒的日子。欧阳修认为"其性之异，前世所未有也"，因此可以说这是他的习惯。孔子的学生宰予"昼寝"，就遭到了严厉呵斥，什么"朽木不可雕也，粪土之墙不可污也"都说出了口，可见在孔子眼里，宰予的行为跟衡阳那两个局长差不多，在应该精力集中的时候走了神。

好睡觉一般来说是超越了理论上的生理标准要求，等同于睡懒觉。陈康祺《朗潜纪闻二笔》载，何世璂居京师时，有个同年来看他，"日晏未起，久之方出"。同年问他："尊夫人亦未起耶？"何老老实实地答：是。客人马上提出一种担心："日高如此，内外家长皆未起，其为奸盗诈伪，何所不至耶？"听了这话，何世璂一下子有猛醒的感觉，"自此至老不晏起"。陈康祺称何有"进德之勇"，那么何世璂从此早起未必是怕家里丢什么东西，而应该是在从政之道或个人修养等方面别有所悟。

《蕉轩随录》载，康熙有一年试武进士骑射，尚书赵申乔与诸臣坐班，"不觉睡去"。康熙知道他年纪大了，"但训诲之"，并没有怎么样。巧得很，同样的事情雍正七年又发生一次，年近七旬的成都知府王符陪同巡抚宪德考验武弁，竟至"在座酣睡不醒"。雍正也是"谕旨援引赵申乔旧事，宽其处分，令补用京职"。记此事者是想说明这"两朝圣人"如何"矜怜衰迈臣工"。世易时移，道光时又出了这种事情，可能也因为不是圣上而是大臣，对开会睡觉的处理变成了另外一种结果。那是两广总督耆英有天听事，一同知不过"以手倚茶几而坐"，可能只是露出点要睡的意思,耆英立即大怒,"斥其不敬,命巡捕扶出,将勒令休致",要撸他的官。该同知极力疏通关系,"始免参劾,而所费已三千金矣"。即是说,乌纱帽虽然保住了,银子也损失了不少。

陆游诗云:"相对蒲团睡味长,主人与客两相忘。须臾客去主人觉,一半西窗无斜阳。"看起来,这里的主与客要么都是好睡之人,要么就是已经到了无话继续交谈的地步,还在哼哼哈哈地硬撑着。开会打瞌睡,在我们都是常见的景象。有医者云,人多聚集在一起,空气污浊,易于犯困。不过,在许多时候,会议的冗长与乏味,或者是与会者的倦怠与疲塌,也值得考虑。

2003年8月8日

丑女

据8月8日《北京娱乐信报》报道,25岁的天津女子张静在1993年初中未毕业时即出来谋生,但是因为长得比较丑,10年来求职上千次无一成功。张静的家庭生活极端困难,不要说亲临其境的记者,就是读了报道的人也会感到心酸。令人不解的是,张静有一个"三度智障"的残疾证,而她从来没有因为智力问题去医院做过检查,也没有经过任何医疗程序的检查。张静自嘲地说:"可能是开残疾证的人看我像吧。"爱美之心,人皆有之。但社会对所谓"丑女"的这种态度是不足取的。

在历史上,因为貌丑而受到社会一些人的另眼相待,并非只限于女子。《巢林笔谈》载,施世纶相貌奇丑,有人甚至恶作剧般地给他起个外号叫"缺不全"。后来,他当上了一县的长官,在去拜谒某个高官时,那人掩口而笑。施世纶当然知道他在笑什么,毫无自卑感地正色道,"公以某貌丑耶?人面兽心,可恶耳";但像本人这样,"兽面人心,何害焉?"同书另载的张和与此相类。明朝正统年间,张和参加科举考试,廷试已拟第一,却"以眚目抑置传胪"。眚目,即眼睛有问题,用今天的话说就是体检不合格。在默默地接受现实的残酷时,张和始终不大服气。他说自己的外貌固然没哪个地方让人看了顺眼的,但"所美而无丑者,惟此心耳",心灵美比什么都重要。张和因此对于评价尺度还另外悟出了心得:"人当于有过中求无过,不当于无过中求有过。"这句话颇有哲理。在他看来,人的相貌生得如何,是先天的,自己无法决定,也没有什么不对的地方;倘若只是单纯地计较一个人的相貌,当成笑谈,相当于鸡蛋里挑骨头。前半句,强调的是人要有容人之心,即使有过错也未必要揪着不放。移之于长相品评之外,也称得上是一句格言。

说到丑女,不能不让人想到战国时齐国无盐邑女子钟离春。相传这个无盐女长得特别难看,四十岁了还嫁不出去。有一天,她去请见齐宣王,那副"蹒跚佝偻,五管指天,鹑结褴褛"的模样,令宣王后宫的三千美人"望之大笑"。宣王炫耀了他的美人们的容颜、技艺(娱乐)之后,带有嘲笑意味地问道:"夫人之玉貌能倾之乎?""夫人之妙技能抑之乎?"无盐女老老实实地回答都不能。宣王再以挑衅的口吻问道:"然则何以娱寡人而辱寡人之后宫乎?"对齐宣王的纸醉金迷,无盐女先报之以"仰天大笑,拊手泣洟",觉得又可气,又可悲;然后,她历数了齐国目前面临的四点危难,指出以齐国之富庶,据泰山、黄河之险,理当成为天下强国,现在却"西面事人,号为东藩",偏安一隅而自得其乐。紧接着,无盐女再出谋划策,认为如此这般,则齐国"不出十年,可为东帝"。最后,无盐女反问齐宣王:"不知三千美人之中有以此进大王者乎?"这一番话,令齐宣王"瞠目而眙,拊心而叹",得到了一丝警醒。他不仅采纳了无盐女的意见,拆渐台,罢女乐,使齐国大治,而且还立之为王后。

这个故事有许多附会的成分是可以肯定的,但无盐女的际遇至少表明,如果单纯地以貌取人,可能要看走眼,更可能误人或误己。在施世纶、张和等人的身上也莫不如此。王安石诗曰:"闭户欲推愁,愁终不肯去。"对貌丑的人们来说,面对既成事实,一味地顾影自怜是没有用的,更需要一点自强不息,尽可能地掌握一定的本领。与此同时,在竞争激烈的商业社会,容貌的美,尤其是女性,其商业价值无可避免地要高一些,对这一点也不必过于义愤,需要有平常之心。张静现在已成为天津市一家养老院的编外人员,应当说满足了她"得到一份工作以养家糊口"的小小愿望。

最后,有必要重温一下施世纶的话。把人与兽截然地对立开来,显然是囿于过去人们对动物本性"凶残"的褊狭认识,不必苛求;但作为一种比喻,指出"兽面人心"的"无害"以及"人面兽心"的"可恶",却永远都不会过时。古往今来,仪表堂堂而男盗女娼的人,我们不是都见得多吗?

2003年8月15日

改名

柬埔寨首相洪森最近改了名字,叫"云升"。其实严格地说,只是改了中文译名,因为他的本名还是叫做 HUN SEN。柬埔寨新闻部为此发表的公告指出,过去中文媒体译成"洪森"是不准确的。但其新闻部国务秘书在接受新华社记者电话采访时又说:"有人认为根据中文字面上讲,'云升'的寓意比'洪森'好,而且首相本人同意将自己的中文译名改为'云升'的建议。"另有消息说,洪森是听从了身边华人朋友的建议才"改名"。洪森,或云升虽然不是中国人,但他的祖辈来自中国海南,多多少少有些华人血统。那么,由"洪森"到"云升",未必是先前译名的所谓不准确问题。

洪森既然一定程度地受了中国传统文化的影响,那么就不妨看看历史上人们改名的趣事,那可不单是求好的"意头",什么原因都有。《大唐新语》载,武则天时的魏元忠,原本叫魏贞宰,他曾被诬下狱。当"有诏出之"时,有个小吏事先得到了消息,就跑来告诉他。魏贞宰太高兴了,高兴得只记得还姓什么,那小吏名叫"元忠",从此魏贞宰索性也就改名叫魏元忠。《邵氏闻见后录》载,西晋末年刘裕在争夺天下的时候,曾以"密书招司马休之府录事韩延之",挖人才。不想韩延之忠心耿耿,并不买账,不仅人不去,而且为了"以示不臣刘氏",还干了一件令刘裕伤心透顶的事。刘裕的爸爸不是名翘字显宗吗?韩延之就索性把自己的字改为"显宗",同时把儿子改名"翘"。两父子连辈分也不顾那么多了,都要当刘裕的老子。我们知道,古人极其计较犯君讳、犯父讳,司马迁父亲名"谈",他在《史记》里就把古人名"谈"者一律改成"同",比如赵同,人家其实叫赵谈。桓玄设酒招待客人,人家不能冷饮,要"温酒"喝,桓玄听了便"流涕呜咽",因为他父亲正是那个大名鼎鼎的桓温。王羲之父名"正",在留存至今的《万岁通天帖》中,里面的"正月"就被写成初月。一般来说,谐音都犯讳——诗人李贺的父亲名"晋",李贺中了进士,人们群起而攻之;而同朝的袁师德做得就好,他是给事中袁高之子,出门做客,有人请他吃糕,他推辞不吃,后来人们才知道"糕"、"高"同音,他是在避父讳。明白了这些,就知道韩延之使名、字丝毫不差的"恶毒"了。

　　与韩延之改名以示决心相反,还有一种改名却是为了讨好,讨好权要或者当世。李诩《戒庵老人漫笔》载,明朝嘉靖年间浙人徐学诗因为弹劾严嵩而去职——类似举报程维高而遭打击报复的郭光允,江苏嘉定也有个叫徐学诗的,"亟改诗为谟"。沈德符《万历野获编》载,徐学谟后来"致位通显",地位上去了,但人们并没忘记当年的事,仍然"讥之"。徐学谟"辩白良苦,时人疑信犹相半",已经根本解释不清了。沈德符说,徐学谟即非取媚,"亦多此一事矣"。李诩追溯了宋朝的一件往事,说元祐名臣朱绂不幸坐党锢之祸,另有一个朱绂"初登第,欲希晋用",乃"上疏自陈与奸人同姓名,恐天下后世以为疑,遂易名谔",这一招果然博得了蔡京的欢心,对之"不次擢用"。因此,李诩把徐学谟、朱谔的行为统统称之曰改名取媚。

　　还有一种改名纯粹出于外力的强加。《玉壶清话》载宋太宗不认得大臣杨蟫的"蟫"字,就把他找来问"立名之因",干嘛要用这个字。杨蟫说父亲给取的,不知为什么,"兄蚡、弟蜕尽从'虫'"。太宗又问这个字是什么意思,杨蟫答就是那种藏在书里面吃浆糊的虫子。宋太宗很不认同杨父的这种取名法,御笔一挥,抹去"虫"字,杨蟫从此就成了"杨覃"。宋太宗抹"虫",而此前的武则天则是添"虫";前者是改名,后者更要改姓。且不云"叛臣"李尽忠被改为"李尽灭",孙万荣被改为"孙成斩",那些虺、蟒、蝮等等青蛇、毒虫之属,根本不是姓氏的字眼,一概被当作姓氏"赐予"她的敌人,借以发泄私愤。

据柬埔寨大选的初步统计结果,云升连任第三届王国政府首相几成定局,这个时候改名也许寓意更深的追求。改个名字是否具备如此的神通,不得而知。《宋书》卷七十五有段记载,似可移来一用。沈攸之未发迹时与两个朋友出去玩,有个算命的拦住他们说,三个人将来都会当大官。沈攸之不信三人俱有贵相,那人答得极妙:"骨法如此,若有不验,便是相书误耳。"

2003 年 8 月 22 日

互嘲

不久前,金文明先生出版了一本名叫《石破天惊逗秋雨》的书,指出余秋雨先生的散文中有百余处文史差错。随即,余秋雨先生反唇相讥,金文明先生则"再逗秋雨"。来来回回,刀光剑影。笔者无心介入其中的是非曲直,只是由此感觉到时下的一种不良现象,在一些有"声望"的公众人物之间,似乎缺少一点推心置腹,基本上除了互相吹捧,就是互相嘲弄,全无开展正常学术批评的态势。本文既然由金、余而起,乃单表互嘲。

文人互嘲,大抵也是传统文化的一种。比方一些今天看来高山仰止的书法大家,相互之间当年就有诸多龃龉。苏东坡说黄庭坚的书法,"虽清劲,而笔势有时太瘦,几如树梢挂蛇";黄庭坚则不甘示弱地反驳道:"公之字固不敢轻议,然间觉褊浅,亦似石压蛤蟆。"如果说苏黄二人多少还有相互揶揄的成分,别的人可就是来真的了。南唐那个"故国不堪回首月明中"的李后主,不仅诗词了得,同时"善书"。

有一天他跟大臣谈论书家，有人称赞颜真卿的书法"端劲有法"，后主立刻表现出不屑一顾："真卿之书，有楷法而无佳处，正如扠手并脚田舍汉耳。"米芾呢？对颜真卿的字倒是看上了眼，说其书法"如项羽挂剑，樊哙排突，硬弩欲张"，至于"昂然有不可犯之色"，柳公权的也不错，如"深山得道之士，无一点尘俗"；但对别的一些书法大家，则贬得一塌糊涂，比方说欧阳询的书法，"如新瘥病人，颜色憔悴，举动辛苦"；说李邕的书法，"如乍富小民，举动倔强，礼节生疏"；说蔡襄的书法，"如少年女子，体态妖娆，行步缓慢，多铒铅华"等等。应当承认，米芾的评论相当形象，只不过从中不难让人感到嘲讽的成分。

罗大经《鹤林玉露》载，即使是李白与杜甫这样一对友情为后世津津乐道的好朋友，"亦互相讥嘲"。起因极好笑，不过是谁的文字来得快，谁的来得慢。我们知道，二人各有各的特点，"李太白一斗百篇，援笔立成；杜子美改罢长吟，一字不苟"。但二人之间却不这么看，所以李白赠杜甫诗曰："借问因何太瘦生，只为从前作诗苦。"杜甫则寄李白曰："何时一樽酒，重与细论文。"罗大经说，李白用一"苦"字，是讥杜甫文字雕琢得太过火了；而杜甫用一"细"字，是讥李白提笔就来的东西，太欠缜密。罗大经认为，文章能不能传世，在于是不是"理意深长，辞语明粹"，岂能"夸多斗速于一时哉！"显然，他对二人关于此事的互嘲表示失望。《东轩笔录》载，欧阳修与晏殊的关系本来不错，但不知怎么搞的，有次即席赋雪诗后，两人相失。于是晏殊对朋友说："吾重修文章，不重他为人。"欧阳修也常对人说："晏公小词最佳，诗次之，文又次于诗，其为人又次于文也。"就这样，一次可能属于鸡毛蒜皮的恩怨，两个人都上升到了人格的高度。

由金、余的辩争，不免还让人想起《南齐书》里的一则记载。王俭和陆澄因为国学科目设置问题发生争论，后者认为不该列入《孝经》，以其属于"小学之类"，于是写了篇文章和前者商榷。王俭这个人很自负，齐高帝萧道成宴群臣，让大家即席各自施展本领，结果"褚渊弹琵琶，王僧虔弹琴，沈文季歌《子夜》，张敬儿舞，王敬则拍张"，王俭说自己这些都不会，"唯知诵书"，说罢"跪上前诵相如《封禅书》"。他这举动其实有点拍马屁的意思,连萧道成都笑着说:"此盛德之事,吾何以堪之?"王俭"自以为博闻多识,读书过澄",岂知针尖碰到了麦芒,陆澄也来气了。他说,你读那点书算什么,"仆年少来无事,唯以读书为业。且年已倍令君,令君少便鞅掌王务,虽复一览便谙,然见卷轴未必多仆",就算你过目不忘,但看过的东西未必多过我呀。王俭"集学士何宪等盛自商略",陆澄"待王俭语毕,然后谈所遗漏数百千条,皆俭所未睹,俭乃叹服"。陆澄在当时被称为"硕学",的确是个饱读诗书之士,但他"欲撰《宋书》竟不成",这下子给王俭又抓到了嘲笑的把柄:"陆公,书橱也。"

《石破天惊逗秋雨》这本书,我没看过,却也没有想看的欲望。指谬者既然是《咬文嚼字》月刊的资深编委,被指者的文字并非学术著作而只是历史散文,在细节上"咬"、"嚼"出一二哪怕是许多来就是难免的。如何评判,当请有关专家从大众是否受益的角度,鉴定这种"咬"和"嚼"有没有意义。

2003 年 8 月 29 日

无知者无畏

9 月 2 日《现代快报》报道,江苏省供销合作总社原主任(正厅级)周秀德日前被判处无期徒刑。与其他贪官不大相同的是,周秀德自被捕以后一直缄口不语,要么一问三不知,要么大呼冤枉,以为这样就可以让办案人员无从下手。不料,检察官们先是找到了周秀德以为找不到的本案中最重要的证人,继而从证人笔记本记录的内容上,确认了周秀德的主谋地位,最终以零口供将他定了案。

有句老话叫做"无知者无畏",前两年,因为作家王朔出过一本同名的书,愈益为人们熟知。无知者无畏,本意很好理解,因为无知,所以就什么也不怕。但倘若做一个划分,无知者无畏却是有很多种类。周秀德就是真的出于对法律的无知,觉得他不吭声法律就拿他没办法,所以对他所必须承担的后果才感到无畏。而王朔说过:"我不看别人的眼色,我想怎么干就怎么干,别人管不着。"那么,王朔显然并不是真的无知,其以无知者自居,实际上有一种佯狂的味道,不受世俗羁绊,为自己的放言铺路。18世纪,德国数学王子高斯的导师无意中留给他一道数学题:只用圆规和一把没有刻度的直尺做出正17边形;当高斯苦战一个晚上解出之后,导师被惊呆了。后来高斯回忆说:"如果有人告诉我,这是一道有两千多年历史(连阿基米德和牛顿也没有解出)的数学难题,我不可能在一个晚上解决它。"这又是一种"无知"者无畏,不知道问题的难度,头脑里没有任何羁绊,往往能够做得更好。

就笔者的阅读目力所及,关于无知者无畏的事例还可以列出若干种。比方宋人彭氏辑撰的《墨客挥犀》里就有好几则这类的记载,虽然是真实发生的事情,但是不妨当作笑话来看。

一则曰张密学知成都时,有位佛门的文鉴大师是他的座上客。有一天文鉴来访,张密学还未及见,华阳主簿张唐辅也来了。两个人等在客厅里,开头尚且相安无事,忽然张唐辅脑袋痒痒,想挠,"脱乌巾",却不知道放哪里,乃"睥睨文鉴",然后满不在乎地"罩于其首"。这下把文鉴惹火了,大吵大叫不已。张密学赶紧跑出来,文鉴说:"某与此官人素不相熟,适来辄将幞头罩某头上。"张唐辅则显出一脸的无辜:"某方头痒,取下幞头无处顿放,见大师头闲,遂且权顿少时,不意其怒也。"张密学听了哈哈大笑,他知道文鉴大师为"蜀中民素所礼重",张唐辅这一胡闹,哪有不怒的道理?不过,张唐辅因无知而无畏,因无畏而无礼,却也纯朴得有趣。

又一则曰有人向孙之瀚推销一方砚台,说是价值三十千钱。孙之瀚没有半点关于砚台的知识,就问有什么稀奇要卖那么贵。那人说:"砚以石润为贤,此石呵之则水流。"孙之瀚说,那又怎么样,就算你"一日呵得一担水",一担水"才值三钱,买此何用"!孙之瀚拿形容砚台品质所呵出来的水,去和寻常井里打上来的水作类比,果真是无知到了极点。那么,孙之瀚因无知而无畏,因无畏而变得强词夺理,

193

胡搅蛮缠了。

再一则曰有个叫钟弱翁的，走到哪里都喜欢"贬剥榜额"——即品评书法，不过都是人家写得不好。他说这话的目的，是为了"出新意，自立名"，因此往往要把人家的摘下来，由他重写之后再挂上去，于是跟着他到处走的镂刻工匠就有十几个。这人显然是个当大官的，否则哪里敢这么随心所欲？然而其人终究眼高手低，自视虽高，"然字画不工，人皆苦之"，不换不行，换上吧，东西又真不像样。实际上不要说钟某人的动手能力不行，就是鉴赏能力也不堪一提。有一天他路过庐陵，发现有座寺庙"高阁壮丽"，牌匾却脏得很，那四个八寸见方的大字"定慧之阁"是谁写的看不清楚，钟弱翁乃"放意称谬"，说这字写得真叫臭；而当僧人架梯子把匾擦干净之后发现，落款分明署的是"鲁国颜真卿书"！这下子丑可丢大了，但钟弱翁的脸皮极厚，一本正经地对人家说："似此字画，何不刻石！"于是让自己带的工匠立刻动手。这件事，"传者以为笑"。钟弱翁因无知而无畏，因无畏而多少有了无耻的味道。

周秀德的无知者无畏，有点死猪不怕开水烫的意思。然而他的下场对后来的贪官构成了一个新的警示：对法律，无论是假装无知还是真的无知，犯了，就逃不脱它的惩罚。

2003 年 9 月 5 日

文身

新近一期的《城市画报》随刊附赠有文身贴纸，那是一种我叫不出名的动物图案，人们可以按照使用说明来个"即时文身"。文身，本来是在身体上刺画，一旦刺了画了，就要成为终身的印记。文身贴纸的好处是，哪一天觉得新鲜劲过去了，不想要了，还可以立刻除去。

文身的出现可谓早矣。据学者们考证，古代百越族的典型习俗就是"文身断发"。他们身刺花纹，截短头发，以为如此这般就可以避免水中蛟龙的伤害。为什么这样认为呢？屈大均在《广东新语》里代为解释道："南海龙之都会,古时入水采贝者皆绣身面为龙子,使龙以为己类,不吞噬。"原来,文身具有"麻痹"龙的功效,让它把自己当成一家人。不过也有学者考证出,文身,是具有特殊意义的成人礼。

考察历史上文身的内容,却不只是花纹或图案。北宋张师正《倦游杂录》记载,荆州有个街卒葛清,可能是个文学爱好者或者是白居易的超级崇拜者,"自颈以下遍刺白居易诗",且配以图。比方白诗有"不是此花偏爱菊",他就在诗之旁刺一人持杯临菊丛；白诗又有"黄来缠林寒有叶",则刺一树上挂缠。如此等等,在葛清全身上下一共有20几处,人们因此把他叫做"白舍人行诗图"。同书另载,武夫呼延赞"自言受国恩深,誓不与契丹同生,遍及体作'赤心杀契丹'字,捏以黑文,反其唇内,亦之",以示自己的决心。与此同时,举凡"鞍鞯兵仗,戎具什器,皆作其字"。不仅如此,他还要求自己的老婆、儿子及仆妾都要如此。到动手那天,他把黥字的人找来,自己"横剑于膝"监督,"苟不然者,立断其首",这一天,"举家皆号泣",大家好说歹说,"以谓妇人黥面非宜",把字刺在胳膊上才算了事。

相对于呼延赞的"赤心杀契丹",南宋初王彦领导的抗金"八字军"更为著名,我们读中学的那个时候,是写进了历史教材的。"八字军",也是在每个士兵的脸上刺字:赤心报国,誓杀金贼。这是《宋史·王彦传》中的记载,而在李心传的《建炎以来朝野杂记》那里,前面那四个不是"赤心报国"而是"不负赵王"。那么,这支队伍的士兵脸上究竟刺了哪八个字,还真把我们弄糊涂了,总不至于一部分人刺这八个,另一部分人刺那八个吧？因而两说必有一谬。虽然《宋史》是元人脱脱主持编纂的,李心传是南宋著名史学家,记载的又是离自己并非很远的事情,但我还是怀疑这个"不负赵王"的可靠性。清人有云:"真乃学问之人,必不奔走风尘以求名誉。"这句话的潜台词是,有的学者为了取悦当时,是不大讲究廉耻的。李心传为了取悦赵氏政权,凭空篡改不是没有可能。

在人的身上刺字,也是古代刑罚的一种。汉代成为黥刑,在犯了罪的人的脸上刺字,以墨涂之,所以亦称墨刑,在宋元时期极其盛行。读过《水浒传》的人们都知道,一百单八将里有为数不少的被"刺配"过的人,宋江、林冲等等,害得他们后来出席公共场合,总要讨块膏药把那个地方贴上。按宋代军制,军士亦常须刺字,以作标记。《默记》载,韩琦帅定州,狄青为总管,有天在一个宴会上,妓女白牡丹的酒喝多了,嘴开始把不住门,跟狄青碰杯,来了句"劝班儿一盏",虽然是开玩笑,但明显是讥笑狄青面有涅文。狄青呢?当时因为在酒桌上,恐怕也是因为韩琦在场,打个哈哈过去了,"来日遂答白牡丹",到底还是把她给揍了一顿才解气。其实狄青成名之后,宋仁宗"尝敕青傅药除字",是他自己不干。《宋史》本传载,狄青指着自己的脸说:"陛下以功擢臣,不问门第,臣所以有今日,由此涅尔,臣愿留以劝军中,不敢奉诏。"这就是说,狄青是以之自豪的。但这恐怕只是在皇帝面前的表态,心里未免以此自卑。他常跟人说,韩琦"功业官职与我一般,我少一进士及第耳",总怕人看低了他。其实,客观地比较两人的修养、作为,绝不只是差了张文凭的问题。

　　弹指一挥间。即使在当代早些时候,我们看到文身的人,往往还要做不好的猜想,对那些背刺双龙的人物,更要联想到黑社会里的老大;而转眼之间,文身却成了少男少女的时尚。文身贴纸的出现,应当说最大限度地满足了他们既要好奇又当时无须痛苦过后可能抱憾终身的心愿。当然,他们追求的已不再是那种无声的震慑作用,纯粹出于装饰的考虑。这也应该算是文身新功能的开发利用了。

2003 年 9 月 12 日

无聊的闹剧

　　几天前不少媒体都有报道,江苏一位 20 岁或 22 岁的幼儿园女教师,在该省糖烟酒总公司仓库遭到四条无证"黑户"狼狗撕咬,手臂、腰部、腿部等多处受伤,狼狗们旋即被"就地正法"。记得去年,东北虎林园发生过老虎咬死工作人员的事,对"肇事"老虎还要"全民公决"定其命运。概因为当时园方提出四点处置意见:第一对老虎处以极刑,第二处以安乐死,第三处以终生监禁,第四送回横道河子老虎繁殖饲养中心。不知那老虎的最终下场如何。我把这两件事联想到一起,因为它们都是用人类的法律去要求动物,把动物当成人了,好像法律面前,人畜应该平等。

古人对此做法曾经乐此不疲。龚炜《巢林笔谈》载,东汉的童恢为不其(今天的即墨、崂山之间一带)令,"邑有虎患",怎么办呢?他就派人捉了两头老虎,当庭审讯,煞有介事地说:"王法,杀人者死。汝若杀人,当伏罪;不者,号冤。"老虎好像听得懂童恢的话,"一虎低头作震惧状",童恢于是明白了,这是个吃过人的家伙,"即杀之";另一头虎呢?"视恢鸣吼,若诉冤者,遂释之。"头脑正常的人,都会认为这种说法纯属扯淡。"王法"杀人者死,"虎法"饿了要吃,怎么可能拧到一块去?但这种扯淡的说法在古籍里却比比皆是。不过龚炜就此生出的感悟有些意思:"我尤异夫伏罪之虎,就死而不欺其志,愈于人之奸邇百出者多矣。"在龚炜眼里,那些奸佞之人连动物还不如。

跟动物讲人的原则,最有名的当推韩愈。《旧唐书》有云,当年,广东潮州一带的鳄鱼为害十分严重,韩愈刚被贬到潮阳时,"询吏民疾苦",大家都说到鳄鱼,"食民畜产将尽,以是民贫",把鳄鱼归结为百姓贫困的罪魁祸首。韩愈乃下决心从鳄鱼开刀。到动手的那一天,先往河里丢进一豚一羊,然后韩愈对水诵读自己专门写的《鳄鱼文》(一说《祭鳄鱼文》),跟鳄鱼大讲起道理,什么天子既然派我来治理这个地方,你们就不能跟我一争高低;你们不想想,我虽然驽弱,怎么可能向你们动物"低首而下哉"?然后为鳄鱼开列了限期离开此地的时间表,规定"三日乃至七日,如顽而不从,须为物害",我就要"选材伎壮夫,挽劲弓毒矢",跟你们干一场。那些鳄鱼好像听得懂韩愈的话,或者惧怕他先礼后兵。几天后,水尽涸,鳄鱼果然"徙于旧湫西六十里",按照规定的路线撤退了,"自是潮人无鳄患"。

韩愈驱鳄,在潮州历史上是一件轰轰烈烈的事,成功了,自然有他的方式方法,记载这事的人们,没必要罩上神秘色彩。正因为这种神秘,使韩愈受到了后世的不少苛责。王安石即说他"不必移鳄鱼,诡怪以疑民",有违孔夫子"不语怪力乱神"之教;当代有学者说他简直就是古代的堂·吉诃德,在演一出"无聊的闹剧"。但他的这一举动,却很为后来者仿效。

《芦浦笔记》里有《祭蝗虫文》,口气都差不了多少。"县令受天子命,来宰是邑,其治以抚养百姓为事,则蝗虫之与县令不得并居此土也","今与蝗虫约,三日北归。三日不能,五日。五日不能,七日。若七日不归,是终不可归矣",我就要收拾你们。诸如此类,简直就是机械地模仿,不过把鳄鱼换成了蝗虫而已。《湘山野录》亦载,杨叔贤为荆州幕,有老虎伤人,他就在"虎穴摩巨崖大刻《诫虎文》",文字也与《鳄鱼文》相仿,什么"咄乎,尔彪!出境潜游"等等。后来杨叔贤改官知郁林,委托知军赵定基继续此事,自己则要把这一套带到岭南,当成经验,因为"岭俗庸狭,欲以此化之"。自己还雄心勃勃地赋诗明志:"且将先圣诗书教,暂作文翁守郁林。"连作为都准备追求韩愈了。可惜他走了没多久,赵定基遣人打碑次日就接到报告说,"摩崖碑下大虫咬杀打碑匠二人"。这件事当即报给杨叔贤了,不知他以及那些欲用法律训诫动物的人们做何感想。

老虎、狼狗,终究是老虎、狼狗,凡事出于动物的本能。人跟动物讲人话,衡之以人的法律,表现出的不是所谓法制观念的增强,更接近于"无聊的闹剧"。我很同情被狼狗咬伤的女教师,但事情的关键不在伤人的狼狗,而在狗的主人没有履行好相关的责任。目前,南京滨江派出开始对狗主展开调查,这就对了。如果后来的狼狗不能"引以为戒",那几个的命岂不是白送了?

2003年9月19日

象牙笔

9月18日《北京青年报》有一则摄影报道：一支售价7.8万人民币的巨型象牙毛笔在北京亮相。这支笔产于江苏常州，笔杆采用象牙材料，上有微雕《金刚经》5000余字，是目前北京售价最昂贵的毛笔。看了这则消息，首先想到的是，莫非国际上对象牙制品开禁了？记得看过消息说，目前国际上已经明确禁止象牙和象牙制品的买卖，只是100年以上的象牙艺术品目前还不在被禁止的行列，但也只是时间问题。在我国，象牙雕刻曾作为一项传统工艺存在，并列在石雕、玉雕、木雕、竹雕等工艺之列，然而自1989年《濒危野生动植物国际贸易公约》将非洲象和亚洲象列入禁止贸易物种之后，作为公约成员国，我国也随即全面禁止了象牙贸易。

其次，想到了关于毛笔的若干逸闻。唐代大书法家欧阳询与儿子欧阳通，父子均名声著于书坛，当时被称为"大小欧阳"。虞世南说欧阳询"不择纸笔，皆能如意"，而欧阳通则不然，讲究得很。《朝野佥载》云，欧阳通用的毛笔，笔管就是"必以象牙、犀角"为之，也就是说，他那时就用象牙笔了，不是巨型的而已。笔头呢？则是"狸毛为心，覆以秋兔毫"。用兔毫，也是有渊源的，《淮南子》载"苍颉作书，鬼夜哭"，高诱注曰："鬼或作兔，兔恐取毫作笔，害及其躯，故夜哭。"不仅用的毛笔如此，欧阳通用的墨、纸也极其讲究。"松烟为墨，末以麝香，纸必须坚薄白滑者，乃书之"，否则就不动笔。讲究到这个份儿上，全因为他不仅"自矜能书"，而且"自重其书"，把自己的作品看得高。可惜的是，人们都知道他那个不那么讲究的爸爸，往往却不知道他这个"善书"的儿子。

《池北偶谈》转引南宋岳珂《玉楮集》载，唐朝时有个刺史要到江表（即江南）为官，宰相知道新淦（今江西新干）那个地方出的笔很有名，就让刺史帮他弄一些。刺史不敢怠慢，到了地方，赶快"招佳手"制笔。结果一位老人应命，百日过去，制成两管，"驰贡相府"。宰相大人先是嫌慢,这么久才送来;继而嫌少,才两支;试一下,又不觉得好在哪里,乃大怒曰:"数千里劳寄两管恶笔来。"刺史吓坏了,要治罪制笔老人。老人自辩说,欧阳询、褚遂良他们都用我做的笔,这样吧,你先把相君的字拿出来给我看看,我再做;如果还不称他的心意,"甘就鼎镬"。等到见识了宰相的书法,老人笑了,说就这两笔字,"只消三十钱笔",根本犯不着费那么多工夫。果然,这一回没两天就做了五十管,"驰上之,相一试大喜,优赐匠者"。这说明,那个有"雅好"的宰相根本就不识货。

《浪迹丛谈》转引卢言《杂说》云,唐代大书法家柳公权也不能识别好笔,听说宣州陆氏世能做笔,家传甚至王羲之都向其祖求过笔。柳公权找上门来,陆家家长"先与二管",对儿子说:"柳学士能书,当留此笔,如退还,即可以常笔与之。"未几,柳公权果然认为不趁手,"遂与常笔"。陆家人因此得出结论说:"先与者非右军不能用,柳信与之远矣。"这个结论相当轻率,应当说对柳公权抱有极深的成见。"学书从颜柳入手",是今天人们的共识;在当时,柳也声名称誉,《旧唐书》说:"当时公卿大臣家碑版,不得公权手书者,人以为不孝。"在《铁围山丛谈》里,记载了一个差不多的故事,但陆氏换成了诸葛氏——可能宣州那地方的确是制笔之乡,柳公权则换成了一个不知谁人的唐代名士。这就更能说明一点问题。以柳公权的盛名而不识笔,逻辑上是讲不通的事。或者,柳公权与欧阳询一样,对笔并不过分计较。

工欲善其事,必先利其器。米芾说:"笔不可意者,如朽竹篙舟,曲筋哺物。"这是米芾的观点,并不绝对。周密在《癸辛杂识》里剖析自己:"不自知其拙,往往归咎笔墨。正所谓不善操舟而恶河之曲也。"对多数人来说,周密剖析的正是一种常见的心理。不过周密这里不大像是说书法,而更像是借喻其他了。

北京卖的这支大笔,能不能用暂不知道,但用象牙作笔杆,我很有一点担心。几个月前有则消息说,中国援助马里医疗队的一行15名医务人员,返回北京时在布鲁塞尔被逮捕,正因为比利时海关人员在他们托运的行李中查获了150公斤非洲象牙制品。象牙大笔制作者的初衷可能是奔着"基尼斯"去的吧。奔就奔,也没什么,但是无论干什么,先别忘了想一想行为的合法性,免得授人以柄。

2003年9月26日

景点之争

利用七天时间出门旅游,从"前拉后拽"长假的做法诞生之日开始,就一向热热闹闹。刚刚过去的这个国庆"黄金周"毫不例外。哪些地方的宾馆、饭店爆满到什么程度,全国假日办每天都有消息发布,数字百分比高得吓人。旅游,为的是欣赏异地的风土人情。就人文景观来看,涉及历史的文化遗迹尤其能对人们产生吸引力。因此,典籍记载中的语焉不详,或者因为行政区划调整导致的归属变更,使今天的不少地方为了争夺旅游资源而争夺景点,谁都能请到不少"专家",言之凿凿。

可怪的是,古代局限于迁客骚人的"旅游",并没有形成产业,也和经济效益挂不起钩来,却并不妨碍制造或争抢景点。

陆游《老学庵笔记》载,文州(笔者按:疑为隆庆府)阴平有座阴平桥,宋孝宗淳熙初年,"为郡守者大书立石于桥下曰:'邓艾取蜀路。'过者笑之"。邓艾是三国时曹魏的名将,公元263年,他与钟会领兵灭蜀。双方一时间在剑阁相持不下,邓艾乃率军攀登小道,凿山开路,修栈架桥,越过700里无人区,并身先士卒,用毛毡裹身滚下山坡,出其不意地直抵江油,创造了中国战争史上著名的奇袭战例。《资治通鉴》记载:"邓艾进至阴平,简选精锐,欲与诸葛绪自江油趣成都。"即是说,邓艾的确是在阴平驻扎过,但南宋时的这座阴平桥在当时是否"问世"也还不知,如何就承载过邓艾的大军呢?"过者笑之",显然是人们在讥笑郡守的想当然了。

东坡先生有一年过阳羡(今江苏宜兴市),挥笔为当地的一座桥题曰:"晋周孝侯斩蛟之桥。"这个周孝侯是周处,历史上痛改前非的典范。据说,周处从小横行乡里,乡邻乃将他与当地南山猛虎和长桥恶蛟并称为"三害"。周处知道后,入山射虎,下山搏蛟,并发愤改过自新,折节读书,于是才兼文武。故事很有教育意义,但蛟是什么东西呢?是民间传说中能发洪水的动物,并非现实中的存在。那么,所谓"斩蛟之桥"显然就是空穴来风了。东坡的这几个大字,当时刻石道旁,宋徽宗崇宁年间他倒霉的时候,才"沉石水中,不知所在"。此外,赵彦卫在《云麓漫钞》中,对东坡认为黄州赤壁即"人道是三国周郎赤壁"的赤壁,也表示不能苟同。他说,"今江汉间言赤壁者五",凭什么就是这个呢?为了论证,这位赵先生又是引《汉阳图经》,又是引《通典》、《水经注》、《元和郡县图志》等,写下了洋洋千言。事实上,关于赤壁在哪里的争论在今天也未罢休,不仅如此,还有升级。现在沿长江一带称自己是当年赤壁战地的地方,已非止当年的五个,而是扩展到了九个!

在钱泳的《履园丛话》中,有不少地方官员在任上重修这个祠或者那个墓的记载,比方毕秋帆为陕西巡抚,就重修了马嵬驿。钱泳认为这些东西虽然称得上古迹,但"皆民事之不甚急者",也就是说,还有许多关乎民生的事该干没干呢。但是做这些事,立竿见影,"易于传播,人人乐道之"。马嵬驿是杨贵妃死难的地方,这类招牌可不更易于提高本地的知名度?正如修武、昌黎两县都把韩愈"引为乡人",两广第一个状元莫宣卿也是同等待遇。莫宣卿故里在今天的广东省封开县,该县在20世纪50年代由封川、开建两县合并而成,我在读硕士研究生之前被打发到那里的一个乡镇"劳动锻炼"一年,其间阅读两县分治时的县志(清末编撰),都把莫宣卿纳入自己的名人之列,谁叫他的那个村子正在两县交界之处!现在,诸葛亮卧居的隆中到底是襄阳还是樊阳的争论早就不新鲜了,江苏南京与湖北钟祥有"莫愁湖"之争;当阳与荆门有"长坂坡"之争;江陵与宜城有"楚国郢都"之争;秭归与江陵又有"屈原故里"之争。前不久,连夜郎国在哪儿,这个以前根本不是问题的问题,湖南和贵州也已开始论战……

今天的景点之争,表面上看争的是文化,实际上争的是经济。谁都清楚,争得了,等于盘活了一笔隐形资产,能够带来可观的经济效益。即是说,文化在这里纯粹只是为经济服务的招牌。我不知道这能不能算是好事。据说一些争论的地方,都是观者如堵,不仅没有两败俱伤,反而弄了个双赢,当然值得高兴。况且,于游客倒也好,增添历史知识的同时,再增添一点鉴别知识。只是各地的官员过于关注此类"民事之不甚急者",而且大有不惜代价的架势,有点让人忧虑。

2003年10月10日

过目不忘

10月10日的《南方都市报》报道,在马来西亚举行的第13届世界记忆锦标赛上,两名中国人——28岁的张杰和26岁的王茂华取得了"记忆力大师"的称号。这是一个了不得的成绩,要知道,取得这项赛事的资格也不得了:须在1小时内记住700个随意排列的数字或多副洗过的扑克牌的顺序。

这种本领其实就是国人一向津津乐道的过目不忘。比方对于钱锺书先生,他留下的《管锥编》《谈艺录》等煌煌巨著是什么内容往往不为大众熟知,但一般人却都知道他的大脑"有着照相机般的记忆功能",哪句古文到哪本书甚至哪一页去找,保准就能找到,神乎其神。但杨绛先生指出,钱先生本人却并不以为自己有那么"神","他只是好读书,肯下功夫,不仅读,还做笔记;不仅读一遍两遍,还会读三遍四遍,笔记上不断地添补。所以他读的书虽然很多,也不易遗忘。"(《钱锺书手稿集》序)

过目不忘这样一种本领,在古代就更受推崇。《铁围山丛谈》载,宋仁宗时的张伯玉非常有名,因为他有两种本领别人比不了:一个是能喝,一个是记性好。于是人们送给他两个绰号:张百杯和张百篇。前一个不用说了,那是有百杯的酒量;后一个则是眼睛一扫,百首诗词记在胸中。有个"颇强记自负"且自以为"饮酒世鲜双"的士人不服气,上门挑战,张伯玉应战。三十多杯下肚,"士人雄辩益风生"——开始了"豪言壮语"阶段,"而张略不为动";等到士人承认自己不行了,到了"无言无语"时,张伯玉笑笑说:"量止此乎?老夫当为君独饮矣。"又喝了几十杯,这才提出比记忆。他指着家里的四柜书说,我老了,还有病,不如以前了,现在能记的也就这些,请你从里面拿出一册来,"吾为子诵焉"。那人抽出一本《仪礼》,张伯玉说你就随便翻一页开个头吧,我给你续,"士人如其言,张乃琅然诵之如流"。经此两番较量,士人在"骇服"之余拜了两拜,称赞张伯玉的确是个奇人。

唐朝的一行大师(张遂)是著名的天文学家,当玄宗问他"何能"时,他也祭出了"唯善记览"的本领。玄宗当庭测试,"取宫人籍以示之",一行"周览既毕,覆其本,记念精熟,如素所习读"。这一手,把玄宗佩服得"不觉降御榻,为之作礼,呼为圣人"。僧一行是我国古代科技发展的代表性人物之一,开元十二年(公元724年),他主持全国性的天文观测,在世界上首次用科学方法测量出地球子午线的一度之长;他还与人共同制造了观测天象的"浑天铜仪"和"黄道游仪";修订了《大衍历》等等。因此,我国1955年发行的《中国古代科学家》纪念邮票,一组四枚,僧一行便赫然在列(另为李时珍、张衡和祖冲之)。显然,这是单纯记忆的本领所望尘莫及的荣誉。而僧一行以之示能,大概认为天象什么的玄宗不懂,这种雕虫小技反而更能镇住他吧。

《郎潜纪闻初笔》载,钱陈群向徐华隐请教"学何以博",华隐说:"读古人文,就其篇中最胜处记之,久乃会通。"朱竹垞知道后说:"华隐言是也。世安有过目一字不遗者耶?"这就是说,古人对所谓过目不忘是有保留意见的。《郎潜纪闻二笔》还载有张稷若的记忆法:遇到好的段落、句子,抄下来,"朗诵十余遍,粘之壁间,每日必三十余段",合上书,"就壁间观所粘录";记住了,再换新的。就这样,"一年之内,约得千段"。陆游的祖父陆佃也曾说过,他有一年见到王安石的书桌上有部《诗正义》,"揭处悉已漫坏穿穴,盖翻阅频所致"。陆佃慨叹,王安石有过目不忘的本领,"然犹如此"。种种可见,读书治学,并无半点捷径可走。钱锺书先生作的帮助记忆的笔记,光是关于外文的笔记本就有178册,超过3.4万页。

陆游《老学庵笔记》记载了一桩趣事。王性之记忆极好,读书能"五行俱下",往往别人才看了三四行,他那已经翻页了,于是"后生有投贽者,且观且卷,俄顷即置之"。然因为看得太快,"人疑其轻薄,遂多谤毁"。这该是过目不忘引发的令人意想不到的副作用了。

世界记忆锦标赛出现了中国人的身影,是件值得我们骄傲的事,但这本领所针对的是记扑克牌,最多是记词典,正所谓为记而记。那么是不是可以说,用于竞技的记忆只是一种靠天才加训练能够掌握的技能,而与用于读书的记忆终究是两码事?

2003年10月17日

下围棋

10月16日,第8届三星杯世界围棋公开赛结束了四强的争夺,中国棋手胡耀宇继谢赫淘汰李昌镐之后,完胜韩国"不败少年"李世石,两人携手晋级半决赛。加上日本的赵治勋九段淘汰了曹薰铉,趾高气扬的韩国围棋终于有了点灰溜溜的滋味,连10月22日在北京开战的第五届农心杯三国擂台赛上,已经包揽了前面四届冠军的他们也表现了比较悲观的情绪。

围棋是竞技体育的一种,职业围棋更以成败论英雄。今天的一些人们不同意战争语言介入体育,以为诸如"勇冠三军"(赢得比赛)、"兵不血刃"(轻松夺冠)、"全军覆没"(比赛失利)、"同室操戈"(队友之间的比赛)、"硝烟散尽"(比赛结束)之类的词汇用得太多,"总不是祥瑞之气",令体育的美感损失了不少。但对围棋则不然,概因为纹枰对座的后面,从来就是在进行没有硝烟的战争。《西游记》转引的《烂柯经》,对围棋的战略战术说得相当直白:"与其恋子以求生,不若弃之而取胜;与其无事而独行,不若固之而自补。彼众我寡,先谋其生;我众彼寡,务张其势";并且指出,"凡敌无事自补者,有侵绝之意;弃小而不救者,有图大之心;随手而下者,无谋之人;不思而应者,取败之道。"如此等等,跟打仗的兵法差不了多少,所以,尽管传统的主流说法认为围棋源自尧舜,但唐人皮日休根据围棋"不害则败,不诈则亡,不争则失,不伪则乱"的特性,坚持认为:"必起自战国纵横家者流。"在他看来,这应该是那些战争贩子们的发明。

但围棋终究只是一种类似战争的活动,游戏的意味更强,古人很喜欢。他们评价一个人的本事怎么大,往往叫做"琴棋书画样样皆通",这里面的"棋",就是围棋。宋太宗时,有个叫贾元的常陪同皇帝下棋。贾元是当时的顶尖高手,但他知道,别说陪皇帝就是陪上司玩玩也不是展现自己本领的时候,所以经常输棋。太宗当然掂量得出自己的斤两,"知其挟诈",不愿意老是赢得这种不光彩的胜利,说你这盘如果再输,我就揍你;可是等到下完了,局面却是"不死不生"。太宗又说:"更围一局,胜当赐绯,不胜当投泥中。"然而结局又是"不胜不负"。太宗动真格了,"命抱投之水",贾元吓得大叫:"臣握中尚有一子。"太宗大笑之余,"赐以绯衣"。

这种故事还有很多。比方南朝一些皇帝都非常喜欢下围棋,宋明帝还特别在宫中设置"围棋州邑",棋下得好,是可以当官的。他水平很低,却要与当时的第一高手王抗过招,王抗哪里敢赢他呢。明帝一招"飞",给他找到了借口:"皇帝飞棋,臣抗不能。"糟糕的是"帝终不觉也",还真就把自己当一碟菜了。王抗后来在"围棋州邑"当上了给棋手们厘定等第的"小中正",尽管在棋盘上失去了尊严,但在官职上获得了补偿。段成式《酉阳杂俎》载,唐玄宗有次和亲王下棋,杨贵妃在旁边看,"上数子将输",贵妃便唆使怀中宠物去捣乱,这小东西很能理解主人的心意,立刻窜到棋盘上,蹦来蹦去,于是"局子乱,上大悦"。从这件小事首先可以看出唐玄宗的输不起,其次可以看出杨贵妃之所以受宠,在于她很会投其所好。宋明帝的"围棋州邑",客观上起到了推动围棋发展的作用。这同时说明,上司一旦爱好什么,至少在自己的势力范围内能够促动这一运动的勃兴。

有古人曾经总结了围棋下法十诀：一不得贪胜，二入界宜缓，三攻彼顾我，四弃子争先，五舍小就大，六逢危须弃，七惧勿轻速，八动须相应，九彼强自保，十势孤取和。这十诀，亦可看作取胜之道。但对一些人，此种诀窍并不奏效。比方王安石下棋，"未尝致思，随手疾应"，不行了，就重来。他的观点是："本图适性忘虑，反至苦思劳神，不如其已。"明太祖也是这样，"于围棋不耐思索"，而且第一招必拍"天元"。相传隋末李世民与虬髯客在逐鹿中原之际也下过一盘棋，后者先占四角，云："老虬四子占四方"；李则直奔天元，云："小生一招定天下。"虬髯客自此退出竞争。这一招，于盘面未必受益，但显示了一种气度。

王安石的观点，当然只能代表业余棋手的态度。4月份中国棋手在"富士通"杯8强赛全军尽墨的时候，国人一片谴责之声就很能说明问题，不赢不行。虽然这一次能不能笑到最后还得观望一段时间，但毕竟先出了一口气。

2003年10月24日

虢国夫人拆迁

房屋拆迁，时下里是一个热门话题。拆迁为城市建设中的必然之举，其本意是为加快城市建设，改善居民的居住和生活条件，应当是一项"利民工程"。然而，各地发生的不少事实表明，拆迁变成了一些百姓的噩梦：8月22日，江苏省南京市玄武区邓府巷居民翁彪因此愤而自焚；9月15日，安徽省青阳县农民朱正亮甚至把自焚的现场选在了天安门前。一时间，生命成了保护自己房屋的"武器"，令人触目惊心。

唐人郑处诲的《明皇杂录》里，也有一则关于拆迁的记载，性质与今天的当然不可同日而语。那是杨贵妃得宠于唐玄宗之后，"鸡犬升天"，她的三个姐姐和两个堂兄跟着沾了光，一起被迎入京师。《旧唐书·杨贵妃传》载，玄宗管贵妃的姐姐们叫姨，并赐以住宅；后来还分别把她们封为韩国夫人、虢国夫人和秦国夫人。于是乎这几个杨门女子"并承恩泽,出入宫掖,势倾天下",公主以下皆要持礼相待,再加上那两个堂兄,时人号为"五杨"。"五杨"宅中,"每有请托,府县承迎,峻如诏敕"。想歪门邪道的官吏,但走"五杨"的门路,无不如愿,因此"四方赂遗,其门如市"。随着杨贵妃的宠遇进一步加深,韩、虢、秦三夫人也宠遇愈隆,唐玄宗每年赏赐给她们的脂粉钱就有千贯之多。"五杨"的癖好都是盖房子,互相攀比,"每构一堂,费逾千万计",并且如果"见制度恢宏壮于己者,即撤而复造"。就是说,只要别人家的房子建得比他们的好,他们就拆了重建,非得争个高低不可,致使"土木之工,不舍昼夜",没个消停的时候。

《明皇杂录》里的这则拆迁,就发生在杨贵妃的三姐虢国夫人身上。她要扩建,想把邻居的老房子吞并过来,跟她做邻居的当然也不是一般的百姓,那房子正是韦嗣立留给后代的遗产。虢国夫人惦记人家的地皮,事先却并不跟人家打招呼。有一天,韦家子孙正在家里待着,"忽见妇人衣黄罗帔衫,降自步辇,有侍婢数十人,笑语自若"地到了他们家,这个妇人就是虢国夫人了。她开口便说:"闻此宅欲卖,其价几何?"人家从来没流露要卖房子的意思,纯粹是虢国夫人强加于人。韦家人说:"先人旧庐,所未忍舍。"不料话音未落,外面立刻冲进来好几百人,"登东西厢,撤其瓦木",马上就开始拆韦家的房了。韦家人哪里惹得起他们?没办法,只有"率家童,挈其琴书,委于路中",眼睁睁地看着人家拆自己的祖屋。后来,"授韦氏隙地十数亩,其宅一无所酬",只给了韦家一块地皮,至于房子则拆了也就拆了。那么,先前虢国夫人的问价,倒算是客气的了,可能在她看来,你这叫敬酒不吃吃罚酒。

韦嗣立是当过宰相的人,他的两个儿子在杨家倒台后也相继为相,"有唐以来,莫与为比"。不用说他的儿子吧,凭韦嗣立这种人物的生前身份,后代连住房都保不住,可见虢国夫人在杨家当权时的跋扈程度。唐人张祜有诗曰:"虢国夫人承主恩,平明骑马入宫门。却嫌脂粉污颜色,淡扫蛾眉朝至尊。"这首诗似褒实贬,讽刺深刻。由此可以看出,虢国夫人对自己赖以得宠的美貌是怎样的自信以及玄宗是怎样的荒淫和无耻。唐代著名宫廷画师张萱有两幅留传至今的作品,其一即为《虢国夫人游春图》。1995年,我国为此画发行了纪念邮票;1999年,又发行了5盎司彩银币,可见此画在绘画史上的地位。据说此画并非真迹,而是宋徽宗赵佶的摹本,即便如此,传到今天也已经弥足珍贵。画的内容正是虢国夫人一行七人游春的行列,把贵妇人们玩赏春光、悠然自得的神情,表现得很生动,杨家兄妹集团无聊而骄奢的生活跃然纸上。至于虢国夫人的芳容具体怎样,只能对着陈旧的画面估摸、想象了。

今天的房屋拆迁,如虢国夫人这般霸道的肯定还有,否则不至于把人逼上绝路。正如今年9月国务院《关于认真做好城镇房屋拆迁工作维护社会稳定的紧急通知》所指出,今年以来,由于一些单位拆迁补偿不到位、拆迁安置不落实,工作方法不当,造成因城镇房屋拆迁引起的纠纷和集体上访有增加趋势,甚至引发恶性事件,影响正常的生产生活秩序和社会稳定。因此,必须引起各级政府部门高度重视才行。拆迁问题,表面上看是一个城建纠纷问题,实际上它已牵涉到法律、政府职能、公众权利等多个方面的综合问题。

2003年10月31日

家仆·权仆

10月9日,河北省高级人民法院在唐山对河北省国税局原局长李真受贿、贪污一案公开宣判,依法裁定驳回李真上诉,维持一审的死刑判决。新华社记者根据对李真的深入采访,写下了《地狱门前:与李真刑前对话实录》一书,其中一些问答发人深思。比如,记者就李真对权力的认识发问:你追求权力未必想的是恪尽职守,造福于民? 李真答:我觉得持这种想法的不是我一人。有些干部对党的理想、信念也产生了动摇,台上讲慷慨正义之词,台下想升官发财之路,平时干脏脏龌龊的勾当。

由贪官本人来现身说法,对当代诸多官员两面嘴脸的揭示更见"力度"。从他的潜台词中,听得出他有些愤愤不平,因为他倒了,而许多他了解本相的官员仍然在台上冠冕堂皇,他不大服气。但凡有官员落马,我们立刻能见识其劣迹斑斑的过去,似乎可以印证这一点。暂时撇开不谈吧。包括李真在内,当道之时无不以公仆自居——李真还说他想当焦裕禄呢,但事实表明,他们这一类人从来都称不上公仆,换个名词更合适——权仆,对权力极端迷信或崇拜,沦为权力的仆从。这一点,倒不是官员或准官员才如此。

《谷山笔麈》记载,明朝嘉靖时的徐阶为大宗伯,他的同乡孙承恩"亦以大宗伯掌詹",两个人还是邻居。但徐阶那里"宾客甚盛,延接不暇",孙家这边则门庭冷落,因为孙承恩没那么张扬,"退食惟闭门深卧而已"。但孙承恩耐得住寂寞,他的仆人却不行。有一天,身着布袍的孙承恩"负暄读书"时,仆人们在一旁窃窃私语:"同为尚书,他家车马盈门,相公第中,鬼亦不至,我曹何望?"孙承恩听见了,并不介意,他对仆人们说:"任尔等他往,留我一人在此,叫鬼负去。"孙承恩的仆人就称得上是"双料仆人"——家仆、权仆。

《柳弧》里也有类似的记载。有位中堂大人的仆人有天忽然求去,中堂问是怎么回事。仆人说:"主人恩不敢忘,亦不敢讳,小人从此跟官去矣。"中堂是宰相级的人马,职别也并不低,在仆人眼里居然算不上官,那么他眼里的官该是什么样子呢?"出门坐四轿,有旗锣伞扇,并有鬼头刀数对,此则为官,非主人之寂寂可比。"中堂感叹地说,我当了几十年的官,"方自以为官也,而不知非官也"。于是笑而遣之。这些出自仆人的用权逻辑,实际上正是沦为权力仆从的官员极坏的示范作用所导致。

因此,清朝的丁柔克总结道,宦途之仆有两种,一跟主,一跟官。前者患难不去,富贵相随;后者达则随之,穷则去之。丁柔克把后者比之曰猪狗,但他的弟子不同意,说:"猪能供人食,狗能守夜也,不如比之蝇。蝇者赴膻,挥之不去,拂之又来,终日营营扰扰,毫无事事。

其辉煌而称能者,则曰金苍蝇,满腹皆粪,而外则金碧可观也。其无能者,则曰饭苍蝇,虽不如金蝇之逐臭,而亦无不可憎也。"这一番痛骂,仅仅骂的是寻常的家仆吗?

家仆之如何,多少与主人相关。《古夫于亭杂录》载,司马光家的老仆人原本叫司马光"君实秀才",平实而亲切,君实是司马光的字。但苏东坡说你不能这么叫,应该叫"端明"。宋仁宗时设端明殿学士,后人遂以"端明"为代称。在东坡看来,叫"君实秀才"太过"随便",体现不出司马光的身份。有人因此说东坡教坏了仆人。此外,洛阳有"春日放园"的习俗,"园子得茶汤钱,与主人平分"。但园丁吕直"纳钱十千",司马光却不要;"后十余日,吕直创一井亭",问吕直哪来的钱,原来就是那十千钱。王士禛根据这两件事看出司马光平时的修身、教家,进而推论:"近代权门豪仆,如严嵩之严年,张居正之尤七,视司马公仆,不啻然舜、跖徒之分哉!而其主人人品、相业,从可知矣。"

回到这位李真,担任"河北第一秘"时,与原省委书记程维高的关系一开始正带有某种"仆从"关系的色彩,只是当他调任领导职务之后,才逐渐转化成某种"共荣"关系。李真之沦为权仆,程维高脱逃不了干系。程维高们若有司马光的"家教",李真们未必敢狐假虎威到无法无天的地步。

2003年11月7日

须知痛痒切吾身

国土资源部原部长田凤山倒了。这是今年以来倒下的第四名正省部级官员。田凤山的问题出在哪,官方尚无正式消息披露,因而人们议论纷纷:一种说法是,与他在北京主政国土资源部期间国内出现违规用地问题有关;另一种流传更广的说法是,与他在黑龙江省期间,该省发生的绥化"马德案"、哈尔滨"国贸城案"等等有关。与此同时,一位县委书记最近遇难高尔夫球场,更成为人们议论的焦点。虽然官方已经有了明确结论:因公殉职,但是仍然有人锲而不舍,提出种种"疑点"。概因为此前也是官方媒体,报道了该书记性质截然对立的"两种死法",另一种是死于私人游玩。

我以为,这些议论都很正常;所以这样以为,在于想起了宋人真德秀的诗句:"既以脂膏供尔禄,须知痛痒切吾身。"既然是百姓的血汗钱养活了官员,那么,官员的一举一动,就关系到了百姓的切身利益,受益还是受损,关注之,议论之,顺理成章。这一点,在今天同样适用。

真德秀的诗见于罗大经的《鹤林玉露》。里面共辑录了两则,一则是王梅溪官泉州,把辖下的县令们找来吃饭,即席赋诗云:"九重天子爱民深,令尹宜怀恻隐心。今日黄堂一杯酒,使君端为庶民斟。"另一则就是真德秀官长沙,"宴十二邑宰于湘江亭",同样当场作了一首诗,曰:"从来官吏与斯民,本是同胞一体亲。既以脂膏供尔禄,须知痛痒切吾身。此邦素号唐朝古,我辈当如汉吏循。今日湘亭一杯酒,便烦散作十分春。"这两首诗,显然是作为上司的王梅溪和真德秀在给下属打"预防针"。但从中不难品味出,王梅溪的有点例行公事表个态的味道,这个场合该他说话,即使是场面上的话;而真德秀的,晓之以理,动之以情,掏的是自己的心里话。

《宋史》中有真德秀的传记,说他知潭州时,以"廉仁公勤"四字勉励僚属。最可贵的,他不只是说说而已,见之于行动。"民艰食,既极力赈瞻之,复立惠民仓五万石,使岁出粜。又易谷九万五千石,分十二社县置社仓,以遍及乡落"。用当时的一句话来概括,叫做"惠政毕举"。不仅在潭州如此,真德秀还做到了"宦游所至,惠政深洽,不愧其言"。因为太受百姓的欢迎,至于"时相益以此忌之,辄摈不用"。就是说,真德秀令那些只知道吸吮脂膏的官员无地自容,进而迁怒于他了。

一个不把百姓痛痒真正挂在心上的官员,显然是不可能做到这一点的。事实上,官员对百姓的痛痒记挂了多少,是实干还是做"政绩秀"；是偶尔那么一两回，还是长期不懈，一辈子如此，百姓的心里再清楚不过，所谓"天地之间有杆秤，老百姓是那定盘的星"。鸦片战争时，抗英名将陈化成镇守吴淞口，"三易寒暑，未尝解衣安寝"，有人馈赠酒肉，"必峻却之"，因此百姓有"官兵都吸民膏髓，陈公独饮吴淞水"之谣。

道理人人都明白，为什么实践起来就南辕北辙呢？《菽园杂记》载，陆容考中进士之后，父执徐梦章对他说，"仕路乃毒蛇聚会之地"，你不适合。这个说法很有一点偏激，但徐梦章有自己的切身体会："坐中非但不可谈论人长短得失，虽论文谈诗，亦须慎之。不然，恐谤议交作矣。"即是说，官场本身有太多的"潜规则"，十分在意帽上乌纱的人们，势必要分出有限的精力用来应付，也就没有心思、也没时间去关心百姓的痛痒了。纵观历史上为百姓津津乐道的官员，哪一个是对乌纱帽孜孜以求的？

据新近的一项统计，全国省部级干部有2000多人，其中在一线工作的1000多人，过去三年中，省部级干部平均每年落马16－17人左右，比例在1％－2％之间。这个数字和比例见之于高官，是非常惊人的。田凤山既然倒了，案情就终有一日会大白于天下。从小学教员、公社书记，官至省长、最终成为掌控25万亿国资的"大管家"，其人生角色转换之变幻莫测，耐人寻味。官是一步步当上来的，丑行也是一点点累积起来的，既无"脂膏"意识，也就不可能有"痛痒"意识。

2003年11月14日

古人诗句犯师兄

几年前——记不得具体是几年了，作家刘心武因将黄庭坚的名句"江湖夜雨十年灯"误作自己的"梦中所得"，被人讥讽得灰头土脸。有人甚至据此认为，中国何以难产优秀的大师，刘心武这一梦就是一个例证，因为它暴露了"中国作家的学问功力"。在当时，我对偶误的认识就没有讥讽者们的深刻,于史料中发现不少类似的记载之后,更认定问题并没那么严重。因此,翻出"旧账",毫无揪住刘先生不放的意思,相反,倒有为之开解的意味。

梦中得诗或得句,在古人是一件平常之事。宋人李慎言就梦到自己在宫殿里看"百妓抛背",同时有人在一旁唱诗,醒来时还记得三首,什么"侍宴黄昏未肯休,玉阶夜色月如流。朝来自觉承恩最,笑倩旁人认绣球",等等。刘祁在《归潜志》中说,他的祖宗三代甚至都曾梦中得句。爷爷的是:"山路堑有壁,松风清无尘。"父亲的是:"落月浸天地。"他自己的是:"玄猿哭处江天暮,白雁来时泽国秋。"刘祁显然对这些句子很得意,至于认为:"梦中作诗,或得句,多清迈出尘。"

赵令畤《侯鲭录》载,苏东坡小的时候,曾梦到自己被召入禁中。"一宫人引行,见风吹裙带在笏上",在后面看着的他,先来了诗兴:"百叠漪漪水皱,六铢缁缁云轻。植立含风广殿,微闻环珮摇声。"面对女人,东坡很有点不能自持,对自家灶下女仆,也能吟出"揭起裙儿,一阵油盐酱醋香",别说看到宫中丽人了。到了殿上,见到宋神宗正在那儿坐着,这皇帝老儿很无聊,"脱丝鞋,令坡铭之",考一考东坡能把他的臭鞋说成啥样。岂知东坡也是张嘴即来:"寒女之丝,铢积寸累。步武所临,云生雷起。"东坡的急才,深得神宗赞赏,但显然是赞赏后面那八个字。

而东坡的梦还不止于此。他说过他不能喝酒,喝一点就醉,醉了就睡觉,睡时则"鼻鼾如雷,旁舍为厌"。睡得香,梦也就多吧,有一次干脆梦到了南海海神广利王祝融请他去玩,"予被褐草履黄冠而去,亦不知身步在水中,但闻风雷声暴如触石,意知在深水处"。我们看《西游记》的时候都知道,孙悟空去东海龙宫寻金箍棒的时候,还要"使一个闭水法,捻着诀,分开水路",东坡的梦把这一切都简化了,照走就行。到那儿可真是开了眼界,"其下则有骊目夜光,文犀尺璧,南金文齐,眩目不可仰视,而琥珀、珊瑚,又不知多少也"。广利王和他本人,更是且欢且笑,"自知不在人世"。人家是慕东坡的诗名请他来的,自然要有诗助兴,东坡也乐于奉上:"天地虽虚廓,惟海为最大。

圣王时祀事,位尊河伯拜。祝融为异号,恍惚聚百怪。三气变流光,万里风雨快……"一气呵成,大拍了海神一通马屁。大家也说,写得好啊。独有一位鳖相公插话了:"苏轼不避忌讳,祝融字犯王讳。"看起来,人间的这一套在神间也完全适用。广利王听了,由喜转怒,想来东坡此梦要被惊出一身冷汗。

刘心武先生梦到黄庭坚的句子,黄庭坚也曾梦到李白的句子,不同的是,后者的"版权"是否属于李白,全凭黄氏一说。那是黄庭坚夜宿一家驿站,梦见李白告诉他说:"予往谪夜郎,于此闻杜鹃,作《竹枝词》三叠世传之不仔细,忆集中无有,三诵而使之传焉。"于是对黄庭坚口占:"一声望帝花片飞,万里明妃雪打围。马上胡儿那解听,琵琶应道不如归。"另两首此处从略。时人说,后来李白集中的这几首,正出自其"梦中语也",究竟是不是,我没有考证;但时人同时也认为,"(几首诗的)音响节奏似(李白)矣,而不能拼其真"。梦中得诗或得句,大抵都有这个问题,制造噱头,增添神秘的色彩以抬高自己的身价,似乎是人的本能。在这一点上,大家如东坡、山谷,亦不能免俗。

《鹤林玉露》载,唐有僧(另说为宋僧)诗云:"河分冈势断,春入烧痕青。"另一僧以诗嘲之:"河分冈势司空曙,春入烧痕刘长卿。不是师兄偷古句,古人诗句犯师兄。"意思是说,"河分冈势"和"春入烧痕",那是人家司空曙和刘长卿的句子,怎么就成了你的?司空与刘,也都是唐朝著名诗人啊。其实,对类似刘心武先生的无心之失,如此种善意的调侃也就足够了,用不着上纲上线。

2003 年 11 月 21 日

封杀

8 月 28 日的《人民日报》在江西省定南县遭到了全部扣压,如果不是事实确凿无疑,恐怕谁也不能料想。经过当地群众的舆论压力,两天后,报纸不得不送出去了,但从第5版到第8版仍然整个没了踪影。堂堂权威党报为何在定南遭此厄运?起因在于该报当日第5版以《如此拆房,为谁谋利》为题,公开披露了定南县有关部门违法行政,强拆城市私有房屋的情况。于是,当地的头头脑脑坐不住了,祭出了以为最奏效的招数——封杀,至少不让本地的百姓知道他们的丑行已经暴露。

批评某个地方的报纸在某地被封杀,在《人民日报》可能是头一遭,但在整个报刊领域却显然不是。印象之中,《南方周末》屡屡受到这样的"待遇",对这份市场化的报纸,行政命令不能奏效,但封杀者有另外的招术:恶意收购。全部买光,人们也就看不到了。封杀报纸既然不是头一回,也就不会是最后一次。个中是非曲直,不言自明,有趣的是,此种行为也堪称文化传统。

清朝钱泳的《履园丛话》载,石琢堂的家里设一纸库,名曰"孽海",凡是他所认为的"淫词艳曲、坏人心术与夫得罪名教之书",他都"悉纳其中烧之"。有一天他阅读南宋叶绍翁的《四朝闻见录》,见里面有对朱熹大不敬的文字——"痛抵文公逆母、欺君、窃权、树党及闺中秽事",石琢堂不看则已,看毕拍案大怒,继而"欲尽购此书,以付诸火"。然而那时琢堂尚未飞黄腾达,"苦无资也",也就是囊中羞涩,但夫人蒋氏"颇明大义,欣然出奁中金钏助之"。石琢堂于是把当地的书店都找遍了,一共买到347部,拿回家全部扔进"孽海",循例放上一把火。钱泳显然极其认同石琢堂的行为,说他焚书的当年即"登贤书"——中举,后来还"大魁天下"——中了状元,仿佛是得了好报。

石琢堂的看法并不是孤立的。《冷庐杂识》载陈云伯云:"宋小说往往污蔑贤者,如《四朝闻见录》之于朱子,《东轩笔录》之于欧阳公,比比皆是。"与《四朝闻见录》一样,魏泰的《东轩笔录》中华书局也出了标点本,但怎么污蔑欧阳修了,我还真没什么印象,倒是《四朝闻见录》对朱熹的"不敬"看到过两条。乙集里的"洛学"条,记载了朱熹的儿子朱在"趋媚时好",颓其家声。丁集里的"庆元党"条,则对准了朱熹本人，那是宋宁宗庆元三年（1197年）胡红奏章弹劾朱熹，说他"有大罪者六"，第一条是给母亲质量不好的米饭吃，"母不堪食，每以语人"，可怜得很，这是"逆母"。第二条说朝廷召他当官，他老是"偃蹇不行"，勉强来了，"则又不肯入部供职"，这是不敬于君。第三条举例说他"不忠于国"，这是"欺君"。这些是不是事实，不大清楚，但第五条为莫须有则肯定没错。朱熹有诗云"除是人间别有天"，被胡某人质问成："人间岂容别有天耶？"而且从中还看出，"其言意何止怨望而已？"后来的文字狱颇有此中遗风。

当代学者告诉我们，《四朝闻见录》是研究南宋史不可缺少的著作之一，《宋史·韩侂胄传》中的情节多取材于此。据该书前面的"点校说明"："《四朝闻见录》成书时，理学盛行，绍翁师承叶适，又与真德秀善，故其学一宗于朱熹。但是，书中所载有涉于朱氏者，绍翁却能无所隐讳。"也正是因为这一点，《四库提要》称赞叶绍翁"非攀缘门户者比"，"所论颇属持平"。清朝学者周中孚也说："足知其是非之公。"从这里我们知道，《四朝闻见录》之所谓污蔑朱熹，有相当的成分在于秉笔直书，不为尊者讳。但在钱泳、陈云伯们看来，叶绍翁不该如此。自孔夫子的"为尊者讳"出笼之后，这个建筑在谎言基础上的学说，几千年来就一直被奉为圭臬。为此，鲁迅先生曾专门写过一篇杂文，从中可知"圣人"的不够实事求是。

今天我们还可以读到《四朝闻见录》，显然石琢堂的愿望没有实现。但他的"封杀"终究还是个人行为，腰包都是自家掏的，影响有限，而且事情本身并不关乎石琢堂，他那是路见不平。定南县的做法则不然。对于报道披露的事实，当地有关部门本应引以为戒，认真检查、反思自己在工作中存在的问题，把批评当作动力，加以整改；可惜，他们却本能地选择了封杀。不要说这是一种愚蠢的做法，而且在信息传播高度发达的今天，有什么见不得人的事情能够封杀得了呢？

2003年11月28日

酬恩报怨

广东省委组织部最近作出十项规定,以期更好地树立以公道正派为主要特征的组工干部良好形象。其中的第七项规定是:"不准在工作中搀杂个人恩怨,封官许愿、任人惟亲或搞打击报复。"这个规定很有必要,大公无私、敢于直面问题,应当是组工干部的基本形象。

明朝的王翱说过这样一句话:"吏部岂报恩仇之地耶?"当年吏部的职能,正与今天的组织部大致相当。洪武十三年(1380年)胡惟庸案发后,明朝遂废除了丞相制度,一分为六,原来那摊子事分给了吏、户、礼、兵、刑、工六个部,其中的吏部负责铨选,掌管全国官吏的任免、考课、升降和调动。王翱这话,大约就是他在吏部当官的时候说的。这里面透露着两点信息:一个是当时他们单位酬恩报怨的现象很严重,另一个是他本人对此深恶痛绝。历史记载表明,王翱绝不只是面对丑陋现实发发牢骚、表示无可奈何而已,而是从我做起扭转风气。《玉堂丛语》说他"于权豪势要有所嘱,毅然拒之,辞色俱厉"。这是说他非常敢于碰硬,即使打招呼、递条子的是权要,也一点面子都不给。好多私底下喜欢拨弄小算盘的人因此都怕王翱,但知道他行得正,"而心不为怨"。

《明史》王翱本传中,记载他的不徇私情甚至到了自己女婿的头上。他的女婿贾杰在靠近京城的一个地方为官,王翱夫人常去探女。女婿很想调进京城,却总是不能如愿,有一天就在家里跟老婆发脾气,说:你爸爸就是管官员调动的,把我弄京城里去,"反手耳",这么容易的事,怎么就不肯帮忙呢?不说别的,你妈这么跑来跑去的,"何往来不惮烦也"。王翱的太太听到了,觉得有道理,回家吹枕边风。不料,"翱怒,推案,击夫人伤面",终于没有给女婿任何通融。

王翱那句话不是平白无故说出来的,广东省委组织部的规定也不会是空穴来风。在监督乏力的时代,总会有那么一些人,千方百计地要把手中的那点儿权力当作酬恩报怨的工具。换言之,这也是王翱所以那样说,组织部所以那样规定的逻辑前提。

这方面,历史上也不乏其人。宋朝有个叫王嗣宗的,司马光《涑水记闻》说他家"有恩仇簿,已报者则勾之"。看,有多恐怖。当王嗣宗把个人之间的恩恩怨怨记下来的时候,实际上就在等待着酬恩报怨的那一天。这样的人一旦当官当上去了,就相当危险。司马光的记载过于简略,但不妨碍我们从《宋史》中觅得王嗣宗的作为。他在当度之判官的时候,老婆病了,"夜抉本司署门取药"。他那个衙门是分管医药,还是他抓了药之后忘在办公室了,我们不大清楚,总之他为了拿药,把官署的大门给撬了。这件事"为直官宋镐所发,坐罢职",然而"顷之",王嗣宗又换了个地方继续当官。但这个宋镐,显然是要记上跟他有怨了。再有一事,他想整倒参政知事冯拯,乃交结宰相王旦的弟弟王旭,"使达意于旦以为助",说白了就是要借势压人。不料王旦"疾其丑行,因力庇拯",遂令"嗣宗大怒",那么恩仇簿的名单上一定也要添上王旦了。

王嗣宗和宋镐、王旦的怨最终了了没有,暂未读到相关记载,但他对种放的态度足见司马光言之不虚。"时种放得告归上,嗣宗逆于传舍,礼之甚厚",两人关系本来不错,但种放喝多了之后,"稍倨",架子一摆起来,王嗣宗就很不高兴,"以语讥放";种放也不高兴了,说了最不该说的话:"君以手搏得状元耳,何足道也!"这一下,戳中了王嗣宗的心头病。本来他那一科考得不错,和赵昌言难分伯仲,偏偏皇帝老儿寻开心,让二人对打,谁赢了谁是状元,结果王嗣宗击落了赵昌言的帽子。于是,本来应该名副其实的状元,成了人们时时嘲笑的把柄。王嗣宗听到种放又这样说,愧恨之余立刻上疏弹劾,说他"侵渔众民,凌暴孤寡";说他弟弟、侄子"据山林樵采,周回二百余里,夺编氓厚利",等等,总之"疏辞极于诟辱,至目放为魑魅"。好在宋真宗"方厚待放,令徙居嵩阳避之"。后来王嗣宗曾经说过,他此生共"去三害","徙种放"是为其一。

王翱、王嗣宗的行为形成鲜明对照。哪一个可取,当时已高下立判,无须历史作答。

2003年12月5日

醉乡别有一天地

12月9日,"亚洲飞人"柯受良猝死上海滩。关于他的死,有各种不同的"版本",但警方调查表明,柯受良在8日至9日活动繁忙并过量饮酒,法医也通过血液检验发现其中含有一定量的乙醇。这实际上是说,柯受良的死因跟饮酒有关。

过量饮酒,其中的"量",当然是相对于"飞人"个人而言的。一个人究竟能喝多少,没有划一的标准。《归田琐记》云一位陶姓官员,既能吃又能喝,"平生不知醉乡为何似";还有一位葛临溪,"不与之酒,从不自呼一杯。与之酒,虽盆盎无难色,长鲸一吸,涓滴不遗",纪晓岚还因此认为"酒有别肠"。《玉壶清话》云后周陶谷出使南唐,中了人家的美人计,本来架子挺大的他,面对李中主斟得满满的"玻璃巨钟"看都不看,但人家把女的请出来后,他傻眼了,"不敢不嚼,嚼罢复灌,几类漏卮,倒载吐茵,尚未许罢"。这种酒量,则是被逼出来的。

当然,单纯地能喝,舍此而别不足道,只能算是个酒囊,所以人们更津津乐道于李白"斗酒诗百篇"的那种本事。实际上有这种本事的诗人还真不少,比方王勃,凡欲作文,"先令磨墨数升,饮酒数杯,以被覆面而寝",醒来后"援笔而成,文不加点"。宋代的能喝又能写的,则首推陆游。其有诗句曰,"少年欺酒气吐虹,一笑未了千觞空","倾家酿酒三千石",当真豪气万丈。但一如李白、王勃,饮酒对于陆游也只是借助,因而他诗中更多的还是"倾家酿酒犹嫌少,入海求诗未厌深";"耳熟酒酣诗兴生";"遗醉纵横驰笔阵"等等。

酒量不胜则曰醉,不胜至极,身体原本再有一点别的毛病,可能就要酿成悲剧。喝醉过的人都知道,那是件很难受的事,但酒醉其实也有酒醉的妙处。清朝程拱宽作过一首《将进酒》:"君饮酒,我歌诗,劝君频举金屈卮。醉乡别有一天地,乐处不许凡人知。左手携刘伶,右手招阮籍。空囊无一钱,杯中之物不可缺。吏部醉卧酒瓮边,翰林自称酒中仙。古人旷达乃如此,肯与礼法之士相周旋?"是为该诗的节录,然已曲尽其妙,醉乡的乐处也不打自招——正是这最后一句。《明皇杂录》载,有一次唐玄宗找不到人起草诏书,大臣苏环乃自荐儿子苏颋,但苏颋特别喜欢喝酒,拉到皇帝面前时,醉醺醺地勉强"粗备拜舞",接着就"醉呕殿下"。玄宗"命中人扶卧于御前",还"亲为举衾以覆之"。"文学该博,冠于一时"的苏颋,的确不是虚名,醒来后"受简笔立成,才藻纵横"。不过苏颋如果不是喝醉了,敢在宫殿里呕吐,别说皇帝给盖被子,恐怕连命要搭进去。

玄宗如此宽待苏颋,恐怕也与他的一段经历有关。《唐语林》载,安史之乱中玄宗仓惶西逃的时候,给事中韦倜不知从哪弄来了一壶酒,然"跪献于马首数四,上不为之举",不肯接受。韦倜害怕了,以为玄宗担心里面下了毒,赶快"注以他器,自引一",先喝一杯,表明没事,然后再"满于上前"。玄宗说,你以为我怀疑你吗?不是的,"始吾继位之初,尝饮大醉,损一人,吾悼之,因以为戒。迨今四十余年,未尝甘酒味"。说罢指了指旁边的高力士等人,说他们都知道,并不是我骗你。显然,曾经大醉的玄宗知道酒后不能自已,苏颋也才免于怪罪,这也该是醉乡的别一天地了。

喝酒,自然离不了酒杯。李白诗中动辄"金樽",什么"金樽清酒斗十千,玉盘珍馐直万钱","人生得意需尽欢,莫使金樽空对月"。杜甫则没有那么讲究,他也有诗云:"莫笑田家老瓦盆,自从盛酒长儿孙。倾银注玉惊人眼,共醉终同卧竹根。"意思是说,以瓦盆盛酒与倾银壶而注玉杯,都是一个醉,没什么分别。宋人罗大经据此发挥道:"蹇驴布鞯,与金鞍骏马同一游也;松床莞席,与绣帷玉枕同一寝也。知此,则贫富贵贱,可以一视矣。"罗大经还讲了一个故事,说有一个人嫌自己的老婆长得不够漂亮,上司知道了,把他找来,"以银杯瓦碗各一,酌酒饮之",然后问他酒怎么样,那人说,好。上司就说:"杯有精粗,酒无分别,汝既知此,则无嫌于汝妻之陋矣!"那人一下子明白了道理,"遂安其室"。杜诗诗意的外延,真是令人回味无穷。

叶圣陶先生在小说《倪焕之》里写到,酒装在坛子里好好的,装进人肚子里就坏了。坏了,说的其实正是过量。如果喝酒没一点好处,今天也就不必弘扬酒文化了。

2003年12月19日

考绩

年终岁尾,机关单位又到了考绩时节。考绩,主要是考核一个人一年的工作成绩。古人同样有考绩,也叫考课、考功,按他们当时的标准考察官吏的功过善恶,分别等差,以为升降赏罚的参考。今天的考绩则大抵不论级别,但凡企事业工作人员,全员皆考,古代可能不是这样。比方宋人王溥编撰的《五代会要》记载,后唐的考绩范围就是在"诸司外文武官九品以上"。

今天的考绩主要是考德、能、勤、绩,然后评为优秀、合格、基本合格、不合格等等。古代呢?不同的时候有不同的等级标准。再举后唐为例,他们那时就分为九等,大的方面有"上中下",每一等级里面再套小的"上中下",因此考为最高等级的是"上上",最低等级的是"下下"。明朝又不同,洪武十一年(1378年)"令考绩殿最",则只分为上中下三等。看看他们等级标准的界定是件有意思的事。后唐的那种"上上"就不用说了,那是官中极品,行为无可挑剔;因此不妨关注其中的"下",看看他们的劣等官员是怎样一副嘴脸。"下上",乃"爱憎任情,处断乖理",这是说决策不是依照章程而是靠拍脑袋;"下中",乃"背公向私,职事废阙",这是说正事不干,把权力当成了谋取私利的手段;"下下",乃"居官谄诈,及贪浊有状",这是说不仅眼睛向上,花言巧语,而且简直就是贪官。这样看来,今天的劣等官员与1100年前的委实没有什么两样。

考绩的目的在于奖惩。瞿同祖先生的名著《清代地方政府》针对清朝考绩制度时指出:"政府希望以加级或晋升来鼓励或奖赏最有效能的官员。由于地方政府实际上寄托于一千个以上州县官之手,所以在朝廷看来,把好人补充到这些岗位并使其处于各级地方长官的监督之下,是保证行政效率的逻辑前提。"今天的考绩,过去连续两年得到"优秀"的,能够晋升一级工资,现在是奖励一个月的工资,一次过,不再跟随一辈子。古代则还直接决定官员的任免升迁。清朝因为政绩显著而被评为"卓异"的州县官,有资格谒见皇帝,通常也能被吏部加级,翎子上多点名堂,但各省都有名额的限制,比方广东给了8个名额,最多的直隶也只有13个名额,一如今日"优秀"的比例不可能太多。那些无能的或腐败的官员,则定为8种,"贪、酷"者,除依《大清律》受刑罚外,还要革职并永不叙用;"疲软无为、不谨"者,革职;"才力不及"者降二级;"浮躁"者降三级调用;"年老、有疾"者劝退。对多数既得不到举荐、也得不会被弹劾的属于"合格"这个档次的,也是考核四项:守(操守)、才(能力)、政(行政品质)和年(年龄),跟今天的其实差不了多少。

《今言》载朱元璋时对考绩奖赏的一则趣事。"称职无过为上,赐坐宴;有过称职中,宴而不坐;有过不职下,不预宴,叙立于门。宴者出,然后退。"就是说,工作称职也没出差错的,可以自由自在地海撮一顿;工作中出了差错但还算得上称职的,有饭吃,但要站着吃——这倒有点让人联想到鲁迅笔下的孔乙己,穿着长衫但站着喝酒;而那些一无是处的,只能干瞪眼,却不能走,要看着人家吃,眼馋了、流口水了,也得站在那儿,等人家吃完了才可以愿意干啥去干啥。还真别说,谁的官当得怎么样,用这种方式倒是一目了然。

考绩,看起来有一套严格的标准,但标准是死的,人——考绩者与被考绩者却是活的。况且一个人怎么样,未必就那么泾渭分明,标准套用起来也难免失于随意。《大唐新语》里有一则曰,唐高宗的时候卢承庆为吏部尚书,"校内外官考",有一个负责督运的官员,"遭风失米",卢承庆评之曰:"监运损粮,考中下。"那人面无表情,一声不吭要走,岂料卢承庆认为其人很有雅量,改评曰:"非力所及,考中中。"那人听了,"既无喜容,亦无愧词",这个卢承庆却好像中了邪一样,再改曰:"宠辱不惊,考中上。"一点调查研究没有,全凭主观意志行事。其实,那个人脸皮极厚,或者浑浑噩噩得不知发生了什么事情也说不定。

因此，无论是古代的还是今天的考绩，如果纯粹只是例行公事，或者是为了搞平衡，就不仅失去了考绩的本意，而且还会起到不好的示范作用。放开去看，凡事都是如此。

2003年12月26日

元旦

昨天是2004年元旦。元旦是一年之始，今天谁都知道是公历1月1日，但古代的元旦则是指农历的正月初一，就是春节，也叫元日。那时候并没有公历的概念。王安石留下了一首著名的《元日》诗："爆竹声中一岁除，春风送暖入屠苏。千门万户曈曈日，总把新桃换旧符。"放鞭炮、换桃符，全是过年的行为。

其实，不光"元旦"在历史上不同时期的特指不同，"春节"也是同样。汉朝时，人们就把二十四节气的第一个立春称"春节"；南北朝时，人们甚至把整个春季叫"春节"。既然同样是一年之始，不论古代还是今天的所指怎样，都不妨以"元旦"而笼统称之。

对一年的更替，不同的年龄段有不同的感受，明朝有人说得很形象："老子回头，不觉重添一岁；孩童拍手，喜得又遇新年。"年纪大的，感叹逝水流年，白驹过隙；年纪轻的，则兴致正高，以为生命无穷，应了辛弃疾的那句名言，"少年不识愁滋味"。今天我们过元旦，放三天假而已，没什么特别的仪式。清朝梁章钜在《浪迹续谈》里说，他们那个时候无论士农工商，"于每年元旦作字"，而且"必先用红笺庄书两语"，比如"元旦开笔，百事大吉"之类，求个意头吧。梁说他小的时候，父亲让他写的是"元旦开笔，读书进益"；大一点了，则让他写"元旦开笔，入泮第一"——那年梁也凑巧得了第一；到应举的时候，父亲又说，就写"元旦举笔"吧，一语双关；同样凑巧的是，那年梁果真又中了举人。梁章钜问过父亲这种风俗起于何时，父亲认为明朝已有，

《五灯会员》等书都有"岁朝把笔,万事皆吉"的记载。道光年间梁章钜以疾辞江苏巡抚,同僚都想劝他请请病假算了,何必连官都不要?但那年元旦他们来到梁家,看到梁的案头上有楷书"元旦开笔,归田大吉"的字样,知道他的去意已决,不劳大家多费口舌了。这也可见,梁章钜一直保持着元旦开笔、举笔或把笔的习惯。

《万历野获编》载,明朝当过首辅的申时行,罢相回家之后,每年元旦必作一首七律给同里同庚的朋友王伯谷;王伯谷"即和而答之",然后申时行把两首诗并排贴在墙上,"直至岁除不撤"。第二年又有新诗了,才把旧诗揭去。如此一来二去,坚持了21年,"岁岁皆然",两人怡然自得。王伯谷去世后两年,申时行也走了,人们都说,两个人到地下的唱和,一定不会比生前少,只是下面没墙,不知道他们的诗会往哪里贴。明朝还有个叫吴扩的也喜欢在元旦写诗,但他的诗不只是朋友间的往来,而是眼睛先盯着上面,比方严嵩主政时,他就写了《元旦怀介溪阁老》。他的一个朋友开玩笑说,你这是以新年第一天感怀当朝第一官啊,若是按级别排下来,"怀"到我们这里,就是到了除夕恐怕也没轮到。谐谑之中透露着一丝鄙夷的味道。

明末还有一位鄢县知县刘振之,曾经"书一小简,藏箧中,每岁元旦取视",看完了,"辄加纸封其上",家里人从不知道那条子上究竟写了些什么。等到刘振之被李自成的队伍破城,"乱刃交下"杀害,家人拆开封条,才发现原来写的是"不贪财,不好色,不畏死"。显然,刘振之是把这三句话当作了座右铭,每逢一年之始拿出来勉励自己,相当地郑重其事,那就肯定不是看看而已了。《明史》对他的记载过于简略,只突出城陷之时,"振之秉笏坐堂上。贼索印,不与,缚置雪中三日夜,骂不绝口"。即使这一简略的记载,也印证了刘振之确实是实践了"不畏死"的。

新的一年,伴随着新的希望,因而往往也使人们易于立下雄心壮志。唐朝杜秋娘有一首给丈夫的诗,其中写道:"劝君莫惜金缕衣,劝君须惜少年时。"作为一个小妾,杜秋娘之诗实际上流露着对丈夫行为的极端无奈。但笔者愿把这前两句曲其原意用之。光阴荏苒,没必要对名利之事看得太重,紧要的是珍惜时光。在一年之始,更应当细细咀嚼生命的含义。

2004年1月2日

山口百惠与杨贵妃

有报道说,日本著名女艺人山口百惠曾在2002年接受记者采访时称:"我是中国杨贵妃的后代。"不知怎地,这一件起码算不得新闻的事情,近来却突然成了媒体间的热门话题。有好事者经"调查发现",山口百惠不仅姓杨,而且是浙江三门的杨明州在日本山口一系的后裔。

堂堂山口百惠也是我们中国人的后裔,令一些有着强烈民族自豪感的人们兴奋不已,虽然这兴奋并无实质意义。如果证据充分,我当然不会反对此类事实,但"调查"的主要依据只是族谱记载,就要我不能不再次质疑了。所以说再次,是因为去年有过一篇质疑文字,那是广州有个记者仅仅依据族谱,就欣喜且武断地认定广东著名画家苏氏姐妹乃宋代苏轼的后裔。

理论上看,编纂族谱历来都被强调要"质直而可信",但实际上远远做不到这一点。叶盛《水东日记》载,明朝有胡、杨两人,一时文誉无两,但胡氏"颇厌为人序谱,以其多牵和不实",杨氏则乐此不疲,"平生所叙谱几五十余家"。叶盛说,胡氏之严近于义,杨氏之厚近于仁。那意思很明白,胡氏对事实负责,有一分则说一分;而杨氏则心太软,磨不过人家恳求。叶盛还说:"士大夫皆惇本务体,此亦可为世道之幸,而彼自薄者,则又在所不足议矣。"这意思也很明白,对于序谱中有交易在内的那一类,叶盛是耻于一谈的。

正因为族谱的谬误百出,因而对其利用,首要的工作就是甄别,不能里面说什么就是什么。

前人曾痛诉清代谱牒,"生平无所树立而惟工于系援豪强"者有之,"慕势趋利、遂至舍本支而附于他族"者有之,"他族有富贵赫奕者,不问其行辈、不计年齿,而父事之、兄事之,且以夸耀于众"而恬不知耻者有之。上世纪90年代初笔者在广东一个山区县调查的时候,翻阅了若干族谱,发现当地的几个大姓,身世个个都了不得。比如凡是杨姓,祖先都是东汉那位"天知地知你知我知"的"四知先生"杨震;凡是谢姓,祖先都是东晋那位在"淝水之战"中指挥淡定的谢安。如果单纯地循此逻辑,洋洋五千年中华文明,哪个姓氏找不出几个辉煌耀眼的祖先?况且,姓氏发源之初,本来就没有几个,认祖归宗起来,哪个姓七转八转,姬啊姜啊的,都可以跟周文王周武王套上近乎。

现在,并无名气的杨明州,因为有名的山口百惠而要"扬名"了。但山口百惠是不是这么说过,还待存疑,因为我们受过许多类似的骗。有外国人说在太空上能看到长城,这个近乎无聊的问题,因为咱们的人终于上去了,才终于停止了喧嚣。有人也曾信誓旦旦地说,1988年时,75位诺贝尔奖获得者在巴黎会议结束时有个宣言,声称人类要在21世纪生存下去,必须回头2500年去吸取孔子的智慧,儒家思想将是21世纪的指导思想;还有人说,走进美国西点军校,人们首先发现校园内一尊中国士兵雷锋的半身塑像。对前者,新华社驻法国记者马为民先生后来以与会记者的身份证明,巴黎会议上"根本没有提到孔子",所谓孔子是人类下个世纪的精神导师,"纯属凭空演义"。方舟子先生则求证过西点军校公共关系办公室,人家答复:"在本军事学院,没有雷锋的塑像或画像。"方先生说,那是十几年前不知哪个无耻中国记者炮制出来的假新闻。

其实,即使山口百惠真的这样说过,也与我们的民族自豪感没什么关联。韩国前总统卢泰愚,一直认为自己是山东卢姓的后裔,后来到我国访问的时候,还专门到胶东半岛去寻过根。再往远看,秦始皇时的徐福率童男女泛海求仙到了日本,在中国不过是一种神话传说,而日本却修了徐福墓、徐福祠,若有其事。据汪向荣先生的考证,以讹传讹,把徐福的传说与日本相结合,是北宋才开始的,而且首先出现于欧阳修他们的诗词文章中,并不是正式的典籍。(《学林漫录》四集,1997)那么,如果祖籍问题与民族自豪感有关联的话,卢泰愚,还有整个日本人,岂不成了贱皮子?

2004年1月9日

言清行浊

要过年了,预防领导干部"节日病"又成人们关注的焦点。各种严厉的或语重心长的"不准"、"远离",早已经"N令M申"了,无论哪里总结起拒收"红包"的"战果",也都辉煌得很,但是其实谁的心里都非常清楚,这个问题要想得到根本解决,没那么容易。否则,断不至于如一篇总结报道为了显示整治力度所不经意间透露的:随着时间的推移,当地"红包"的交易越来越频繁、数额越来越大。

《三垣笔记》载崇祯时的傅振铎这样说过:"凡招权纳贿,言清而行浊者,虽日讲门户,日附声气,而亦真小人也。凡不招权,不纳贿,品高而名闇者,虽门户无讲,声气无附,而亦真君子也。"言清行浊,古人概括得真是精辟至极。应当说,对一个痼疾的认识和治理措施,每到一定时候就要重申,就要强调,周而复始,不厌其烦,实际上是没有收到应有成效的折射,所以如此,正在于有许多言清行浊之辈。世间总是有那么一种人,让他在台上唱高调子,无论唱什么调子,他都能唱得非常动听,但私底下的行动却龌龊不堪。前几年,媒体以"两面人"呼之,其实远不如傅振铎骂的"真小人"切中肯綮。小人,本身已是人格卑鄙的人,再加上一个"真"字,憎恶到了骨子里。从傅振铎那里再上溯差不多两千年,《史记·孙子吴起列传》亦云:"能行之者未必能言,能言之者未必能行。"较之傅振铎的话,实有异曲同工之处,不过后者略显客气而已。但这句客气话,却从侧面向我们告知了此类人等的"起源"时间,说明他们的传统也是"渊远流长"的。

一些官员言清行浊,是一种客观事实;但对多数未必称得上是"真小人"的官员,为什么也在许多不准的事情上——比如收"红包"

不能罢手呢？怎么就不把禁令当回事呢？苏辙《龙川略志》记载了其与王安石的一段对谈，很有意思，不妨作一参照。

那是王安石问起私盐泛滥、屡禁不止的状况，苏辙的态度比较悲观，他说人们普遍认为杜绝私盐要三管齐下，"其一，立盐纲赏格，使官盐少伴和，则私盐难行；其二，减官价，使私贩少利；其三，增沿江巡检，使私贩知所畏。"但是呢？他个人不这么看，"利之所在，欲绝私贩，恐理难也"，利益的诱惑实在太大，没有私贩是不可能的。但王安石不同意他的观点，以为"但法不峻耳"，严一点就不一样了。苏辙说，贩私盐最高可以判处死刑，你还要刑罚怎么严厉？"而终不可止，将何法以加之。"安石举例说，如果一个村子里有一百户人家贩卖私盐，而只抓获了一两户，别的人家肯定会说，真是笨蛋，干这个还能给抓住？所以他们还会继续干。如果抓获了五家，别的人家就该有点害怕了；如果抓获了十家，"则其余必戢矣"，就该有所收敛了；如果抓获了二三十家，"则不敢贩矣"，为什么呢？"人知必败，何故不止？"贩私盐了，就要完蛋，铁定如此，也就没人干了；相反，如果私盐贩子漏网的太多，大家都知道这么干没什么大不了的，根本上的制止也就无从谈起。那么，王安石的"法不峻"，实际上说的是法之不"均"，犯了同样的事情，多数人能逃脱惩罚，法律就起不到恐吓的作用。

二人关于私盐禁而不止的这番议论，完全可以移之于当下的"节日病"。"红包"上缴了多少，尽管和哪一年的比较下降了一个多了不起的数字，但因为这数字与客观存在的、无人能得其详的数字并不构成真实的对比，所以也就毫无意义。或许，正如王安石判断的那样，只是一两户"人家"而不是二三十户"人家"被擒获，别的"人家"的认识，还没有到"知其必败"的地步。

在《龙川略志》的另外一条里，苏辙还说过："非知之难，蹈之实难。"道理不用讲，谁都清楚，难的是付诸实践，或者这正是"真小人"与"真君子"之所以产生的逻辑前提。那么是不是可以这样认为，禁令、不准，只对"真君子"能起到作用，而对"真小人"，惟有打击之一途。

2004年1月16日

之乎者也

　　香港凤凰卫视前不久播出了大型访谈节目《说不尽毛泽东》。所邀请的人士尽皆当年毛泽东的身边人员，卫士、保健医生、秘书等等，甚至有红极一时的"迟群和小谢"中的小谢——谢静宜。只是岁月沧桑，小谢已成了老谢。他们讲的那些生活中的细节，不乏逸闻趣事。比方保健医生王鹤滨老先生讲到，毛岸英刚从苏联回国的时候，满口俄文，延安的秀才们要为他补习母语。因为是从古代典籍补起，把岸英弄误会了，以为寻常说话也是如此腔调，于是满口之乎者也。人们每每忍不住笑，岸英则曰："我又说错了乎？"

　　之乎者也，已是古人专利。其实那也是古代的书面语，古人日常说话并不是这般文绉绉。古人怎么说话？不少古籍里也有原汁原味的实录。举明朝叶盛的《水东日记》为例。洪武十三年（1380年），朱元璋循历代之例册封孔子第 55 代孙孔克坚为衍圣公，在大殿上当着文武群臣是这样说的："我看您是个有福快活的人，不委付您勾当，您常常写书与您的孩儿，我看他资质也温厚，是成家的人。您祖宗留下三纲五常垂宪万世的好法度，您家里不读书是不守您祖宗法度，如何中用？您老也常写书教训者，休怠惰了。于我朝代里，您家里再出一个好人呵不好？"里面虽然也蹦出了个"者"字，但通篇来看，跟咱们今天说话大体差不到哪里去。

　　之乎者也这一类词，文言文里叫做虚字，本身没有字意，表示语法关系。有人研究，书面语里大量出现之乎者也，是春秋后期的事，并称之为我国散文史上的第一次也是最重要的一次大变革。这种含有大量虚字的书面语，在当时被称为"雅言"，有一点像今天的"普通话"，用雅言写的文章后来统称为"文言文"。宋太祖很瞧不起虚字。《邵氏闻见录》载，有一天他在京城视察，指着"明德之门"的门额问赵普，"安用之字？"赵普说，语助。太祖大笑曰："之乎者也，助得甚事。"在《湘山野录》里，宋太祖去的则是朱雀门，说："何不只书'朱雀门'，须著'之'字安用?"

"之乎者也矣焉哉,七字摆开好秀才。"古人作文,必在运用虚字上很下功夫,虚字用得好,也的确能见出功夫。《归田琐记》云清朝时扬州有家酒馆名叫"者者馆",叠用两个者字,大学者王士禛不解其意。主人告诉他:"取(《论语》)近者悦,远者来之意。"扬州还有个"兜兜巷",住在这里的妇人多以做肚兜为业,就是今天的专业一条街吧。有人据这两个古怪的店名和街名还填过一首《寄江南》:"扬州好,年少记春游。醉客幽居名者者,误人小巷入兜兜,曾是十年留。"虚字也可以入诗。杜甫有"古人称逝矣,吾道卜终焉",还有"去矣英雄事,荒哉割据心";黄庭坚则有"且然聊尔耳,得也自知之"。宋人罗大经说:"诗用助语,字贵妥帖。"他非常推崇前辈一位乡贤的"并舍者谁清可喜,各家之竹翠相交"。但上面提到的大学者王士禛对此不以为然,认为自明朝天启之后,竟陵派文人仿效前人,多用"焉哉乎也"等虚字成句,"往往令人喷饭"。为什么?没有细说。

在之乎者也问题上最令人喷饭的,当推钱易《南部新书》里一位达官的东施效颦。有一天,他路过"汉太子太傅萧望之墓",对碑铭感到很不能理解,说直接写"萧望墓"不就行了,"何必加'之'字?"显然,他不知道"萧望之"是人名,人家并不叫"萧望"。萧望之并非无名之辈,墓碑上点出来了,他当过皇帝的老师。班固《汉书》作结曰:"萧望之历位将相,籍师傅之恩,可谓亲昵亡间。及至谋泄隙开,谗邪构之,卒为便嬖宦竖所图,哀哉!(不然),望之堂堂,折而不挠,身为儒宗,有辅佐之能,近古社稷臣也。"这个胸中只有半桶水的达官,想学人评点周遭,不料自己却露了怯。

前些天看到一则消息,说《清史》的编纂已经启动,将采用文言撰写。就是说,21世纪编的《清史》仍然之乎者也。对这消息,我是先惊后疑。先惊于此举的漠视时代,再疑于对参与编纂的多数人来说,是否真的有驾驭之乎者也的本事。

2004年1月20日

影射

崔永元炮轰电影《手机》及其主创人员,是时下的一个热门话题。崔兄怒起,是认为本片影射了他。其实在他还没有站出来的时候,我们很多人就已经不约而同地想到了。中国有多少谈话类节目,或者说有多少如崔永元主持得如此著名的谈话类节目呢?在我们的文化传统里,倘说电影根本没那个意思,而是观众把事情想歪了,那可真是把别人都当成傻瓜了。

影射,是国人一向惯用的手段。《清稗类钞》载,明朝奸党赵文华的后人有一次到邻村看戏,演的是《鸣凤记》,到"文华拜严嵩为义父时",因为"描摹龌龊形状,淋漓尽致",这人大为不满,第二天竟"执全班子弟,送县请究"。类似的经验一多,由不得后人不鉴前车,玩一点你说我在说你,明明我在说他的把戏。休说戏剧,正史之中不是也有许多"曲笔"吗?所谓"回护"更成了中国历史的一大特色。《榆巢杂识》载,康熙初,禁戏剧"装(扮)孔子及诸贤";雍正五年,"禁演关帝"。种种不准,都是怕人们借机影射圣贤,亵渎了他们的形象吧。

清朝王应奎《柳南续笔》载有一条借用戏剧来影射的故事,说有一次张南垣和吴梅村一起喝酒,台上在演《烂柯山传奇》。张南垣"善叠石,为人滑稽多智,出语便堪抚掌";吴梅村乃前明国子祭酒,"迫入本朝,以原官起用"。《烂柯山传奇》讲的是汉朝那个"马前泼水"的朱买臣。买臣贫时,樵于烂柯山,其妻厌薄之,求去;后买臣贵显,故妻嫁夫微贱,买臣迎入官舍,旋自缢而死。千百年来,人们对买臣之妻是鄙视的,认为她是不能与夫君共患难的典型代表。其实,如果读一下《汉书·朱买臣传》,或许可以多一层理解。买臣"家贫,好读书,不治产业,常艾薪樵,卖以给食,担束薪,行且诵书。其妻……数止买臣毋歌呕道中。买臣愈益疾歌"。正是在这种情况下,"妻羞之,求去"。类似一个疯子的举止,哪里能让做妻子的看到什么希望呢?朱妻受到后世诟病,不过是因为朱买臣碰巧当官了、发达了而已。清顺治十年(1653年),被吴晗先生称为"爱国的历史家"的谈迁,为了完成他的著作《国榷》,从家乡浙江海宁出发到北京去查资料,路过嘉兴时看到了人们给朱买臣妻立的"羞墓"。隔了那么多年,我们有理由怀疑这是个假古董,不过是留待文人士大夫嘲讽的一个道具罢了。

话扯得有一点远,还是来说《烂柯山传奇》。剧中有个角色张木匠,唱戏的因为张南垣在座,而张的出身又恰恰是木匠,怕触犯忌讳,便改称张石匠。吴梅村听到后,便用扇子敲敲茶几,赞道:"有窍!"这一夸惹得全场哄堂大笑,因为人们都听得出吴的弦外之音。张南垣则默不作声。后来戏演到朱买臣的妻子认夫,买臣唱:"切莫提到朱字!"张南垣也用扇子敲敲茶几道:"无窍!"这一回,轮到满座为之惊讶,而梅村"不以为忤"。这里的"有窍"和"无窍",是吴中方言,略似表示赞赏和否定;吴梅村张南垣都是吴人,所以用方言互相讥刺。吴梅村不忠于明,等同不忠于姓朱的,这点前科大家都清楚。那么,张南垣表面上是在骂伶人,连这个都不知避讳,实际上正是在影射吴梅村的"变节"。

钱泳《履园丛话》里对此事也有记载,不过略有不同。说的是吴梅村有意点《烂柯山》玩一玩,"盖此一出中有张石匠,欲以相戏(张南垣)耳!"而唱戏的人认识张,所以"每唱至张石匠辄讳张为李"——不是改身份而是改姓氏;等到张南垣拍案大呼曰"此伶太无窍"的时候,吴梅村并非"不以为忤",而是"为之逃席"——还是感到了羞愧。两者相较,后者更真实可信。吴梅村是个很诙谐的人。太仓东门有个姓王的靠皮工起家至巨富,新盖了房子请他题额,他挥笔写出"阑玻楼"三个大字。大家都不明白是什么意思,"以为必有出典";请教他,他说:"此无他意,不过道其实,东门王皮匠耳。"如此幽默的吴梅村不是碰巧而是有意调侃张南垣,是很有可能的,只是搬起石头砸了自己的脚,恐怕为他始料不及。

在任何时候,善意的调侃都不是什么大不了的事。而《手机》的过火之处,我以为是把一个号称是在从事"有一说一"也就是"实话实说"的人,刻画成实际上是一个不仅口头上满嘴谎言、而且行为上龌龌不堪的人。这就突破了调侃的底线。崔永元不能容忍,设身处地地想一想,换了你,能容忍吗?

2004年2月20日

杀情妇

2月17日,安徽省萧县交通局原局长李志强雇凶杀人案在宿州市中级人民法院开庭审理,市检察院以故意杀人罪和巨额财产来源不明罪对其进行了指控。李志强雇人杀害的,是他的情妇。事情的起因很简单:李志强与情妇李某十多年前即有不正当关系,并生有一女;但在当上交通局长后欲断绝与李某的关系,而李某不同意。李志强即安排下属凡某于2003年5月15日晚将其杀害,并伪造了交通事故现场,造成偶然的假象。在调查李志强雇凶杀人案件过程中,还发现其有巨额财产来源不明。

包养情妇,在近年来落网的腐败分子中已经愈发算不得新闻。2月12号被执行死刑的安徽省原副省长王怀忠,似乎暂时是个例外,因为他不像成克杰倒台时揪出个李平,胡长清的那个尽管没公开姓名,但他在广州情妇处落网却是不错。不过,尽管王怀忠口口声声称自己是"三无"干部——没有经济犯罪、没有买官卖官、没有腐败堕落,但其案件的第二公诉人孙屹峰作客央视"新闻会客厅"时谈到,王的大部分受贿所得应当说都花在女人身上。王怀忠和哪些女人有牵连,尚需时日大白吧。

在"不准"的时代趋之若鹜,乐此不疲,在"准"且习以为常的时代,就更会少不了了。《宋史·萧贯传》里记载一个叫孙齐的抚州参军,是"以明法得官"的,也就是说还是个对律条无师自通的人物呢。刚一当上官,有了资本,即"以其妻杜氏留里中,而殆娶周氏入蜀",先弄个新老婆再说。等到周氏察觉自己其实只是个二奶,咽不下这口气,"欲诉于官",孙齐害怕了,"断发誓出杜氏",休了家里的,把周氏扶正。这里似乎透露了一个信息,即使在"准"的时代,"准"的程度也是有底线的。可惜孙齐的决心并没有维持多久,到抚州的任命下来之后,他把周氏也扔一边了,转而"纳倡陈氏",又找了个三奶,并且"挈周氏所生子之抚州"。不料周氏是个不依不饶的人,没到一个月,追到抚州来了。官当大了,胆子也就壮了。这一回,孙齐不再有什么许诺,而是揪住周氏,恶狠狠地威胁她说:"若慵婢也,敢尔耶!"说完还杀了他和周氏生的儿子,这样看来,只要不坏了前程,孙齐什么事都可以干得出来。这件事所以载在《萧贯传》里,概因为这样一个道德败坏兼且命案在身的官员,在抚州本土,法律并没有拿他怎么样,也没有官员想到要拿他怎么样,"周诉于州及转运使,皆不受";倒是"临事敢为,不苟合于时"的饶州知州萧贯,收拾了孙齐。抚州与饶州并无隶属关系,"而贯特为治之",如何之特,我们不大清楚,但不难想见,处理这样一件事实如此清楚却又百般受到庇护的人物,正常的司法程序肯定已是行不通的。

比较地看,孙齐还只是杀了二奶和他生的孩子,同朝的另一位杨孜为了不误前程,则干脆除掉了情妇本人。张师正的笔记《倦游杂录》里清楚地记载了此事。杨孜当年进京应举之时,"与一倡妇往还,情甚密"。那时的杨孜显然是个穷光蛋,因为全赖"倡尽所有以资之"。两人相处了一年多,等到杨孜登了第,前程"锦绣"起来了,就不是原来的那个杨孜了——从这个角度看,李局长真仿佛就是杨学士的翻版。他先是骗情妇,要娶她做老婆,一同回老家襄阳;快到家的时候,他对情妇说,其实我早就成家了,没敢告诉你,那婆娘泼得很,你作为小老婆怎么受得了,又叫我怎么看得过眼呢?明天就要到家了,我想了几天,干脆咱俩服毒自杀吧。情妇很感动:"君能为我死,我亦何惜?"两人随即摆开了酒菜,"杨素具毒药于囊,遂取而和酒"——就是说,他这主意根本不是临时想出来的,从张榜公布的那一天起,可能已有下手的打算了。因此,当情妇傻乎乎地"一举而尽"之后,他把杯子端到一半又有话说了:如果咱俩一起死了,"家人须来藏我之尸",可你的谁管呢?"必投诸沟壑,以饲鸥鸦",不如等我埋了

235

你再死吧,"亦未晚"。到这个时候,情妇才醒悟自己上当了,大呼曰:"尔诳诱我至此,而诡谋杀我。"杨孜呢?把情妇"燔埋而归",一身轻松地开始他的新人生了。杨孜后来"终于祠曹员外郎、集贤校理",可见这件人命案一直没有暴露,或者说暴露了,但他的"保护伞"保护了他,倘若只是发生在他两人之间,那张师正又是怎么知道的呢?

《中国共产党纪律处分条例》已于日前颁布,包养情妇(夫)列入了惩处范围,将给予开除党籍处分。据有关专家说,目前我国法律对于包养情人暂时还无法制裁,条例的规定填补了社会道德和法律尚未涉足的真空地带。

2004年2月27日

外号

2月2日出版的《三联生活周刊》总274期,有一篇《朱胜文的灰色档案》。随着去年12月29日朱胜文从三楼向下的纵身一跃,了却了自己的余生,意味着这位哈尔滨市前副市长就此成了历史人物。关于朱胜文的文字我们都读了许多,这一篇告诉我们一点新信息:朱胜文其貌不扬,当地人称其为"车轴汉子",也就是人长得矮胖。

外号,是根据一个人的特征,在本名以外另起的名号。绰号、诨名都是外号的品种。宋朝大约有给人起外号的习惯。比方《水浒传》留给我们的一个深刻印象,就是一百单八将个个都有绰号,豹子头林冲、小李广花荣什么的,或根据其人的形体特征,或根据其人的技艺所能,名不副实的或者吹牛皮的当然也不乏见。不仅如此,在忠义堂石碣上没留下姓名的,也不例外地都有绰号,比如晁盖叫"托塔天王",王伦叫"白衣秀士",鲁提辖三拳打死的郑屠,也叫做"镇关西"呢。不要小看这些绰号,里面还潜藏着不少学问。比如病关索杨雄中的"关索",从清代起就开始吸引许多学者考证。宋朝很多人都以关索为名,袁关索、贾关索、张关索等,然而关索是什么人?《水浒》里只交代了他"一身好武艺",脸无病征,没有多说;关索的痕迹那么多,而其事迹却没有得到流传,这正是引起后人极大兴趣的缘由。我在此间推荐周绍良先生的《关索考》(《学林漫录》二集),文章从各种流传至今的文字中钩陈耙梳出关索乃关羽之子,直说到西南黔滇地理中为数不少的"关索岭"、"关索城"等地名。一个阅读中很容易被忽略的外号,连带出那么多的学问,让人认识问题的视野很受启发,很值得一读。

杨雄一身好武艺,"面貌微黄",所以人们称他"病关索",这类外号可以说形神合一,类似美髯公朱仝、丑郡马宣赞、鬼脸儿杜兴,或者说没羽箭张清、双枪将董平等,则是偏重了某一方面。《水浒传》是文学作品,创作的成分居多,但实际生活中其实也是如此。

《朝野佥载》载,武周时的张元一"腹粗而脚短,项缩而眼跌",时人就叫他"逆流蛤蟆"。《柳弧》载,清朝时四川有位姓李的小吏,"其腮歪甚",大家就都叫他"你(李)来打"——四川方言里你、李同音。这就是利用人的身体缺陷来强取外号,以行取笑之能事;更多的还是针对人的作为。杨震暮夜却金,告诫行贿者"天知地知子知我知",所以人们称之为"四知先生";王珪碌碌无为,只会取旨、领旨、传旨,所以人们称之为"三旨相公"。包拯、海瑞、况钟,为官清正,严惩贪官污吏,为民做主行事,百姓有口皆碑,乃有包青天、海青天、况青天之谓,用以褒扬他们的功德。这些著名的人物之外,见之于大大小小的官员的外号,可以说数不胜数。就以好起外号的宋朝为例,刘随为成都通判,"严明通达",人们叫他"水晶灯笼"。(《东斋记事》)蔡元庆对人总是笑脸,"溢于颜面,虽见所甚憎者,亦亲厚无间,人莫能测",所以人们叫他"笑面夜叉"。(《老学庵笔记》)陈希闵虽"以非才任官",但水平跟不上要求,让他写点什么,"秉笔支颐,半日不下",所以人们叫他"高手笔"(《南部新书》)。

比较地看,用外貌来嘲弄人,尽管很传神,但是失于理智,且极为粗鄙。正如一个人不能决定自己的出身,可以选择自己的道路一样;一个人也不能决定自己的形貌,但是能够决定自己的行为。因此,对朱胜文的"车轴汉子",我感到如鲠在喉。我并不怀疑它的存在和形象性,但是我想,如果朱胜文没有倒台的话,这个外号尽管人人皆知,恐怕无论如何媒体都是要避之惟恐不及的。现在这样说,有意思吗?这一句,无非是说朱胜文并非仪表堂堂而已,但仪表堂堂与骂名千载并无半点联系,谁不知道大汉奸汪精卫就是个美男子?所以,尽管是对贪官,也没必要利用针对形体的外号来加重贬损的成分。如果一定对他们的外号感兴趣,不如多说说王怀忠的"王三亿"、姚晓红的"三盲院长"、张二江的"五毒书记"那一类,那才是他们造孽之时或之后为自己挣得的盖棺定论!

2004 年 3 月 5 日

秦桧墓·疑冢·闹剧

不久前,南京西郊江宁镇沿江开发区工地上发现一南宋古墓。南京是"六朝古都",发现哪个朝代的墓葬按道理都不足为奇,但这个墓不然,因为刚一露面,即有专家说它"可能是千古第一大奸臣秦桧的坟墓"。随着主墓室的打开,陪葬品空空如也,于是,"不少南京的历史学家"转而"倾向于认为这是秦桧当年为掩人耳目制造的假墓之一"。但当一缕漆黑的长发出现在棺内,墓主最终确定为女性时,接下来的报道则是:"南京疑似秦桧墓闹剧调查。"

言之凿凿的事情,疏忽之间成了无稽之谈,这两年有见怪不怪的趋势。这座平常的古墓被炒得这样热闹,据下结论的教授说是记者"瞎写",他"被人当枪耍了",根子在于当地新闻业的恶性竞争。是非曲直,我们局外人弄不清楚,根据那些前提尚真假不明的报道,想要分析都无从着手。但对秦桧墓及其所谓疑冢,还是有几句话可说。

设立疑冢,是要使人真伪难辨。位于小谷围岛的广州大学城正在兴建之中,当地人把一座土丘呼为刘皇(王)冢,认为是南汉皇帝的坟墓。去年,广州考古所对该冢进行了发掘,出土了一批五代瓷器,并没有什么重大的发现。该墓曾被盗,是一个不争的事实,但这个冢,也很可能就是个疑冢而已。《双槐岁钞》载:"南汉刘隐僭据广州,传四世,皆昏虐。多立疑冢,以虞发掘。"这是说,南汉的几个皇帝都太坏,知道自己死后人家可能要掘坟扬骨,于是造了很多假坟。循此来推理,广州的周遭,称作刘皇冢的土丘还不会是只此一地。

以疑冢闻名的,该是曹孟德了。据说曹操在临漳一带曾大布疑冢,达72个之多。在"燕山有石无人勒,却向都梁记姓名"的宋朝,"北人岁增封之",以示尊崇。因此,范石湖过漳河时曾有诗曰:"一棺何用冢如林,谁复如公负此心。岁岁蕃酋为封土,世间随事有知音。"对曹操很是一番讥讽,认为他与辽金那些蛮夷都是一丘之貉。宋朝的另一位愈应符,说得更直截了当:"生前欺天绝汉统,死后欺人设疑冢。人生用智死即休,何有余机到丘垄。人言疑冢我不疑,我有一法君未知:直须尽发疑冢七十二,必有一冢藏君尸!"此诗被后人称为"诗之斧钺",痛快淋漓。历史上对曹操素存偏见,这样恨他一点也不奇怪。给曹操翻案似乎只是上个世纪50年代才开始的事,把他的"白脸"涂成了"红脸",由"遗臭万年"一跃而成为"实干家"、"大军事家"、"杰出的诗人"。举之上天,按之入地,这种对人物评价的大起大落先不去计较,对曹操疑冢的存在,我是有一点怀疑的。《三国志》载,曹操遗令曰:"天下尚未安定,(葬礼)未得遵古也。葬毕,皆除服。其将兵屯戍者,皆不得离屯部。有司各率乃职。敛以时服,无藏金玉宝藏。"看得出,曹操连自己的丧事都要求从俭,根本没有立疑冢的那个意思。那么,是他私底下悄悄地另外吩咐过一番?

同样,对秦桧的疑冢我也有怀疑态度。秦桧将死的时候,就已经不再是他能呼风唤雨的时代。他委托曹泳写个东西,让儿子秦熺接他的班。然而他死的第二天,曹泳就被罢了官,"安置新州"。高宗与他,早已经貌合神离,百计欲削之。这种情况下,即便秦桧本人想立疑冢,谁给他立呢?

"未归三尺土,难保百年身。已归三尺土,难保百年坟。"无名氏的这首诗,道出了一个亘古不变的事实。历史上关于秦桧墓被盗有不少记载。南京媒体援引《江宁县志》云,明朝成化十一年(1485年),有人盗秦桧墓,"获金银器具巨万",被抓获后,当地官吏有意"减其罪,恶桧也"。《客座赘语》则说的是明朝嘉靖末年,盗秦桧墓者"所获不訾,官因恶桧而缓其狱"。不管这两处记载是不是一回事,秦桧其人在当时及后世,背负了千古骂名是不错的。其实,一个人的身后声誉如何,又岂止在于"坟"之实体!

在秦桧墓、疑冢的闹剧渐息之时,又有媒体放出风来,这个墓可能是秦桧的爱妾墓。看起来,这个闹剧还没有平息的迹象。一个普通的墓葬发掘,为什么要咬定秦桧不放松,这种为了追逐轰动而不惜逐臭的现象值得我们深思。与此同时,专家的浮躁也令我们忧虑,即使在这里你被耍了,你不会在那里澄清真相吗?

2004 年 3 月 12 日

自比

安徽省原副省长王怀忠曾经自比曹操。这个集各种恶习于一身的巨贪,自恃甚高,认为自己是"泽中蛟龙",迟早要"终入大海作波涛"。他把自己和曹操联系起来,除了狂妄自大之外,应该有这样两个原因:一个是王怀忠出生在安徽亳州,而曹操又是沛国谯县即亳州人,两个人是小同乡;另一个是王怀忠信奉并实践曹操的"格言"——宁愿我负天下人,不让天下人负我。

自比曹操的人自古并不多见,也许是曹操的声名向来不是很好的缘故吧。贱曹操,贵刘备,大有告诫外姓人不要试图染指帝位的意味。立国之初,刘邦就杀白马为盟:"非刘氏为王,天下共击之。"连诸侯王都要永远地把持在自家手里。他自己这样想不足为奇,奇的是后世那么多不相干的人跟着摇旗呐喊,纷纷往曹操的头上扣屎盆子。浏览所见,好像唐玄宗自比过曹操。他年轻时,自称"阿瞒",而阿瞒正是曹操的小名。玄宗自比曹操,大抵是赞赏曹操胸怀大志,后来玄宗也果真成就了"开元盛世"。不过,后世的"曹操"终究不多,倒是有不少"诸葛亮"。

罗大经《鹤林玉露》云,王安石晚年喜欢读唐朝薛能的这一首诗:"山屐经过满径踪,隔溪遥见夕阳春。当时诸葛成何事,只合终身作卧龙。"罗大经不同意薛能对诸葛亮的评价,他说:"孔明之出,虽不能扫清中原,吹火德之灰,然伸讨贼之义,尽托孤之责,以教万世之为人臣者,安得谓之成何事哉!"但罗大经认为,王安石好诵此诗,"盖以自喻",诸葛亮"出师未捷身先死",安石熙宁变法亦以失败而告终,这一句"诸葛成何事",引起了他的强烈共鸣。那么,在罗大经看来,安石自比诸葛亮,焦点是在"抱憾"方面。

岳飞的孙子岳珂在其所著的《桯史》里,记载了郭倪自比诸葛亮的故事。郭倪还是当人门客的时候,就在自己的扇面上题诗曰:"三顾频烦天下计,两朝开济老臣心。"以为自己是被当作诸葛亮请出山的。后来,郭倪当了殿帅,"宾客日盛,相与怂恿",自己更飘飘然了,"真以为卧龙复出",言谈举止都模仿诸葛亮。时吴衡守盱眙,他跑去跟人家说:"君所谓洗脚上船也,予生西陲,如斜谷祁山,皆狭隘,可守而不可出;岂若得平衍夷旷之地,掉鞅成大功,顾不快耶!"陈景俊负责粮草,他似模似样地给人家发令:"木牛流马,则以烦公。"惹得同座的人们哈哈大笑。等到他"自度不复振",再没有"出山"的可能之时,伤心了,"对客泣数行"。有人马上开玩笑讥讽他:"此带汁诸葛亮也。"郭倪的自比,纯属于邯郸学步,到头来不知道自己是谁了。

《异辞录》云清末左宗棠"幼年自负,几不可一世",时人称之"小诸葛"。他有时给朋友写信,也是落款不署己名,而写"老亮顿首"。还有的记载说,他在书信末尾常常自署"今亮",那么,对应的诸葛亮则是他眼里的"古亮"。他每对人说:"今亮或胜古亮。"在题卧龙岗诸葛草庐时,左宗棠也曾这样写道:"出处动关天下计,草庐我也过来人。"他去世后,有人挽之云:"将相俱全才,恰同潞国勋名,汾阳威望;军民怀旧德,忍见武侯遗垒,太傅丰碑。"潞国、汾阳、太傅,分别是北宋文彦博、唐代郭子仪和晋代羊祜;武侯呢?当然就是诸葛亮了。从左宗棠一生的事业和作为来看,似乎配得上这一称谓。

还是回到王怀忠这里。不言而喻,王怀忠根本比不了曹操,二者可以说相去万里。首先,王怀忠的文化程度极低,曹操呢?用《广阳杂记》里的一个评价说:"曹诗平平写景,而横绝宇宙之胸襟,唐以后作大声壮语者,不及万一。"此之一论,多少文人骚客尽皆打倒,大字不识几个的王怀忠又能算老几呢?其次,曹操重权在握,"挟天子以令诸侯",然而在方方面面腐败不堪的东汉末年,我们又几曾听闻曹操腐败,贪婪地为自己谋取私利呢?再看王怀忠,当地人称之"王坏种",认为"只要反腐不放松,定能抓住王怀忠"!自比古人以励志,当然不是什么坏事。但是,倘若到了不自量力的地步,就难免要为后人留下笑柄。这样来看,真可谓古有郭倪、今有王怀忠了。

2004 年 3 月 26 日

长相

上周《南方周末》的封面专题为《还原马加爵》。从文章来看,所谓还原,在于外界对马加爵以很多误读的地方。比如那个通缉令上的照片人们都很熟悉了,不知是有意还是无意,这张照片显示的马加爵不仅肌肉发达,而且面目也有些狰狞,就不免让许多人产生误解,以为马加爵头脑简单、性情暴戾。那么,《还原马加爵》有以正视听的意味。

判断一个人善还是恶,正还是邪,的确不能通过所谓长相来下结论。但有相当多的古人对此笃信不疑,大智如诸葛亮者也认为魏延脑后长着"反骨",天生就具备闹事的征兆,及早除掉为好。至于诸如"顶有拳发,受刑之相"之类的说法就更多了。可以说,人身上的每一个部位怎样,都有一套"讲究"。

比方面色。《蕉轩随录》载:"唐卢杞面蓝,宋丁大全面亦蓝色,皆奸臣也。"蓝色的脸,按道理是舞台上化装才有的效果,这里的蓝,指的是什么颜色呢？不很清楚。但至少在作者写书的时候，蓝脸是让人看着最不舒服的。《蕉轩续录》里又说："面以青为贵,紫次之,白斯下矣。"青和紫,面色又有点怪。正面说不通,不妨旁证一下,梁山好汉杨志之所以被唤作"青面兽",在于脸上有"老大一块青记"。那么,说人的脸蓝、青还是紫,也许不是全蓝、全青、全紫,而是脸上有一块明显的、带颜色的印迹。按"面以青为贵"这个标准来衡量,杨志该是大贵之人,可惜,这个青面汉子尽管是杨令公的孙子,三代将门之后,但人生道路坎坷至极：押运花石纲在黄河里"遭风打翻了船",无处容身;"事急无措"之际,把祖上留下的宝刀"拿去街上货卖",却又被地痞纠缠,失手杀人;刺配大名府后为梁中书所赏识,却在押运生辰纲时,又被晁盖、吴用他们智夺了去,最终被逼上梁山。该贵的杨志这般例外,或者是施耐庵先生故意在唱反调也说不定。

又比方眼睛。《万历野获编》载,陈莹中认为宋相蔡京能"视日不瞬"——盯着太阳看眼睛可以不眨,此乃"至贵之相";但又认为蔡京"恃其目力,敢与太阳争光,他日必为巨奸"。邵伯温《邵氏闻见录》亦载,有个叫李承之的咬定当时还只是知县的王安石必为"他日乱天下者",也是从安石的眼睛看出了问题,说"安石眼多白,甚似王敦"。王敦是两晋之际的著名人物。刘禹锡诗曰："朱雀桥边野草花,乌衣巷口夕阳斜。旧时王谢堂前燕,飞入寻常百姓家。"其中王谢的王,就是王敦家族了。西晋末年,王敦与右将军王导等拥立司马睿为主（后为东晋元帝）,官拜大将军;东晋元帝末年,他又以"清君侧"为名,在武昌起兵反晋,同年攻入建康。据说司马睿正因此忧愤而死,这次事变直到王敦病死才算结束。《晋书·王敦传》说他"少有奇人之目",没有详指,可能说的就是他黑眼仁太少。而邵伯温显然是把熙宁变法视为安石乱天下的印证。司马光他们反对王安石变法的时候,邵伯温才十二三岁,与司马光不是同一辈分的人。但邵伯温"入闻父教,出则事司马光等",童年经历根深蒂固,加上"光等亦屈名位辈行,与伯温为再世交",使他的立场自始至终站在司马光一边,把安石的壮举说成"乱天下",也是顺理成章之事。

"竹林七贤"之一的阮籍,眼睛上也有名堂。他的眼睛不是长得让人能看出来如何,而是他有一手用眼睛翻动进行表达的本领。书上说他"善为青白眼","青眼"表示赞许、喜悦;"白眼"则表示厌恶和蔑视,于是乎,眼睛一翻,替代了言语。他母亲去世,嵇喜前往吊唁,阮籍就翻出了白眼,令嵇喜十分难堪,不怿而退。他的弟弟嵇康提酒挟琴前往,阮籍又翻出了青眼,表示欢迎。据说今日常用的"青睐"、"垂青"等词,便是脱胎阮籍眼睛的翻动。所以当时有人说,阮籍虽然口中从不臧否人物,但他的青白眼已经胜过了臧否。

　　其实,类似长相的贵贱,都只是归纳的结果。蓝脸不好,那是因为卢杞、丁大全皆为奸臣,凑巧脸上又都有蓝记而已;眼多白要乱天下,那是因为前有王敦的举兵,后有对王安石的偏见,性质迥异的事情硬要拢到一起。如今,凭长相判断一个人怎样,无非两类结果:一种是看着就像,另一种是还真看不出来。尤其是用之于贪官,一看就不是好人,是典型的事后诸葛亮;看不出来,这就对了。没有什么人作奸犯科,是能被看出来的。对于马加爵,分析他的心路历程,比从看了他的相貌而恍然大悟什么要有意义得多。

2004年4月2日

假冒

　　3月29日《南方日报》报道,高中文化程度的社会无业人员薛金安,假借"国家安全部副部长"等头衔招摇撞骗好几年,诈骗钱财数以百万计。

　　冒牌货能够大行其道,应当说不算稀奇。解放初期有个大骗子李万铭,假冒战斗英雄,足迹遍布全国十几个城市,甚至还混进中国农业代表团出访过东欧,行骗单位不计其数。老舍先生为此写过一出话剧《西望长安》,辛辣地嘲讽了某些干部严重的官僚主义和不正之风。再往前一点追溯,不难发现这种假冒现象很有渊源可查,别说副部长这个级别了,从皇帝到皇妃、皇子,一应俱全,什么都有。

元末红巾军领袖韩山童,被他的徒弟刘福通七转八转,硬是给宣传成了姓赵的宋徽宗的八世孙,他的儿子韩林儿则是当然的九世孙。后来,韩林儿被刘福通拥立为帝,国号干脆也定为宋,以显示自己的"正统"。如果说这样一种假冒尚有扯起造反旗帜以迎合汉人民族感情的因素,那么还有一些,则纯粹骗字当头。

《世载堂杂忆》载,清光绪二十五年(1899年),武昌出了个假光绪。皇帝露面,当然不敢小觑,见过光绪的人又说,确实很像。但光绪来这儿干什么呢,找湖广总督张之洞作靠山与慈禧抗衡?张之洞他们也不敢轻举妄动,只有派出耳目打听,一旦得知光绪正被西太后关在中南海瀛台,"才开庭亲审,以释天下之疑"。原来这个假光绪自幼在宫中唱戏,因为长得像光绪,平时大家开玩笑就已经叫他"假皇上"。不过,在真相没有澄清之时,"候补官员中,有视为绝大机会,亲往拜会者,亦有献款供奉者",就是说,好些人已经等不及了。急得连真假都没弄清楚就去烧香拜佛,是因为他们太想通过不正常的手段达到个人的目的。

《三垣笔记》里还有崇祯皇帝的假太子和弘光的假皇妃,他们都不像薛金安那样有证明自己的"护身符"——伪造的任命文件,而但凭自己开口一说。假太子是高梦箕和他的仆人穆虎在路上遇到的,那是甲申十二月间的事,崇祯已先于三月死难。高梦箕何以相信一个客舍里偶遇的人就是太子?先是看到他穿着一件有龙图案的内衣,然后这人到了南京,望见朱元璋的孝陵"辄伏地哭";又"每言及先帝先后,则长号";而这家伙"间娓娓宫中事"时,梦箕又"无以辨"。就这样把该人带到南明弘光小朝廷,还以为给明朝找到嫡传香火了呢。然而知道的人说,"太子有虎牙,足下有痣",这是表征;拿这人身上验证,并"无一合"。再问他一些常识性的问题,全部答错,"问讲读何所,则误指端敬殿为文华殿;问讲读先后,则误以先读为先讲;问讲读既完,所写何字,则以《孝经》为《诗》句",如此等等,破绽百出。越问,这个人越怕,终于说自己是假冒的,真名叫王之明。一旦败露,王之明露出了纯粹无赖的嘴脸,他反诬自己受高梦箕指使;别有用心的官员则要借打击高梦箕而搞倒史可法、左良玉等。那么,这一桩假太子案,同时也暴露了南明小朝廷内部是怎样地钩心斗角,相互倾轧。

假皇妃同样也是信口开河,大言自己是弘光的原配。因此,在从河南来南京的路上,谱摆得极大,"凡所经郡邑,或有司供馈稍略,辄诟詈,掀桌于地"。看到有人在路上站着,她以为是给她行注目礼呢,"辄揭帘露半面,大言曰免",令"闻者骇笑"。但假皇妃一到南京就露馅了,开始还嘴硬说自己是真的,一动刑,不敢了,转口说自己是"周王妃,误闻周王作帝,故错认耳"。南明有好几个小朝廷,先是弘光,后有隆武、永历,弘光、隆武还曾并存,各自为政,她自己真的分不清也说不定。

把古今的此类骗子放到一起来考察,可以发现许多共同之处。大抵嘴皮子先要了得,能说会道,然后脸皮要厚得不知廉耻,这是行骗的必要条件;充分条件则是要有人肯于受骗。到假光绪那里大献殷勤的人,以为薛金安有天大本事可以帮人入学、找工作、转干、办审批手续的人,很难说他们有着健康的心态。那么,在骗子那里,固然时刻都在做着自己的"黄粱美梦",然而那些肯于受骗的人,又何尝没有梦境般的感觉呢!

2004年4月9日

助哭

4月8日的《南方周末》"写真"版,介绍了一位职业哭灵人高秀梅。哭灵,就是代办丧事的人家表达哀痛,用高秀梅的话说:"就是卖艺。"今年45岁的高秀梅从小生活在戏剧之家,练就了一副好嗓子。下岗了,去歌舞厅唱了几年歌,因为年龄偏大,一晚上只能挣八九元钱,乃从去年10月起,开始了职业哭灵生涯。

从传统上看,助哭是民间普遍的一种习俗。所谓助哭,并非出于哀切,而是"出于扬声"。北京农村过去在举办丧礼的时候,要雇用许多"小拿"——身穿孝服的小孩子,八对至二十四对不等。出殡那天,"小拿"们边走边喊,左排喊"啊",右排喊"唉",以助丧主举哀。是为助哭的一种。广州的助哭则有另外一种。某家死人,子媳少,或家人不善哭丧,就请人代哭,专司此业者俗称"喊口婆"。她们哭得有板有眼,颇为动人,每逢亲友前来奠祭时,"喊口婆"即表演一番。诸如此类,都属于民间传承的助哭习俗。至于官场,则有官场上的做法,因人因时而异,谈不上习俗。

《资治通鉴》卷一一四载,燕王慕容熙的皇后苻氏身死,慕容熙难过得不得了,"哭之瀡绝,久而复苏",若丧考妣。他极宠爱苻氏,生前为其造承化殿,"负土于北门",这一带头,使"土与谷同价",人谏则斩。苻氏死了,慕容熙在自己大哭之余,"命百官于宫内设位而哭",让大家跟着助哭。并且,他"使人按检哭者,无泪则罪之"。这一来,群臣都怕得不得了,"皆含辛以为泪"。慕容熙的做法实际上是借机施展权力的淫威,今天一些地方的官员借为亲属办丧事为名,动辄把当地弄得鸡犬不宁,正与此之相类。《通鉴》卷一二九另载,南朝宋世祖既葬殷贵妃,数与群臣至其墓。有一次他对刘德愿说:"卿哭贵妃,悲者当厚赏。"刘德愿毫不含糊,不仅"应声恸哭",而且哭得"抚膺擗踊,涕泗交流"。世祖高兴极了,马上给了他豫州刺史的位子。然后他又令医术人羊志哭贵妃,羊志"亦呜咽极悲"。过些天有人问羊志:"卿那得此副急泪?"羊志倒是实话实说:"我尔日自哭亡妾耳。"胡三省对此感叹:真如史书所言,"上荒淫,为下所侮弄"啊!可惜的是,同样的话当时没有人问一问刘德愿,使我们无从知晓刘德愿怎么能一下子悲痛成那个样子。倘说是有厚赏的诱惑,那应该透着高兴才对呀?

孔子哭颜渊,哭得动情,旁人都看出来了,说:"子恸矣。"而哭馆人,就怎么也进入不了状态,"恶夫涕之无从也"。因此清人梁章钜认为,圣人之哭也不一定尽皆哀恸。颜渊是孔子最得意的弟子,却英年早逝,由不得他不悲从中来;而吊馆人不过是例行公事,悲从何来?

梁章钜在他的《听雨丛谈》中还记载,今京师吊丧者,"直以哭为吊礼,并不计涕之有无,人多笑之"。就是说,人来了,干嚎几声就可以了,并不一定要哭出鼻涕。吊丧的哭,当然不等同于助哭,但助哭确有可弹之处。尽管这是民间习俗,然自家的悲伤要由外人来代为表达,不是让人感到滑稽吗?古人已经认识到了这一点。《南史·王裕之传》载,王裕之的孙子王秀之曾经这样对人交待自己的后事:"朱服不得入棺,祭则酒脯而已。"然后又特别强调,"世人以仆妾直灵助哭,当由丧主不能淳至,欲以多声相乱。魂而有灵,吾当笑之"。休说助哭,明朝大儒王阳明对自己父亲去世,也不是为了哭给别人看。后人编的年谱说他"久哭暂止",而这时又有人来吊唁,侍者提醒他应该再哭。王阳明说:"客至始哭,则客退不哭,饰情行诈也。"

与传统意义上的助哭不大相同的是,今日职业哭灵人高秀梅是主哭,丧家的亲属却成了助哭,则大有王阳明"饰情行诈"的意味。撇开今人的孝行观念不谈,因为职业哭灵,高秀梅的嗓音首先已变得沙哑,由过去的唱高音现在听起来像中音;其次是由于经常流泪,她的视力下降很快,左眼已经几乎看不见了。报道说,高秀梅的女儿今年22岁了,歌也唱得不错,但她从不让女儿参与演出,带她到过现场几次,"主要是让她看看自己母亲是怎样给人下跪挣钱的"。则高秀梅的职业哭灵生涯,着实渗透着一种迫于生计的心酸。

2004 年 4 月 16 日

叶公好龙

4月2日,我国发行了成语故事特种邮票一套四枚,其中的《叶公好龙》引来一位学者的不满。在他看来,"因为历史原因,许多人心目中的叶公形象与历史上的叶公真人不符,我们有责任还其庐山真面目"。大概是小学时学的这个成语吧,对于我,一直把它当作寓言,经学者这么一点拨,始知道原来确有"叶公子高"其人,而且"还是春秋楚国的一位著名的政治家、军事家",有过不少骄人的政绩。那么,千古以来把叶公当作言行不一的代名词,真有点冤哉枉也。

西汉刘向将"叶公好龙"收入著作的时候,绝不会想到两千年后有学者跟他较真。叫我吃惊的,还在于该学者认为"叶公好龙真假自不必多说",因为"世间所谓的'龙'压根儿就不存在",以及"龙是神化了的动物,不可能下降叶宅"。这就要轮到我跟他较真了。按这样的观点,世间不仅不该存在寓言这样一个品种,而且大量脍炙人口的民间传说,不免存在全面否定的危险。比方白娘子、祝英台的故事就都要变成扯淡,哪有蛇能变成美女且跟男人成家、人死了能变成蝴蝶比翼双飞的道理?又比如天仙配、牛郎织女、大闹天宫搅得玉帝王母不得安宁的孙悟空,应当被冠以大肆宣扬封建迷信才对。前些天清明节时,各地各级官员大张旗鼓地祭拜的黄帝、炎帝,还都只是传说中的人物,没有任何实物证据表明他们是确切的存在,岂非尴尬之事?

孟子说:"尽信书不如无书。"宋人姚宽认为:"书安可无也,学者慎所取而已,不知慎所取,则不如勿学而已矣。"(《西溪丛语》)这里的"学者"概念,当然还不是今日的教授、研究员级别的人马,而只是普通的"学"的人。

何谓寓言?弄不清概念的话,查查辞书不是什么难事。《现代汉语词典》(1996年版)释义为,乃是用假托的故事或自然物的拟人手法来说明某个道理或教训的文学作品。那么,叶公好龙确实是刘向"编造"的,然而诸如古希腊著名的《伊索寓言》等等难道是信史不成?不过,刘向在姓名权这一点上,的确没有寓言大家韩非聪明。韩非写《守株待兔》,开篇还说"宋人有耕者"怎么样;写《自相矛盾》,干脆就是"人有鬻矛与盾者",连哪里的人都不讲了。是不是正在于免得当时或后世的人对号入座呢?但刘向为什么要揪住"叶公子高"来寓意表里不一,想来自有他的道理。前人研究已经发现,我国古代寓言喜欢把"宋人"作为讽刺挖苦的对象,除了《守株待兔》里那个想天上掉馅饼的,还有《狗恶酒酸》里那个卖酒的、《揠苗助长》里那个把庄稼拔高的等等,都是"宋人"。为什么?一二三四,人们分析了许多,总之不是无缘由的。此外,前人也曾责难《三国志》作者陈寿,说他向丁仪的儿子乞米不得,因此不给丁氏兄弟立传;因有憾于诸葛亮,所以评价他"应变将略,非其所长"。这种责难有没有依据,见仁见智。但汉代的刘向和春秋时期的"叶公子高"想必没有什么直接的过节,因此,与其如该学者所言当"正确评价"叶公,倒不如认真研究为什么先有民间流传"叶公好龙"的故事,后有刘向在著作里郑重其事地收录。群众的眼睛是雪亮的,叶公的政绩会不会是"政绩工程"的那种"政绩"呢?

对待传统文化,有两种趋向令人忧虑:一方面,影视作品肆无忌惮地戏说历史;另一方面,诸多一本正经的学者钻进了牛角尖,凡事皆欲"正本清源"。今年早些时候,有人建议以地方立法的形式保护唐伯虎的形象不再受侵犯和歪曲,理由是:唐伯虎并非花花公子,点秋香纯属"捏造",影视作品和小说歪曲事实,贬低了唐伯虎的高尚品格和人格。自诩为"风流才子第一人"的唐伯虎,不知道是否认同后人的这番好意。但这些人士显然忽视了,传说人物一旦进入公众视野,则无论"叶公子高"还是唐伯虎,便都已不再是他们本人,而只是一个叙事符号。对寓言,我们应当探究的是其中蕴涵的深刻人生哲理。

清人康放仁说:"真实学问之人,必不奔走风尘以求名誉。"(《广阳杂记》)我所理解的"风尘",一是趋炎附势,成为官样学者;一是趋世媚俗,行哗众取宠之事。这句话用在今天,并不一定过时。学者对"叶公好龙"的较真,就难逃后者的嫌疑。

2004 年 4 月 23 日

印文

4月14日,河北省国税局原局长李真案涉案物品进行了专场拍卖,其中,起拍价为6450元的李真印章,以16.5万元的高价被人拍得。尽管这印章是金家伙,也才不过100.05克,拍出这个"天价",很有点出人意料。

这枚印章的印文只是直白的"李真之印"四个字,作为手章,也足够了。但印章还有另外一种,就是闲章,闲章的印文称得上丰富多彩。陆以湉《冷庐杂识》记载了几则,有袁枚的"三十七岁致仕",郑板桥的"康熙秀才雍正举人乾隆进士",孔子后人孔庆镕的"九岁朝天子",孙振东的"其于人也,为寡发,为广颡,为多白眼"。这后一则,实际上是八卦中巽卦的卦辞,大约正与孙氏的外形契合。郑、孔的用不着多做解释,袁枚的无妨多说两句。致仕就是去官还家,前两年金文明为什么要逗余秋雨,后者对"致仕"的误用是为其一。余秋雨在《山居笔记》里写道,"大量中国古代知识分子一生最重要的现实遭遇和实践行为便是争取科举、致仕",显然把致仕理解成了腾达,可惜他后来仍然坚持说可以那么理解,非常不智。37岁的袁枚放在今天,正是大有可为的年轻干部,其实就在当时也未必算老。《万历野获编》之"致仕官"条云,唐宋士人以致仕为荣,"今则不然",为什么呢?因为模糊了去官的性质。"年老有疾者,而被论之善去者,与得罪之稍轻者,俱云着致仕去。于是林下之人,以致仕为耻矣。"这种观念,对袁枚生活的乾隆时期未必没有影响,则他的"致仕"告白,可能表现了对赖在官位上的人的一种轻蔑。

此外,陆以湉还极推崇杨铁崖之"湖山风月福人之印"、唐伯虎之"江南第一风流才子"以及魏禧之"乾坤一布衣",认为"非此三人,要皆不能当也"。但这话显然说得太满。以"乾坤一布衣"而言,明末清初的著名散文家魏禧固有可称道之处,今年早些时候,江西省石城县还发现了包括《魏叔子(魏禧)全集》在内的《"三魏"全集》,使今人对魏禧的了解能够更全面深入;但同时期的浙东学派代表人物万斯同也足以当起,他的墓碑上就留有"班马三椽笔,乾坤一布衣"的对联。明亡之后,万斯同以遗民自居,绝不仕清;及入京修明史,亦不受俸,不署衔,仍以"布衣"身份,显示了其真学者的凛凛气节。

今天的闲章印文也有不少值得玩味。齐白石先生弃工从艺,开始是为了"卖画、刻字养家",他曾冠画室以"甑屋"。甑者,系煮饭用的器具。他55岁时刻"瓻屋"印,自注曰"其画作为熟饭,以活余年"。他还有一印,文曰"老为儿曹作马牛"。如此印文,记录了画家生活中有过的辛酸历程。侯宝林先生有一方"一户侯"章,他解释道:我的官印叫一户侯,意思是,我一家姓侯,我只管一家,过去的都叫万户侯什么的,我没那么多。漫画家方成说自己有三个闲章——"我画我的"、"中山郎"、"挤而后工",但比起"一户侯"来都逊色,因此,方成还特意画了"一户侯"漫画像。"一户侯",只有幽默大家才想得出来。

柳亚子先生使用过的印章达160余枚,其中他请忘年交曹立庵先生镌刻的两枚闲章,在他逝世之后还酿成了一场灾祸。两章的印文分别是:"兄事斯大林,弟畜毛泽东"和"前身祢正平,后身王尔德;大儿斯大林,小儿毛泽东"。不明典故的话,很容易理解为"大不敬"用语,果然,在中国革命博物馆陈列时给人看出了"问题"。实际上,1945年在重庆刻章的时候,柳亚子已经担心"昧者不察",特地请曹立庵增刻了边款,申明"援正平例","绝无不敬之意"。所谓"援正平例",援的是东汉祢衡祢正平的做法。《后汉书·祢衡传》载,东汉建安初年,京城聚集了全国许多贤士大夫,而祢衡只看得起刚直敢言的孔融和才智敏捷的杨修,他说:"大儿孔文举,小儿杨德祖,余子碌碌,莫足数也。"则"正平例"里,"大儿"、"小儿"实乃敬称。但是,两枚印章还是难逃厄运,不仅印章被砸碎,而且印章的所有照片和照片底版也被销毁。

通常地看,印章因人而贵。李真的金印之所以那么"值钱",也正是因为李真的名字,不管是不是臭名。这两年,拍卖贪官的不义之财是比较普遍的做法,人们莫不表现出浓厚的兴趣。记得拍卖胡长清脏物的时候,有位以800元价格拍得胡长清旧手表的人士说,在这种不平常的场合,"购得这样一块不同寻常的手表,非常具有纪念价值和纪念意义",恐怕代表了一种比较典型的心态。但买贪官的东西纪念什么,我们这些旁观的人还真的弄不大清楚。

2004年5月14日

陶侃癖

4月15日,国务院召开电视电话会议,部署在全社会深入开展资源节约活动。中共中央政治局委员、国务院副总理曾培炎在讲话中指出,要提高全民族的资源忧患意识和节约意识,切实转变经济增长方式,调整经济结构,加快技术进步,用三年左右时间使建设资源节约型社会工作迈出实质性步伐。

建设节约型社会,需要榜样的示范。古人里有一个现成的典范,就是晋代的陶侃。《唐语林》云唐朝的郭子仪有"陶侃之癖,动无废物"。这里的陶侃癖,就是节约的同义语。陶侃是一代名将,在东晋的建立过程中,以及在稳定东晋初年动荡不安的政局上,他都颇有建树。此是另话,单看《晋书·陶侃传》记载的他节俭的几个事例。其一,有一天他看到一个人手里拿着一把没熟的稻子,问那人拿它干嘛;那人说没什么用,路上看见了,"聊取之耳"。陶侃大怒道,你自己不耕种,却要祸害人家的东西!说罢"执而鞭之"。陶侃非常反感那些毫不珍惜财物的人。其二,造船的时候,陶侃让把木屑和竹头都留起来,大家不明白怎么回事;后来积雪融化的时候,道路很湿,陶侃就让人"以屑布地";再后来桓温伐蜀,"又以侃所贮竹头做丁装船"。人们才知道,陶侃凡事都想在了头里。因此,陶侃癖的实质就在"动无废物",什么都有用。

陶侃还是个"节约"——珍惜光阴的典范。他常对人说:"大禹圣者,乃惜寸阴,至于众人,当惜分阴,岂可逸游荒醉,生无益于时,死无闻于后,是自弃也。"有个部下老是喝酒下棋,"以谈戏废事",他就把那人喝酒的、赌博的家什,"悉投之于江",接着再来一顿"鞭扑"。

郭子仪与陶侃很有一些可比之处。作为中唐名将,"安史之乱"时,是他率领大军收复长安、洛阳两京;作为大臣,晚年时他在举国上下享有崇高的威望和声誉。唐肃宗感叹说:"虽吾之家国,实由卿再造。"有个故事说,郭子仪70大寿时,幼子郭暧的老婆——唐代宗的掌上明珠升平公主,因为拖拖拉拉不肯早来给公公拜寿,被积怒良久的郭暧拳脚相加,并且对动辄端着公主架子的老婆气愤地说,你不就是仗着你父亲是天子吗?我父亲还不愿做那皇帝呢!京剧传统剧目《打金枝》,讲的就是这回事。有意思的是,经此一番风波,升平公主来了个"脱胎换骨",不仅性情变得柔顺,一心一意相夫教子,而且孝敬公婆,循规蹈矩地扮演着郭家媳妇的角色。郭子仪的确有做皇帝的条件,但终其一生,却是"权倾天下而朝不忌,功盖一代而主不疑"。

郭子仪有陶侃之癖,他的节约又到了什么程度呢?他经常让人把书皮边上多余的纸裁下来,日积月累地攒着;至于公文什么的,看完了也都收起来,装订好,"每至岁终,则散与主守吏,俾作一年之簿",让他们翻过来继续使用。有一天,裁纸的小刀折了,"不余寸许",裁纸的小吏不是丢掉了事,而是削了两小块木板,"加于折刃之上,使才露锋",继续用来裁纸。郭子仪高兴地说,你真是我郭子仪的部下啊。

陶侃和郭子仪,这两个人都是伸手要什么就可以来什么的人,不必精打细算,换言之叫做有条件挥霍,但在没有制度约束的情况下却能够节俭至此,委实要令当时以及后世滥用"职务消费"的人们汗颜。

从来有癖好的人,都容易给人找到攻克的"突破口"。《浪迹丛谈》里有个叶天士,医术在清朝雍、乾间十分著名。有家人的孩子病得很重,"念非天士不能救",但又担心家里离城太远,叶天士不肯出诊,于是便百般打听他的嗜好。知道叶天士很喜欢斗蟋蟀后,有办法了,"乃购蟋蟀数十盆"作为诱饵。叶天士听说一旦"君能治儿,则蟋蟀皆君有也",不仅大老远地跑来了,而且施展出了看病的看家本领。明朝那个与唐伯虎齐名的大才子祝枝山,一天到晚求他的文章及字画的人极多,因为他"好酒色六博",所以知道底细的人往往"多贿妓掩得之"。

这在今天也是一样。比方厦门海关原副关长接培勇原本对赖昌星不屑一顾,赖昌星曾提出送他儿子到国外读书,安排他弟弟到香港发展等都被接拒绝。后来赖昌星弄来绝版的《毛泽东评点二十四史》，一幅由九位当今知名画家合作的牡丹图和一些当今名家的书画作品奉上，接培勇便招架不住了。癖好就是这样容易使人入彀，但是显而易见，有陶侃癖则不然。这是一个值得大力推介的"癖好"，尤其是在建立节约型社会的前提下。

2004 年 5 月 21 日

天×星

5月16日，中国羽毛球男队在雅加达力挫丹麦，夺回了阔别12年的"汤姆斯杯"。前一日，中国女队实现了尤伯杯"四连冠"。包揽汤尤杯向世人证明：中国羽毛球又已经开始全面领先于世界羽坛。对这一辉煌战绩，国人有理由为之骄傲，因此，尽管媒体上尽皆溢美之词，也都可以理解。但一家著名的媒体把林丹等几位主力队员捧上了天，比作了"星宿"，就感觉有点不是滋味了。

怎么比的呢？第一单打林丹地位老大，所以是天罡星；第一双打蔡赟、付海峰分别是天雄星、天勇星；第二单打鲍春来因为"伤（心）得太多太久"，所以是天伤星；第二双打郑波和桑洋分别是天猛星、天威星，因为"天威、天猛，本来就是一对儿"；第三单打夏煊泽是天闲星，因为"中国羽毛球队新人的崛起，衬托出夏煊泽年纪有些大了，实力有些差了，一位昔日的悍将就这样慢慢闲了下来"。

所以对这种"吹捧"感觉很不是滋味，首先在于其"乱点鸳鸯谱"。对多数人来说，恐怕是从《水浒传》中熟知天罡地煞的，该媒体也确实是所从中来。比方他们说林丹，"天罡星宋江的位子是卢俊义让的，但在羽毛球队里，林丹的位子，绝对不是别人让的，所以，作为中国男队的领军人物，林丹天罡星的位置坐得很稳"。可惜，读过《水浒传》的人都知道，宋江是天魁星，卢俊义才是天罡星。就如七十二地煞中的地煞星，并不是排名首位的神机军师朱武，而是排名第二的镇三山黄信。魁者，首也。从前中了状元，叫做大魁天下；冯梦龙小说中"卖油郎独占花魁"中的花魁，是"弄出天大的名声"、"就是西子比他，也还不如"的王美娘。所以，地煞中排名第一的朱武是地魁星。

撼倒丹麦第二双打的郑波和桑洋此番立了大功，但参照《水浒传》，天猛、天威可从来不是一对儿。威和猛可以并列在一起，但用在天×星这里，就不是那么回事。《水浒传》说，天威星是双鞭呼延灼、天猛星是霹雳火秦明。梁山好汉出去打仗，大抵都有固定"组合"，比方鲁智深和武松、杨雄和石秀、吕方和郭盛就总是并肩作战，但这呼延灼和秦明从来不会作为主将同时出现在阵前。要说威、猛本来就是一对，那恐怕是出洞蛟童威、翻江蜃童猛两兄弟，而偏偏童威是地进星，童猛是地退星，不在"天"字号之列。第一双打在决赛时输了，天雄星与天勇星就没了什么"来由"，但如此名之蔡赟、付海峰，相当于把豹子头林冲和大刀关胜来了个"拉郎配"，两个人虽然原来都是官军中人，但前者是被逼上梁山，后者是让宋江他们"赚"上来的，性质不是一回事。夏煊泽是天闲星，好么，看起来，闲下来的夏煊泽要向"正牌天闲星"入云龙公孙胜学习"妖法"了。有人要说，这不是较真的时候和地方，但是，容你拿林丹和宋江类比，容你借星宿说事，就要容我索性来个一一对号入座。

对此喻的看不顺眼，还在于其倾向问题。《水浒传》里为什么故弄玄虚地写一回"忠义堂石碣受天文，梁山泊英雄排座次"，把寻常汉子非弄成上天星宿？前人已有不少论及。称《水浒传》为"天地间五大奇书之一"的李贽认为："梁山泊如李逵、武松、鲁智深那一班，都是莽男子汉，不以鬼神之事愚他，如何得他死心塌地？"称《水浒传》为"第五才子书"的金圣叹先生认为："天罡地煞等名，悉与本人不合，岂故为此不了了之文耶？吾安得更起耐庵而问之。"则按照前者的说法，所以宋江假惺惺地要何道士"万望尽情剖灵，休遗片言"，原来是为了愚人，愚弄自己的那些兄弟；按照后者的说法，虽然对全书钦佩不已，对所谓天罡地煞，那是百思不得其解。宋江果然达到了自己的目的，"众人看了（石碣），俱惊讶不已"之余，都纷纷表态："天地之意，理数所定，谁敢违拗！"这一番装神弄鬼里面，号称认识石碣上"龙章凤篆蝌蚪之文"的何道士起了很大作用，但正像卓吾先生所嘲笑的："既有黄金五十两，人人都是何道士。"钱花得是地方，子虚乌有完全可以变得言之凿凿。

忽然又见，低调出征奥运会落选赛的中国男排连克日本、韩国、伊朗，取得了不俗的成绩之后，原来"副攻手郑亮的妻子在赛前曾专门赴杭州灵隐寺烧香，祈求中国队好运"。我们相信，任何为祖国赢得了荣誉的运动员，凭借的都一定是自己的真才实料，事后的"上应星曜"或事前的"感动苍天"想要告诉人们什么？即便没有"愚之"的成分，也对体育事业无半点益处可言。

2004 年 5 月 28 日

诚

不久前，中国工程院院士钟南山为广州市政府及有关部门的官员们上课，在谈及政府应该如何应对突发性公共卫生事件时指出："诚实永远是上策。"钟院士是就其所涉及的领域而言，实质上这样的要求何尝不应该成为官员在面对所有问题时的基本准则。

诚，乃真心实意。古人强调"开心见诚，无所隐伏"。作为一个人，这是一种基本的道德要求；作为一个领导干部，则应该是一种基本的政治品质。6月1日，国家邮政局发行了《司马光砸缸》特种邮票一套三枚。安排在国际儿童节这一天发行该套邮票应当说是有用意的。千百年来，司马光儿时机智救人故事家喻户晓，成为培养少儿故事的生动教材。但我还想补充一点，司马光除了智慧的一面，作为一名封建时代的官员，他还有其难得的诚的一面。倘若把这一点也突出出来，对今天儿童的教益势必更增加了内涵。

司马光说过："有一言而可以终身行之者，其诚乎。"对于诚的重要性，他这样认为："君子所以感人者，其为诚乎！欺人者不旋踵人必知之,感人者益久,人益信之。"在司马光看来,对一个官员而言,"诚意以行之,正心以处之,修身以帅之,则天下国家何为而不治哉?"刘安世问他怎么做到诚,司马光告诉他"自不妄语始",就是从不说假话做起。但对相当部分的官员来说,这是个高不企及的要求。比方宋真宗时的王钦若每奏事,"或怀数奏,出其一二,其余皆匿之"。为什么要准备几个版本呢?因为发现哪个"己意称圣旨",就把哪个拿出来,以始终与上面保持一致。有一次他跟同事一起"奏事上前",同事不知是发现了他的秘密,还是有意要戳穿他,当着真宗的面说王钦若:"怀中奏何不尽出之?"如王钦若的这种怀中"数奏",正是许多惯说假话的官员的活写真。

周密《癸辛杂识》云,宋朝官场有个习气,逢年过节的时候相互问候,如果不能亲自登门,则把名片"使一仆遍投之"。周密知道他有个姓吴的表舅干过偷梁换柱的事。那是"适节日无仆可出",表舅正琢磨呢,忽然友人沈子公的仆人送名片来了,他一下有了主意,摆上酒菜之余,"阴以己刺尽易之"(刺就是名片);沈仆不知道,于是,再去"因往遍投之,悉吴刺也",等于给老吴打工了。但司马光从来不送,他那时并非已身居相位,有不送的资本,而是觉得此举透着虚情假意,"不诚之事,不可为之"。其实当时的人也都知道这种风气"既劳作伪,且疏拙露见可笑",但还是默默遵守着这个潜规则。

在大节方面,司马光也是如此。众所周知,他和王安石是政敌,尖锐对立,但当宋神宗问他"王安石何如"的时候,他不是借机对安石贬损一顿,而是实事求是摆出自己的看法:"人言安石奸邪,则毁之太过,但不晓事而执拗耳,此其实也。"并且他对安石的文章极其赞赏,说他"动笔如飞,初若不措意,文成,见者皆伏其妙"。正是因为司马光的诚吧,王安石说:"自议新法,始终言可行者,曾布也;言不可行者,司马光也;余则前叛后附,或出或入。"言语中流露出骑墙者的鄙视,以及对曾布和司马光的敬佩。

司马光的诚的建立,正来自他的儿时。《邵氏闻见后录》载司光曾亲笔手书自己的一个教训："光年五六岁,弄青胡桃,女兄欲为脱其皮,不得。女兄去,一婢女以汤脱之。女兄复来,问脱胡桃皮者。光曰：'自脱也。'先公适见,呵之曰：'小子何得谩语。'光自是不敢谩语。"这就可见,从儿时、从小事上培养一个人的诚的重要性。司马光对自己盖棺定论曰："吾无过人者,但平生所为,未尝有不可对人言者耳。"这是他自己袒露的至诚的内心世界；在他人看来也是如此。苏东坡在司马光神道碑上这样写道："论公之德,至于感人心,动天地,巍巍如此。而蔽以二言：曰诚,曰一云。"

苏辙写过一则故事：有一个人死而复生,问冥官如何修身,可以免罪。答曰："子宜置一卷历,昼日之所为,莫夜必记之,但不记者,是不可言不可作也。"我们之所以总是从今天的一些官员身上看到虚有其表的形式主义,而不是工作上的实实在在的业绩,归根到底,在于他们本身欠缺但绝对不可或缺的那个诚字。调查显示,信用危机居腐败之后已成为阻碍中国经济发展的第二大因素,这当中,岂可排除官员？司马光说自己"平生力行之（诚）,未尝须臾离也,故立朝行己,俯仰无愧耳！"这样的话,我们今天的一些干部恐怕不敢在拍胸脯的同时,面不红、耳不赤地道出了。

2004 年 6 月 4 日

绍兴酒

5月下旬,央视《每周质量报告》记者在浙江绍兴一家黄酒生产企业采访时发现,本来是以稻米、小麦等为主要原料,采用独特工艺进行发酵而成的黄酒,在那里是用自来水加酒精勾兑出来的,为了把兑了自来水后淡而无味的酒调出味道来,还要加入各种各样的添加剂。虽然只是个别厂家的行为,但是消息即出,还是严重影响了绍兴酒的声誉。

资料显示,绍兴酒是我国名酒中最古老的品种。老到什么程度呢?《吕氏春秋》就已有记载:"越王之栖于会稽也,有酒投江,民饮其流而战气百倍。"这么一算,得有3000年了。绍兴酒即黄酒,酒度不高,酒性柔和,色香味别具一格,含有十几种营养成分,对人体有滋补作用。它既是饮用酒,又可作料酒,用作烹饪,还能避腥添味,是一种不可缺少的烹调佳品,1915年在巴拿马万国博览会上获得过一等奖。梁章钜《浪迹续谈》载,清朝时一些人瞧不起绍兴,认为"绍兴有三通行,皆名过其实者":一个是刑名钱谷之学,"本非人人皆擅绝技",而绍兴师爷们"竟以此横行各直省,恰似真有秘传";另一个是绍兴土话,其实非常难懂,却也到处行得通,至于当地"无一人肯习官话而不操土音者";再一个就是绍兴酒,"酒亦不过常酒,而贩运竟遍寰区,且远达于新疆绝域"。按梁章钜的观点,前两个方面大行其道还有不能理解的地方,而"酒之通行,则实无他酒足以抵抗",并且酒销得越远,说明越好,"盖非致佳者亦不能行远"。他分析原因,就在于绍兴的水"最宜酒",不然怎么换个地方,同样由绍兴人制酿,"味即远逊"呢?

清代著名诗人袁枚是一位烹饪专家,非常好吃,也懂得吃。他著有《随园食单》一书,详细记述了自我国18世纪中叶上溯到14世纪的326种菜肴饭点,大至山珍海味,小至一粥一饭,无所不包,是我国饮馔食事中的一部重要著作。袁枚自称性不近酒但深知酒味,对绍兴酒与烧酒,他有这样一个类比:绍兴酒堪称"循吏"或"名士",而烧酒"乃人中之光棍,县中之酷吏"。因为烧酒性烈,"打擂台非光棍不可,除盗贼非酷吏不可,驱风寒、消积滞非烧酒不可"。但袁枚又认为,"烧酒藏至十年,则酒色变绿,上口转甜,亦就光棍变为良民"。对绍兴酒,他则这样评价:"绍兴酒如清官循吏,不掺一毫造作,而其味方真。又如名士者英长留人间,阅尽世故而其质愈厚。"他特别强调,"绍兴酒不过五年者不可饮,掺水者亦不能过五年"。这后一句似乎在说,绍兴酒掺水同样是有历史渊源的。鲁迅《孔乙己》里面那个咸亨酒店的小伙计,开始就是专司往酒里掺水的,不过因为短衣主顾们"往往要亲眼看着黄酒从坛子里舀出,看过壶子底里有水没有,又亲看将壶子放在热水里,然后放心",于是,"在这严重监督之下,羼水也很为难。所以过了几天,掌柜又说我干不了这事。幸亏荐头的情面大,辞退不得,便改为专管温酒的一种无聊职务了"。但昔日的掺水,大抵没有央视记者披露的这般恶劣、这般触目惊心吧。

袁枚如此推崇绍兴酒,但在他的《随园食单》里酒类名列第一的却是金坛于酒,依次是德州卢酒、四川郫筒酒等。绍酒没排上,惹得梁章钜老大不高兴,认为袁枚"仍不免标榜达官之故态"。为什么上升到这种讥讽的高度?不很清楚。对于酒和卢酒,梁章钜没说什么,但他对郫筒酒名列酒之"探花",先给袁枚再扣了顶"未免依附古人之陋习"的大帽子,再道出他之所以不屑一顾:"据称郫筒酒清洌彻底,饮之如梨汁蔗浆,不知其为酒,然则竟饮梨汁蔗浆可矣,又奚烦饮酒乎?"他进一步理论道:"大凡酒以水为质,而必借他物以出之,又必变他物之本味,以成酒之精英,即如酿米为酒,而但求饮之者如饭汁粥汤,不知其为酒,可乎?"攻其一点,不及其余,倘梁章钜生在今日,必是不错的时评家。但梁氏为维护绍兴酒的地位而不惜开罪袁大才子,大抵确实出于对绍兴酒本身的热爱,因为他是福建人,绝没有故土情结掺杂在内。

绍兴酒早已成为绍兴的一张名片,并于2000年荣获我国第一个原产地保护产品。按照世贸组织《原产地规则协议》等多边贸易规则,得到本国原产地标记保护,其他国家就有对其加以保护的义务。因此,充分利用这一国际通行做法,可促进我国出口商品国际名牌的快速成长,提高出口商品附加值。现在来看,标志易得,保护实难。金华火腿是浙江省第五个获得原产地保护的产品,但一些厂家用"新工艺"做出来的火腿连苍蝇都不敢往前凑,1200年的声誉不也就自己毁了吗?

2004年6月11日

改名(续)

6月1日,一代豫剧宗师常香玉走完了81年的人生历程。从报道中我们知道,正是常香玉"戏比天大"的艺术追求,才使豫剧这样一个乡间小戏成为中国第一大地方剧种,不仅唱遍黄河两岸、大江南北,而且走出了国门,拥有亿万观众和戏迷。从报道中我们还知道,常香玉的本名叫做张妙玲,所以要改名,在于其初学戏时,村里张姓的人认为宗族出了女"戏子"是个耻辱。

常香玉的改名甚至改姓,实有被迫的意味。历史上,诸多改名或者改姓大抵也都是出于被迫,或者避难,或者避讳。西汉有著名的疏广疏受叔侄,疏广当过太子太傅,治《春秋》而成经学大师。王莽时,疏广的曾孙疏孟达避难,便不得已"去疏之足而为束",从此改为姓束。宋代文彦博、文天祥,其祖先在唐五代时皆为敬姓,为了避晋高祖石敬瑭——就是那个"儿皇帝"之名讳,敬姓不得已就改成了文姓;儿皇帝倒了,他们再姓回来;但到了宋朝,又要避太祖赵匡胤的爷爷赵敬的讳,只有再更姓文。明初,燕王朱棣要把已在皇位上的侄子一脚踢开,自己干,打的旗号却是"清君侧"——清除曾经力主削藩的齐泰、黄子澄。后来黄子澄被俘,不屈而死,"无惭臣节",他的儿子则只有"易其姓为田"以避祸。如此等等。

比较地看,因为避讳而改名更要多见。王朝的每一更迭,百姓不仅要避庙讳,还要避皇帝的父亲、祖父的讳而改名。比方唐朝著名史学家刘知几,因避唐玄宗李隆基的讳而不称名称字,叫刘子玄;到了清朝,又要避康熙皇帝玄烨的讳,所以又被改为刘子元。避讳制度不可避免地造成了一定的混乱——各种古籍里的人名也要改来改去,因此,一些比较开明的皇帝就主动改名,将名字由常见字改为罕见字。比如宋太宗赵匡义先是避哥哥匡胤的讳改名赵光义,继位之后则改名"炅",同时申明:"旧时二字,今后不须回避。"也有一些帝王,在给皇子取名字的时候干脆就预防在先,所以宋代帝王中有叫顼、煦、佶、昀、罡的，明代帝王中有叫棣、祁、祐、厚、樺的，清代帝王中有叫烨、琰、旻、淳的，等等。明白了这层道理，今天那些乐于以冷僻字为名的人，反倒难以理解了。

除了避讳或者避难，也有一些改名是皇帝好恶的结果。《戒庵老人漫笔》载，清朝弘治皇帝时皇宫里用的毛笔都由吴兴笔工制作，每月分阴历十四、三十两次进御，各二十管。这些笔讲究得很，"冬用绫裹管，裹衬以帛，春用紫罗，至夏秋用象牙水晶玳瑁等"。有一次，弘治发现笔管上细刻了几个小字："笔匠施阿牛。"——古人做事"留名"，大抵是出了质量问题便于追究责任。弘治在"鄙其名"之余，御笔一挥，"施阿牛"从此叫做"施文用"。这种"上以其名不雅"的事，不仅见诸于人，而且见诸于物。《柳南随笔》载，名茶"碧螺春"本名"吓杀人香"，当地百姓早就喝这种生于山间石壁上的野茶了，历数十年"未见其异也"。康熙年间，那几株野茶大丰收，采摘的时候，筐没装下，"因置怀间，茶得热气，异香忽发，采茶者争呼'吓杀人香'"。"吓杀人"，是吴中方言，方言区之外的人难解其神韵，但这是惊奇之余的感叹绝不会错。后来康熙也是大笔一挥，改成了碧螺春。成为贡品之后，"地方大吏岁必采摘，而售者往往以伪乱真"。看起来，在古代也是一样，什么产品一出名，假冒伪劣马上蜂拥而至。

《菽园杂记》还载有一则改名的趣事，那是"善谑谈"的童缘杜撰出来的，说元世祖忽必烈当政的时候，"令华人皆辫发、缒髻、胡服"。有一天忽必烈视察太学，让把孔子及四配十哲塑像的衣服也换过来，于是子路到上帝那儿告状——这个上帝，当然不是基督教里的GOD，而是一度被孙悟空搅得不得安宁的玉皇大帝。上帝很想得开："汝何不识时势？自盘古以来，历代帝王下至庶人，皆称我曰天（帝）。今名我曰腾吉理，只得应他。盖今日是他时势，须耐心等待，必有一日复旧也。"童缘之谑，于今日来看不免掺杂了狭隘民族意识在内，但正说明了改名姓者往往迫于"时势"的道理。

改名的结果，还有一种叫做"改之以名而不以实"，这当然已经超出人名的范畴了。南朝宋孝武帝刘骏打算提高散骑常侍的地位，使与吏部并重,乃用当时两位名士为之。蔡兴宗对人说:"选曹要重,常侍闲淡,改之以名而不以实,虽主意欲为轻重,人心岂可变邪!"果然没过多久,"常侍之选复卑,选部之贵不异。"中国足球在由"甲A"改成"中超"之后,仍然被舆论诟病不断,恐怕也是这个道理。

2004 年 6 月 18 日

端午节

6月22日是端午节。今年的端午节多少有一点特别,前一段韩国江陵市的"端午祭"申报世界遗产曾吓了我们一跳,因此部分国人发出"保护端午"的呼声。其实,韩国并没有说端午节是他们发明的、原创的,而只是说他们的端午祭也有把地区的知名历史人物作为守护神加以敬奉,并有一套祭祀活动。不过,我们一位比较著名的民俗学者"出于未雨绸缪的心理"——应当说是没弄明白,急急忙忙地上书文化部官员,从而引发了一场莫名其妙的"保卫战"。

即使在端午节的发源地中国,祭祀的对象和祭祀活动也并非那么单一。撮其要者,有伍子胥、曹娥、屈原等。伍子胥有两件事很有名,一个是过昭关时一夜急白了头发;另一个是为报父兄之仇,掘楚平王之墓鞭尸三百。因为吴王夫差听信越国的谗言将以加害,子胥对邻舍人说,他死后,将他的眼睛挖出悬挂在吴京之东门上,"以看越国军队入城灭吴"。夫差闻言大怒,令取子胥之尸体装在皮革里于五月五日投入大江。因此江南一带的人们,在每年端午,都要划龙船迎接已被天帝封为潮神的伍子胥。东汉的曹娥则以孝女闻名。传其父溺于江中,数日不见尸体,14岁的曹娥便昼夜沿江痛哭,过了17天,到了五月五日依旧不见其父尸首,也投江自尽,几天后人们发现两具尸首一同浮出水面。曹娥殉父之处因此更名为曹娥江,并在每年五月五日划龙舟竞渡。这是浙江绍兴一带的习俗。此外,还有把端午和勾践、介子推联系起来的,只是纪念屈原说流传最广、影响最大而已。

除了纪念人物,现代学者闻一多先生考证认为,端午节是四五千年以前古代南方以龙为图腾的吴越民族举行图腾祭的一个节日,在每年五月五日这一天,他们将各种食物装在竹筒中,或裹在树叶里,往水里扔,献给神龙吃。他们还把乘坐的船,刻画成龙的形状,配合着岸上急促的鼓声,在水面上做各种游戏和竞赛划船。因此,关于端午的起源,实在众说纷纭。

端午节在今天是一个欢乐祥和的节日,但在以前,却是一年里最不吉利的一天。古人把五月叫做恶月,把五日叫做恶日,五月五日实际上就是恶月恶日。战国时的孟尝君、三国时的猛张飞、南朝刘宋的王镇恶、宋徽宗、西夏皇帝赵元昊等都出生在这一天,留下了不少故事。比如《史记》载,孟尝君田文五月五日出生时,其父田婴告诫其母"勿举也",不要生他;但其母偷偷把他养活下来。待田婴发现,孟尝君已经长大了,乃对其母大发雷霆说:"五月子者,长与户齐,将不利其父母。"但孟尝君后来位至齐相,又成了人们驳斥所谓恶月恶日不吉利的标本。又比如王镇恶出生之时,"家人以俗忌,欲令出继疏宗",倒是让他生出来了,但不想要。他的爷爷、前秦将相王猛坚持把他留了下来,并为之取名"镇恶",对抗俗忌。后来王镇恶也是颇有作为,率领大军东征西讨,成就了刘裕的霸业。不过因为性贪,也差点被刘裕给收拾了。王镇恶贪到"极意收敛,子女玉帛,不可胜计",刘裕对这些并不在乎,"以其功大";但他灭了后秦之后,把其帝姚泓的御辇藏起来了,令刘裕心里发毛,怕他自立。派人去侦察了一下,发现"泓辇饰以金银,镇恶悉剔取,而弃辇于垣侧",这才放下心来。

《金史》里有位田特秀,一生都跟"五"有关:五月五日生,小字五儿,所居里名半十,排行第五,二十五岁参加科举,乡、府、省、御四试皆第五,八月十五去世,终年五十五岁。这样有才华的人,可惜命短,加剧了人们对恶月恶日的恐惧。为了避恶,宋徽宗还特地将生日改为十月十日,并定该日为"天宁节",希望上天保佑其安宁。可见,恶月恶日的阴影不仅笼罩着平常百姓,也困扰着皇家宫廷。事实上,在一年当中任何一个日期出生的人，境遇都有大相径庭的可能，完全不可一概而论。我疑心，因为恶月恶日的观点根深蒂固，所以古人要在这一天举行一系列用吉祥物避恶和祭祀不幸死亡者的活动，乃形成了具有宗教色彩的端午节习俗。而许多著名历史人物却未必都在此日死去，不排除牵强拉扯的可能。

我们的端午节祭祀对象尚且众多，韩国的"江陵端午祭"在内容上就更不可能一样。事实上，端午祭只是地区性庆典，祭拜对象是韩国的山神，其中之一是新罗时期在江陵消灭高句丽和百济两国军队的领军主帅金庾信将军。此外，端午祭的时间从农历四月五日开始一直要持续到农历五月七日，且主要活动是荡秋千、上演戴面具的无言剧等，总的来看与我们的端午节毫不相干。所以，还是《南方周末》报道此事时的标题用得准确："你的端午祭，我的端午节"。

2004 年 6 月 25 日

酷暑

6 月 25 日《南方都市报》的一则新闻说，夏日炎炎，深圳有一位妙龄女子却无论怎么运动就是不出汗；甚至在干蒸桑拿时，皮肤都蒸红了也没用。为此，该女子很有一点担心，不知道自己得了什么怪病，公布自己的电话以寻找同病相怜的人。

不出汗是不是属于病征，我不很清楚，但我知道古人里也有一位不出汗的，那是明朝崇祯皇帝宠爱的田贵妃。《三垣笔记》载："妃性寡言，虽酷暑热食，或行烈日中，肌无纤汗。"瞧，大夏天的，加上吃热东西，不出汗；在太阳底下赶路，也不出汗。汗，一般与臭连用。《水浒传》里关于卢俊义上山前有一段描写，梁山好汉采用车轮战进行佯攻，一会儿出来一个跟他打斗一番，每每"累得卢俊义又是一身臭汗"。这个田贵妃不仅不出汗，而且也没有汗的臭味，相反，"枕席间皆有香气"。

然而,对绝大多数的人来说,酷暑大汗,却是免不了的。古代气候虽然没现在变得这么暖,不出汗的,差不多也只是一个田贵妃。古人没有今人那么多避暑的手段,加上许多清规戒律,想必在夏天是很遭罪的。于慎行《谷山笔麈》记载,万历皇帝有一天御讲,"一中官旁侍,窃摇扇"。就这么偷偷地扇了一下,还是给万历看见了,回到宫里,"召而杖之",说:"诸先生在旁,见尔摇扇,以为我无家法也。尔不畏诸先生见耶?"瞧,扇一下扇子就挨一顿打,万历的"家法"有多严厉。那中官显然是知道"家法"的,否则摇扇不至于"窃";不过,如果不是热得难受,他恐怕也没有违背的胆子。

清朝方濬师的《蕉轩随录》告诉我们一个细节,酷暑面前人人平等,即便皇帝也不例外。他说大理卿杨介坪很为嘉庆皇帝赏识,有一天蒙召,"值天暑",杨介坪"方掀帘,见上摇扇挥汗"。待他跪倒听旨,"上将扇子却在左右,不复用,问公事甚详"。两人那次谈的时间较长,嘉庆热得"面汗如雨",但却始终没用扇子扇一下。杨介坪当然就更不会扇了,出来时,已经"湿透纱袍矣"。方濬师记载此事,是想说明当时的君臣相见,如何地隆而重之。这样一比较,上面那个中官挨揍也就算不上很冤,在万历的"家法"看来,此举一定显得轻浮,没准跟现在开会时手机动不动就响得烦人差不多。

但古代还是有一些规定很莫名其妙。明朝的《典故纪闻》载:"南京各官旧张伞,弘治时为御史郭纮劾,命城中许张油伞,不得用凉伞。"油伞、凉伞都可以遮阳,前者兼可挡雨而已,区别得那么清楚干什么呢?又载:"正德初,令京官三品以上用大扇,四品以下止许用撒扇遮日。"撒扇就是折扇。同朝的刘若愚说:"撒扇,其制用木柄,长尺余,合竹作小骨二十余根,用蓝绢糊裱,两面皆撒大块金箔,放则遮日,收则入囊。"看起来,撒扇这东西跟聂卫平他们下棋时手里摆弄的道具差不多,怎么遮得了阳呢?不思其解。三品四品,一级之差,"凉快权"都差别这么大,难免有的人要投机钻营向上爬了。同朝另一位刘元卿认为撒扇始于永乐皇帝时,"因朝鲜国进撒扇,上喜其卷舒自由之便,命工如是为之"。他还说,"南方女人皆用团扇,惟妓女用撒扇",这好像有点骂人了,想来他说这话时心有所指。

1568年,明朝隆庆皇帝考选吉士,"在金水桥南设几,北向,几上各贴姓名"。考场露天,就有"地利"的问题。果然,有一个人的几案正被分配在太阳底下,没遮没挡,但他见另一个人的几案在阴凉地方,而其人正在别处闲聊,乃一不做二不休,"遽走据其案,除其纸帖,以己名帖之",来了个公然调包。那人看见了,"急走还与争",还是来不及了;这人却指着案上名字说,这写着是我的。二人"相持久之,竟不能夺"。那人请同僚作证,大家"亦笑不能面质也",谁也不愿出面。两人还都是名士呢,在一点阴凉面前不惜连面皮都撕破了,从中也可见古人对酷暑的无奈。

《竹叶亭杂记》载,清朝有位"扇癖"莫清友,"不论冬夏,居则几上、架上、塌上、座上无非扇也"。此公好扇,却不是因为自己怕热,而是喜欢在扇子上舞文弄墨,不仅要画,画完了还要题诗,"且一题再题,多至十数题,无不叠韵,俱细书于扇头"。别人画的也题,画得怎么样他不管,但有空处"则补以诗焉"。莫清友善画兰花,人家说他用笔不输于郑板桥。想来,扇扇子的"扇癖"当时恐怕更大有人在,没人家莫清友雅致,上不了台面罢了。

那个不出汗的田贵妃很得崇祯宠幸。崇祯生前并没有为自己修建陵寝,李自成打进北京后,就将崇祯和皇后周氏一起葬入了田贵妃的墓,是为思陵。这是另话。

2004年7月2日

剽窃

6月24日出版的《南方周末》有一篇关于学术剽窃的报道,讲的是《中国悬棺葬》作者陈明芳的一场痛苦官司,用她自己的话说,"一个从没有涉足过悬棺葬研究的人","在转瞬之间就偷走了我20多年历经风雨艰辛的科研成果"。那个人,是四川大学的博士生导师,据陈明芳粗算,其人所著的14万字的《魂归峭壁》,涉嫌抄袭《中国悬棺葬》的部分达7万多字,甚至一些笔误、标点符号的错误也全盘照搬。

学术剽窃,这几年已渐渐地不成新闻了;能成为新闻的,只是如陈明芳的痛苦官司一般,如此白纸黑字根本无法抵赖的剽窃,至今却没有公正的判决结果。

翻开历史,却原来剽窃也不陌生。唐朝就有著名的宋之问剽窃案。宋之问本来是初唐很有名的诗人,"尤善五言诗,其时无能出其右者",跟那个博士生导师一样,是"考古学界一个不可缺少的人才,川内无人能比"。宋的诗以属对精密、音韵谐调的特色而与沈佺期齐名,号称"沈宋体",代表着律诗成熟的开始。宋之问剽窃的是今人熟知的句子:"年年岁岁花相似,岁岁年年人不同。"剽窃谁的呢?他的外甥刘希夷的。检索中华书局出版的《全唐诗》,这一首《有所思》正放在宋之问的名下,但同时标注"一作刘希夷诗,题为代悲白头翁"。《大唐新语》载,刘希夷先写的是"今年花落颜色改,明年花开谁复在?"既而自悔曰:"我此诗似谶,与石崇'白首同所归'何异也?"乃更作此句。既而叹曰:"此句复似谶矣,然死生有命,岂复由此!"于是,将诗句"两存之"。然"诗成未周,为奸所杀。或云宋之问害之"。如果说这里还只是怀疑,那么,《刘宾客嘉话录》则予以坐实,说刘希夷得出此句之后,宋之问"苦爱此两句,知其未示人,恳乞,许而不与。之问怒,以土袋压杀之"。这就是唐代发生的因剽窃而导致的谋诗害命案。

《邵氏闻见后录》有一则云,刘中原父"每戏曰":欧阳修于韩愈的文章,"有公取,有窃取,窃取者无数,公取者粗可数"。其实,欧阳修非常崇拜韩愈,对韩文到了"皆成诵"的地步,刘中原父称之"韩文究"。欧阳修《赠僧》云:"韩子亦尝谓,收敛加冠巾。"而韩愈《送僧澄观》有"我欲收敛加冠巾",如此等等,就是所谓"公取"或"窃取"了。那么,刘中原父委实是在开玩笑,那个"戏"字也已道得明白。

但欧阳修的文章被他人公然剽窃却是事实,事见魏泰的《东轩笔录》。那是欧阳修刚到滑州(今河南滑县)上任,宋子京对他说:"有某大官,颇爱子文,俾我求之。"欧阳修"遂授以近著十篇"。过了一个多月,子京又来说:"某大官得子文读而不甚爱,曰'何为文格之退也?'"修笑而不答。未几,大家都在说那官员极其赞赏丘良孙的文章,欧阳修"使人访之",看看那大官究竟是怎样的欣赏水平,不料发现他赞赏的正是他的那十篇文章,"良孙盗己文以为贽"!欧阳修弄清楚之后,"不欲斥其名,但大笑而已"。后来,欧阳修为河北都转运使,又得知丘良孙"以献文字,召试拜官",因为他有剽窃的前科,欧阳修"心颇疑之",等到看到他所献的文字,果然又是剽窃的,那篇文章"乃令狐挺平日所著之《兵论》也"。看起来,这个丘良孙足称当时的剽窃大盗了。可惜的是,欧阳修又一次采取了纵容的态度。当他到宋仁宗身边当官的时候,谈起过丘良孙的事,"仁宗骇怒,欲夺良孙官",欧阳修说:"此乃朝廷已行之命,但当日失于审详,若追夺之,则所失又多也。"仁宗"以为然,但发笑者久之"。这一笑,又让剽窃者的阴谋得了逞。

丘良孙是何方神圣?可惜史无其传,他用剽窃来的文章作敲门砖,想来至少是附庸风雅之士。宋朝的学者有"三多"说,即看读多、持论多和著述多。孙莘老曾就此请教欧阳修,修曰:"此无他,唯勤读书而多为之自工,世人患作文字少,又懒读书,每一书出,必求过人,如此少有至者。疵病不必待人指摘,多作自见之。"孙莘老把这话当成了名言,"书于座右"。《四友斋丛说》载,欧阳修晚年审定自己生平所做的文章,"用思甚苦",夫人止之曰:"何苦自如此,当畏先生嗔耶?"欧阳修笑着说:"不畏先生嗔,却畏后生笑。"欧阳修所戳中的未尝不是今日一些学者的要害。

明朝学者宋濂说过:"古人为学,使心正身修,措之行事,俯仰无愧而已。"从学术剽窃的各种事实看,当代不少学者所欠缺的,正在"俯仰无愧"这一点上;他们的所谓"学",纯粹是为了达到个人目的而装饰出的一种门面。

2004年7月9日

赝品

17世纪荷兰著名画家约翰尼斯·维米尔最出名的画作《戴珍珠耳环的少女》,7月7日在英国被成功拍卖,售价高达3000万美元。我注意到,媒体在报道此事时,并没有点明画作的名称,大概是不知道这个"新闻点"吧。而此画所以引起我的注意,主要是同名电影的功劳。去年英国拍摄的这部电影,轰动一时,影片借助同名小说的力量把这幅名作演绎得感人至深,因而对此画极有印象:一个身披土黄色披肩的女子侧着脸,耳朵上戴着一枚硕大的珍珠耳环,看起来清晰自然,栩栩如生,洋溢着生命之美……

但这幅画,几十年来却一直被怀疑是赝品,英国国家美术馆的专家们足足花了10年的时间才确认其真。书画作伪,由来已久,鉴别也早就是一门学问,清人陈其元认为,此学"大抵凭一己之见,不必尽真识也。其识之精者,不过能辨妍媸(美丑)耳"。(《庸闲斋笔记》)他这话虽然悲观,但却有一定的道理。去年故宫博物院以2000万元"天价"买进隋人的《出师颂》,真伪问题即引起了很大一场风波。同样是大师级的鉴别专家,观点却针锋相对。这不难理解,寻常的"三角猫"功夫易于识别,高手作伪呢?

苏东坡的字,北宋当时即人人追捧,得他的字有个窍门,"必预探公行游之所,多设佳纸,于纸尾书记名氏,堆积案间,拱立以俟"。东坡先生大概很好说话,往往"见即笑视,略无所问,纵笔挥染,随纸付人"。然大家如东坡即上过"赝品"一当。有一次过扬州,秦少游知道了,跟他开玩笑,"作坡笔语题壁于一山寺中",结果东坡"大惊",记不起何时曾经在此挥毫,而且那时他尚不认识少游,想不到还有人本领如此了得。何良俊《四友斋丛说》云,明朝周东村是画坛高手,唐伯虎起初就是拜他为师。唐寅诗词里即有一首《题画师周东村之郊秋图》:"鲤鱼风急系轻舟,两岸寒山宿雨收;一抹斜阳归雁尽,白萍红蓼野塘秋。"唐伯虎名噪天下之后,如果有人求画,自己又懒于着笔,"则倩东村代为之"。当时的人仿当时的画,又有当事人授意,真要难为鉴赏家们了。还有一位大书画家米芾也是如此。米芾行为古怪,性爱书画,他常借别人收藏的作品玩赏,然后临摹乱真,于是借来的是真迹,归还的是赝品,一时间令主人真伪难辨。今人则有张大千先生。其成名之初,被人们称奇的不是他创作的作品,而是摹仿明末清初画家石涛而作的赝品。张大千也曾自嘲自己是个用纸用笔的骗子。他仿石涛画,其神韵、表现手法、构图特点,惟妙惟肖,与真迹毫无二致,活脱脱"石涛复生"。他的赝品石涛,不知使多少著名的画家、收藏家、鉴赏家上当,少帅张学良不用说了,黄宾虹、罗振玉等专业人士亦不能幸免。但这一类有关大画家作伪的记载,往往却被作为名人逸事而津津乐道。

鉴别如此之难,并不是说对赝品的东西就只有束手无策。假的就是假的,总能露出破绽,因而对鉴别家来说,考验的是综合素质,见多识广、博闻强记等等是最基本的,读书还得多,得熟知书画源流,精通书理画理。另外,还要心细如发,目锐如刀,思密如网。清初尚书宋牧仲精于鉴别,"凡法书名画,只需远望,便能辨为某人所作"。这种本领有一点神,但宋牧仲看得多,能辨识书画的气韵是不会错的。当代徐邦达先生,人称"徐半尺"。据说徐先生鉴定古书画时,常于画轴展开半尺之际,已辨出真伪,故海内外对他有"华夏辨画第一人"之誉。如果了解徐先生的成长道路,就知道他的本领并非与生俱来,完全是后天练就。

与唐伯虎齐名的文徵明,同时精于书画鉴别,"凡吴中收藏书画之家,有以书画求先生鉴定者,虽赝物,先生必曰此真迹也"。人家问他为什么要这样做,文徵明有他的道理:"凡买书画者必有余之家,此人贫而卖物,或待以此举火,若因我一言而不成,必举家受困矣。我欲取一时之名,而使人举家受困,我何忍焉?"则文徵明的鉴别很有点"劫富济贫"的味道。不仅如此,有人拿仿文徵明的假画来请他题款,他"即随手书与之,略无难色"。不过换个角度看,说文徵明对当时乃至后世并不负责任,恐怕并不冤枉。

宋朝有人写过一首《假髻行》:"东家美人发委地,辛苦朝朝理高髻。西家美人发及肩,买装假髻亦峨然。金钗宝钿围珠翠,眼底何人辨真伪?夭桃花下来春风,假髻女儿归上公。"赝品何以能走俏?前人一语道破:"此所谓真不如假能行时也。"衡之以书画之外,不亦然乎?

2004 年 7 月 16 日

口碑

7月12日,中央纪委、中央组织部第二巡视组在人民网发表题为《深入群众明查暗访 提高巡视质量》的文章披露,副省部级以上的领导干部,省委、省政府两个班子的成员,特别是两个"一把手",是巡视组巡视的重点。巡视的目的,是注重党政主要领导有无不廉洁的行为,其配偶子女干净不干净,口碑好不好。

口碑,乃众人口头上的称颂。不论词义如何,其在一定程度上确实能够反映出对一个官员的评价。把口碑怎样作为考察领导干部的标尺之一,实际上是纳入了民意。事实表明,如今的贪官,尽管有一些伪装得相当巧妙,如江苏邳州的"布鞋书记"邢党婴、陕西宝鸡的"挎包局长"范太民之类,但更多的,在东窗事发之前,不论他们曾经往自己的头上巧取豪夺了多少荣誉、何种荣誉,其口碑在所在地或所在部门已经极差。典型的莫过于安徽的王怀忠,当地的百姓早就把他看透了。

口碑有许多的表现形式。明朝时江浙一带有种说法:"凡府县官一有不善,里巷辄有歌谣或对联,颇能破的。"歌(民)谣、对联,就都是口碑的载体。不要小看这些来自草根阶层的语言,其间不仅充满着智慧,而且能够真实地反映一定时代的民心民意,在对社会现象与社会问题的讽刺、批判方面,能够出入意表地揭示问题与现象的本质或者某一个具体个人的真实面目,往往言简意赅,隽永无穷。古人显然早就认识到了这一点,"劝君不用镌顽石,路上行人口似碑",道得相当明白。《汉书·艺文志》亦云:"古有采诗之官,王者所以观风俗,知得失,自考正也。"

清人梁章钜《归田琐记》里载有一则俗谚:"前生不善,今生知县;前生作恶,知县附郭;恶贯满盈,附郭省城。"用通俗的话来解释说,就是人越坏,官当得越大。时人得出如此极端的结论,一定是确有所指,至少有那么一些令百姓痛恨的人,高高地坐在官位上,奈何他不得。书里还有一首十字令,等于为官员画了幅集体像:"一曰红,二曰圆融,三曰路路通,四曰认识古董,五曰不怕大亏空,六曰围棋马钓中中,七曰梨园子弟殷勤奉,八曰衣服齐整、言语从容,九曰主恩宪德、满口常称颂,十曰坐上客常满、樽中酒不空。"其中的"认识古董"不大好理解,梁章钜解释说,不少人是用名家字画来沟通关系的,笑纳者势必得学到一手鉴别的本领,要不人家用假家伙蒙你,你可能还挺高兴呢。另,中中,乃中等、一般的意思。梁章钜认为这首"十字令","语语传神酷肖",就是说,起码在梁的心目中都能——对上号,其所产生,也就不是空穴来风。

宋人的《玉壶清话》载,五代十国时,南唐大将边镐与王建各率一路大军进攻闽之都城建州(今福建建瓯),"凡所克捷,惟务全活",建州人德之,称他为"边罗汉"。——当然,另有记载,建州城破之后,原本是要大屠杀的,全赖一位叫做练隽的女士对边、王慨然陈词,二将深为感动,城得保全,练隽因此赢得"芝城(建州别称)之母"的美誉。后来边镐率军灭楚,攻克潭州(今湖南湘潭),"诸将欲纵掠,独镐不允,军入其城,巷不改市",潭州的百姓因此很拥戴他,叫他"边菩萨";然而,"及(镐)帅于潭,政出多门,绝无威断,惟事僧佛",人们感到非常失望,又改口叫他"边和尚"。从"边罗汉"到"边菩萨"再到"边和尚",离不开佛家用语,一方面说明了当时崇佛风气的盛行;另一方面,边镐称号的变化,也说明了人们对他的评价的变化。菩萨是修行到了一定程度、地位仅次于佛的人;和尚,不过只是出家修行了而已,这说明边镐的形象在人们心目中越来越差。倘若当时的政府真的要考察边镐的作为,势必要借助这些来自草根阶层的口碑。

不可否认,有一些民谣对于社会问题、社会矛盾的理解存在着一定的片面性、情绪性,乃至极端性,但它代表着民间的意识形态,蕴含着民众的政治心声,从这点来看,其积极意义不容低估。民谣一般是以非严肃的面目出现,戏谑、嘲弄、否定,但在谐谑的背后,它所表达的内容,既直接又快捷,往往蕴含着真理,保持着清醒的批判意识,寄寓了民众严肃的政治思考。

2004 年 7 月 23 日

庸医

7月23日,不少媒体都刊发了新华社的一条特稿,说最新一期英国《新科学家》杂志报道说,拿破仑死于一名庸医导致的灌肠医疗事故。这位法兰西帝国的皇帝虽然已经去世了近200年,但对他的死因人们至今仍然莫衷一是。在此之前,即有胃癌说、砒霜中毒说、慢性药物中毒说等好几种说法,每一种都言之凿凿。那么,庸医说也未必就是最终的结论。

庸医夺命,今天时常见诸报端。在医疗体制漏洞百出的情况下,是一件正常的事情。一般说庸医,是那些游走于江湖的货色,其实,身份堂正的,也未必不庸。宋朝有位"用药多孟浪"的王泾,是皇帝的御医,据说南宋第一个皇帝高宗就是给他灌肠灌得病危的:"高宗苦脾疾,泾误用泻药,竟至大渐。"就是说,王泾跟给拿破仑治疗的那位简直干了相同的事。王泾庸到什么程度?出了如此天大的医疗事故之后,本来是要杀他的头的,因为朝廷担心"自此医者不敢施药",乃改为"杖其背,黥海山"。在打板子之前,王泾"怀金箔以入",打完了,赶快把金箔贴在伤口上。有什么用呢?在王泾看来,"意金木之性相制耳",打人的板子是木头的,而五行之中金克木,所以金箔能制住木板造成的创伤,不留疤痕。王泾从海山流放归来,重操旧业,大门口打出的广告还是"四朝御诊",不过有人在旁边添了一行小字:"本家兼售施泻药。"这几个字令王泾"惭甚",等于揭了他的老底。

许是王泾式的庸医太多吧,有些古人对医生采取的是不信任态度,认为人生病可以分为死病和不死病两类,"药医不死病,死病无药医",医生的功劳不大。《菽园杂记》还说:"古人以病不服药为中治,盖谓服药而误,其死甚速。不药,其死犹缓。"但接着又说:"万一得明者治之,势或可为耳。"可见,"病不服药",担心的还是撞到庸医。《浪迹丛谈》载古语云:"医不三世,不服其药。"此中三世,并非指医疗世家,祖、父、子传承三世——如果那样,爷爷和父亲开的药因为"世数"不够也吃不得了,而是"必通于三世之书"。这三世之书,即《皇帝针灸》、《神农本草》和《素问脉诀》。为什么"必通"呢?概因为"《脉诀》所以察证,《本草》所以辨药,《针灸》所以去疾,非是三者,不可以言医"。显然,这只是对医生的一种理论上的要求。《巢林笔谈》载,吴中有位医生"始以痘科得名,渐及大方",出名之后,他就什么都行了,而且"负技而骄,不多与金钱,虽当道或不赴"。但他给人治病,除了狮子大开口,还不肯负责任,"小效归其功,大害委于命"。当地人说他死了之后,"堕落狗胎,有文在腹"。当然此是无稽之谈,但折射了百姓对庸医的痛恨程度。

元末明初有位吕复,他本人不仅"以医名世,取效若神",而且善于评点历史上的医家,记载此事者说:"自来评文、评诗、评书、评画者最多,独评医颇罕。"吕复是怎么评的呢?说神医扁鹊,"医如秦鉴,烛物妍媸不隐;又如弈秋,遇敌着着可法,观者不能测其神机"。说医圣张仲景,"医如汤武之师,无非王道,其攻守奇正,不以敌之大小,皆可制胜"。说名医华佗,"医如庖丁解牛,挥刀而肯綮无碍,其造诣自当有神,虽欲师之,而不可得"。说药王孙思邈,"医如康成注《书》,详于制度训诂,其自得之妙,未易以示人;味其膏腴,可以无疾矣"。此外,还评价了许多今日不太知名的人物,如说陈无择,"医如老吏断案,深于鞫谳,未免移情就法;自当其任则有余,使之代治则繁剧"。说张子和,"医如老将对敌,或陈兵背水,或济河焚舟,置之死地而后生,不善效之,非溃则北矣"。说严子礼,"医如欧阳询写字,善守法度,而不尚飘逸;学者易于模仿,终乏汉、晋风度"。如此等等,不必一一列举。由这几例亦可见出,吕复的评点让我们这些非医疗界的人士对古代医家的医术也有了至为形象的了解,如前人所言,"不特词旨华赡,并可见其医理精妙,非三折肱不能道也"。可惜吕复对庸医不屑一顾,否则同样来上一篇,一定更是趣味横生。

在1890年《共产党宣言》德文版序言中,恩格斯谈到了社会庸医。他说:"在1847年,所谓社会主义者是指两种人。一方面是指各种空想主义体系的信徒,特别是英国的欧文派和法国的傅立叶派,这两个流派当时都已经缩小成逐渐走向灭亡的纯粹的宗派。另一方面是指形形色色的社会庸医,他们想用各种万应灵丹和各种补缀办法来消除社会弊病而毫不伤及资本和利润。"社会庸医,今天倒是被忽视了,或许,是他们已经变换了恩格斯所指的那种面目了吧。

2004年7月30日

不认识

8月2日出版的第298期《三联生活周刊》,"封面专题"做的是《凡人赵忠祥》。不用说,这是因为"饶赵事件"已经到了"撕票"(赵语)的地步,由不得他们不予以关注。在这起是非暂时未有结局的事件中,给我印象最深的不是饶颖的什么,而是赵忠祥的"不认识"这三个字。照我的最初理解,饶颖有可能把事实夸大,但恐怕不至于对一个不认识的虽然是"凡人"但却是名人的人大泼污水。三联的记者们显然更注意到了,在7月22日对赵忠祥长达两个小时的采访中,要求他"给出确切的判断":到底认不认识饶颖。赵的回答是:"没必要再说。"

查"认识"一词,认得、相识,只是其义项之一,在现实生活当中,还有更值得关注的其他义项,虽然在很多时候表现得没有那么直接。

《宋史》卷二八八里有一则记载，范仲淹"坐言事夺职"，欧阳修愤愤不平，写信给监察御史高若讷说："仲淹刚正，通古今，班行中无比。以非辜逐，君为谏官不能辨，犹以面目见士大夫，出入朝廷，是不复知人间有羞耻事耶！今而后，决知足下非君子。"在这里，欧阳修一是痛斥高若讷"不认识"范仲淹是怎样的一个人，二是痛斥他也根本"不认识"自己的职责所在，不过但求纱帽戴得安稳而已。同书卷四三五亦载，北宋靖康元年，钦宗问政胡安国，安国指出了不少弊端，诸如"纪纲尚紊，风俗益衰，施置乖方，举动烦扰"等等，并且具体指出："用人失当，而名器愈轻；出令数更，而士民不信。若不扫除旧迹，乘势更张，窃恐大势一倾，不可复正。"这番肺腑之言，却被门下侍郎耿南仲扣了一顶大帽子："中兴如此，而曰绩效未见，是谤圣德也。"对耿南仲这种官场上的马屁精来说，永远都属于"乐观地"看待现在或眺望未来的一类，而不可能"认识"或正视社会已然存在的尖锐问题。事实也无情地证明，仅仅在胡安国说话的第二年，徽钦北狩，北宋亡国。

　　姚元之《竹叶亭杂记》记载了这样一个故事。有年除夕，姚元之到朱珪家拜年，闲谈中"问公岁事如何"，问他这年过得怎样，朱珪"因举胸前荷囊"，说："可怜此中空空，压岁钱尚无一文也。"正在这时，仆人来报："门生某爷某爷节仪若干封。"按道理，缺钱的时候有人把钱主动送上门来，要喜形于色才是，但朱珪平静地对姚元之说："此数人太呆，我从不识其面，乃以阿堵物付流水耶！""不识其面"不等于不认识，其实，那是朱珪打发行贿所表现出的一种幽默，他当然知道那几位为什么要来送钱。《清史稿》里有《朱珪传》，翻一翻就可知道，他是乾隆、嘉庆两朝的重臣，因为"不沽恩市直"，被乾隆帝评价为："朱珪不惟文好，品亦端方。"嘉庆帝登基后，则"时召独对，用人行政悉以咨之。珪造膝密陈，不关白军机大臣"，看得出，他是可以越过相关职能部门而直接通天的人物。朱珪去世的时候，嘉庆亲来赐奠，"驾至门即放声哭"，且赐以诗，内有"半生唯独宿，一世不谈钱"。这前半句，大抵是说他76岁去世，而"年四十余，即独居，迄无妾媵"；后半句，该是他一以贯之的写照了。清代皇帝给文臣的最高谥号是"文正"，三百年间享誉此谥的,只有朱珪、曾国藩等8人。从上面这件小事看,朱珪有不虚此谥的条件,不过在今天的一些权力在握者可能认为,"太呆"的该是朱珪本人。

明季"有道之士"陈其德著有《垂训朴语》遗后,其中说道:"人非圣人,不能无过,过而能改,仍是好人。故以过告我者,爱我之甚也,以过责我,则我之师也;若以过容我、谅我,则彼为君子,而我不适成为小人乎?"当然,饶颖的"告"属于告发,赵忠祥是绝对不会"师"事之的;何况,在事件尚未水落石出之际,谁是君子、谁是小人还很难定论。不过,一件原本属于几千块医疗费纠纷的区区小事,发展到如此扑朔迷离,媒体追踪不已,我以为应该是"凡人"的"不认识"惹的祸。新近公众人物里又添了赵薇与邹雪的纠纷,双方唇剑舌枪。与"饶赵事件"不同的是,这里非单方而是互揭老底,且两个人"认识",一度关系还不错,这一点谁也没有否认。

忽然又想起一件清朝的事情,乾隆年间监察御史钱沣奉旨查办贪官山东巡抚国泰,国泰因为有权臣和珅撑腰,根本不把他放在眼里。审问的那一天,国泰一开始就盛气凌人,大骂钱沣:"汝何物,敢劾我耶!"不知怎的,这让我想起"凡人"说的话:饶颖"算个什么东西"。无他,口气上很接近。

2004年8月13日

前世

不久前在凤凰卫视看到一个李敖参与的娱乐节目,由蔡康永和"小S"徐熙娣共同主持的"康熙来了"。海峡彼岸的娱乐节目,往往都有星相界人士的介入,胡瓜、高怡平红极一时的"非常男女"即是如此,对"速配"成功了的,都有人卜卦一样预测二人的未来。此番也不例外。节目开始不久就有两女一男三个"算命的"坐在那儿,尽管李敖明确表示根本不信此道,但他们还是一会儿分析李敖的印堂,一会儿分析他的眼距,总之是要在"命里注定"方面证明李敖之所以为李敖。末了亮相的一位人物,说他知道李敖的前世是清朝雍乾时期的孙嘉淦,用紫薇斗数什么的"推算"出二人有许多共同之处:都坐过两次牢,都好色,都直言不讳等等,神神叨叨。

今天仍然听到"前世"的说法,"新鲜"之余,恍若跨越时空,进入了古代社会。古人是非常笃信"前世"说的。前世,犹如前生、前身,乃佛教用语,相对于今生而言。桐城派代表人物方苞的文章,"誉之者以为韩、欧复出,北宋后无此作;毁之者谓所得者古文之糟粕,非古人之神理"。这两个极端的评价是否精当,且不去理论,这前半句,就有前世的意味在内,但显然还不是这种。前世说大抵不是神似而是"等于",此即彼,彼即此,生活于不同的时空而已。《西游记》里,孙悟空打死的妖怪不少都是虎豹熊罴之属,而在棒落之前,它们往往都是"人"的模样。吴承恩有这样的奇想,并不是他的发明,实乃古人世界观的一个组成部分。在古人看来,人的前世可以是人,也可以是动物。《蕉轩随录》说,"郑愚醉眠,左右见一白猪",这意味着郑愚的前世为白猪。还说五代十国时的吴越国王钱镠前身为蜥蜴;欧阳修闻到榆荚香,乃悟前身为会说话的八哥;袁枚前世为点苍山白猿,纪晓岚为蟒精,吴香亭侍郎为蛤蟆⋯⋯

人的前世是动物,并不见得含有任何贬义,甚至政敌说王安石前世"乃上天之野狐"也是如此。但人的前世,更多的还是人,主要是名人。《春渚纪闻》云,南唐大将边镐,其前世是南朝的谢灵运,因此小名亦取作康乐;宋朝范纯夫的前世是东汉的邓禹,所以取名祖禹,这个说法是他妈妈做梦梦来的,所以他的字为梦得。另外,东汉蔡邕蔡伯喈的前世为同朝的张衡张平子,苏东坡的前世是战国时的邹阳。人们认为,"即其习气,似皆不诬也",就是说,相互之间存在相近之处。这其实是一句废话,若无一丝类似的地方,原本风马牛不相及的两个人,或者人和动物,也不会硬生生地给拢到一起。不过,对蔡邕的前世为张衡,逻辑上却不成立。蔡邕是大文学家,张衡是科学家同时也是文学家,他不仅发明了地动仪,而且其《二京赋》在众多汉赋中也是脱颖而出,这是二人"习气"的近似,但张衡在公元139年去世的时候,公元132年出生的蔡邕已经七岁了,两人曾经并世,前世却何从谈起呢?

黄瑜《双槐岁钞》载,大宗伯周洪谟甚至看见过自己的前世。那是他考中举人的那一天,舟泊邗江,夜见一人对他说,我是你的前世,"前程万里,终身清要"。周洪谟问他是谁,那人说自己姓丁,家在维扬(扬州),号友鹤山人。后来,周洪谟官翰林,以诗讯维扬太守王恕:"生死轮回事杳冥,前身幻出鹤仙灵。当年一觉扬州梦,华表归来又姓丁。"王恕收到后,"甚讶,集郡之耆老询之",还真的有这个人,"以诗名家,元末隐逸"。不过黄瑜并不相信这种事,认为周洪谟是嗜学之人,"精神恍惚,人或附会之耳"。也许是对周洪谟有一点敬仰吧,对其他类似现象,黄瑜可没这么客气,认为"此皆豪俊之士自诧神灵以欺人耳,安足信哉!"

其实,早在宋朝,周煇《清波杂志》对这种附会的前世说就已经颇有微词了。时称房琯为永禅师、白居易为蓬莱仙人、韩琦为紫府真人、富弼为昆仑真人、苏东坡为戒和尚,周煇认为:"第欲印证今古名辈,皆自仙佛中来。然其说类得于梦寐渺茫中,恐止可为篇什装点之助。"此语戳中了前世说的要害。但不管怎么说,前世说对古人魅力无穷,南朝齐梁间的道教思想家陶弘景,晚年亦宣称自己前生是佛教中的胜力菩萨投胎下凡来普渡众生的。

孙嘉淦即为李敖,作为娱乐节目,聊博一笑可也,但有意思的是,主持人居然向李敖道歉,大抵是孙的"分量"不够,委屈了李。其实,撇开其做过湖广总督、翰林院掌院学士等官职不谈,即从犯颜直谏这一点上,孙也未必低过李,他向乾隆皇帝上了著名的《三习一弊疏》,表现出盛世之下的忧患意识。对待所谓前世,应当采取的是黄瑜们的态度,看到今天的星相家们那么煞有介事,惟一感到的只是好笑。

2004年8月20日

直言·多言

中国男篮在奥运赛场上奇迹般地赢了世界冠军塞黑队，闯入八强，坐到新闻发布厅里的姚明，在说话的时候"第一次停停顿顿，顿顿停停"。而在此前，从第一场输给西班牙之后，姚明基本上都在怒吼，甚至"对国家队失去了信心"，以至于有领导说他从 NBA 那里学了不少坏毛病。

姚明以言语进行的发泄方式，是不是从美国学来的，我不大清楚，但不合乎中国的祖训是无疑的。言多必失、祸从口出，向来是国人行为处事的箴言之一。金埴《不下带编》载，意大利人利玛窦当年说过："舌在口中，如鸟在笼中。鸟从此树飞彼树，言从此人飞彼人，故曰口为飞门，士君子不可不慎言也。"金埴对此推崇至极，以为"可以悬之座右，以代金铭"。可惜的是，该书没有交代，是利玛窦原本固有此言，还是来了咱们中国之后的顿悟所得。我疑心，后者的可能性更大。

古人云："心直口快，君子之一病。"这种告诫并没有原则界限，就是说，对社会丑恶现象，"心直口快"同样毫不足取。举例来说，咸丰八年(1858年)的顺天乡试舞弊案，是清朝三大科场舞弊案件之一，该案由御史孟传金弹劾而发，先后受到惩处的共91人，其中斩决者即有五人，包括主考官大学士柏葰，使这个一品大员成为科举史上死于科场案的职位最高的官员。这个案件固有时握朝政大权的载垣、端华、肃顺等人"平日挟有私仇"，借机"擅作威福"的成分，但柏葰听受嘱托，撤换试卷，副主考程庭桂于入闱后，其子程炳采收受关节条子，交家人带入场内等等，也确是事实。然而孟传金的弹劾，并没有得到多数官员的认同，"众皆咎其多言"，虽然他们也承认自此之后，"朱门后起之秀，始知束身安分，不致妨寒俊之进身"；但此中的"多言"，含义明白无误：孟传金多此一举。

历史上，祸从口出的例子更是不胜枚举。隋朝贺若弼之父贺敦，为北周的金州总管,他在临刑前告诫儿子:"吾以舌死,汝不可不思。"还用锥子把贺若弼的舌头刺出了血,"诫以慎口"。尽管如此,贺若弼后来还是没管住自己的嘴。他与韩擒虎分路率兵灭陈,擒陈叔宝之后,先是与韩争功争得不亦乐乎,后又"自谓功名出朝臣之右,每以宰相自许",没当上,"动辄形于言色",到什么程度呢?对皇帝说你选的当朝宰相高颎、杨素,"惟堪啖饭耳!"贺若弼后来瘐死狱中,忘却父训不是惟一原因,却是重要原因。

《鸡肋编》载宋朝有位蔡先生,"既以诗得罪,遂以言为戒",干脆连话也不说了。他有一位爱妾号琵琶姐,他甚至在叫她的时候也不开口,而通过自己养的鹦鹉,所谓"每呼其妾,止击小钟,鹦鹉闻之,即传呼琵琶姐"。老蔡的诗,究竟写了些什么而使他如此愤懑,暂时不大清楚,但是显然,获罪的前提不一定是直言、误解或者有意曲解,也可以有其他原因。明朝有人因进诗献谀获罪,拍马屁拍得太露骨。嘉靖十三年(1534年),道士张振通"作中兴颂诗二十一首",还有什么金台八景、武夷九曲、皇陵八咏以及赞美各种祥瑞,可能想要结集出版吧,请皇帝给他作序,结果以"希图进用"而"诏下法司逮系讯问"。嘉靖二十六年(1547年),敕谕天下入觐官员,"此不过旧例套语耳",但给事中陈棐以为有了献媚的机会,将敕谕尽情发挥,"衍作箴诗十章之上",结果却是"上大怒,谓棐舞弄文墨,辄欲将此上同天语,风示在外臣工,甚为狂僭"。应当说,发生这样的事情,与嘉靖帝的喜怒无常有很大的关系,在多数"正常"的情况下,献谀还是可以大行其道,即便得不到赏识,也不至于构罪。

然而,尽管"教训"在前,历史上还是涌现了不少直言进谏之士,这也当是检验一个民族终究还有没有血性的标尺之一吧。宋朝张延赏怙权矜己,嫉柳浑之守正,派人递话过去说:"相公旧德,但节言于庙堂,则名位可久。"这其实是一种威胁。柳浑说:"为吾谢张相公,柳浑头可断,而舌不可禁。"落地铮然有声。同朝的胡安国也喜欢"论列",有人说:"事之小者,盍姑置之。"胡安国说:"事之大者无不起于细微,今以小事为不必言,至于大事又不敢言,是无时可言也。"胡安国是怎样的一个人呢？同时期的中丞许翰有个评价："自蔡京得政，士大夫无不受其笼络，超然远迹不为所污如安国者实鲜。"就是说，胡安国论列的，即使是小事，也一定是触动了权贵们的小事。

"逢人不说人间事，便是人间无事人。"这句话已经不知道出自哪位古人，但是不难想象，讲这话的人，一定也因为出言问题得到过深刻教训。

2004 年 8 月 27 日

胡子

雅典奥运会前，小巨人姚明立下了"不进八强半年不剃胡子"的誓言。于是，关于姚明胡子的去留一时间成了热门话题。小组赛最后一场，如果赢不了世界冠军塞黑队，则中国队就进不了前八，而在赛前，这被认为是不可能完成的任务。有人便给姚明的胡子详列了半年之内的养护守则。而中国队却赢了，人们也为姚明的胡子松了口气。果然，八强第一仗对立陶宛，姚明就把胡子剃干净了。

幸而姚明遂了愿，否则，抛开他那个鹤立鸡群的大个子不谈，蓄了半年的胡子，在国人的行列中也会显得相当突兀。现在毕竟不同于古代，那个时候的"美髯公"、"虬髯客"好像随处可见，据说唐太宗也是"浓髯，可挂角弓"。古代的胡子客既多，围绕胡子也产生了不少故事。

《隋唐嘉话》载，山水诗鼻祖谢灵运的胡子很漂亮，他是以叛逆罪在广州被杀头的，临刑之前，不捐器官捐胡子，捐给了祗洹寺的维摩诘像，权当那塑像的胡子。对谢灵运的遗胡，"寺人宝惜，初不污损"，不过到了唐中宗的时候，安乐公主玩"斗百草"，派人"驰驿取之"，弄了若干根不算，因为"又恐为他人所得，因剪其余，遂绝"。斗百草，是国人端午节时的传统游戏之一，刘禹锡诗曰"若共吴王斗百草，不如应是欠西施"，说的是春秋末期，吴王和西施就已在宫中玩此游戏了。

清朝有人考证说,《诗经·周南·芣苢》讲的就是斗百草的歌谣,芣苢乃车前子,是玩斗草的好材料。斗草游戏主要是比草的韧性,让两草交叉,两人各捏草之两头,用力拉扯,草被拉断的一方为败,不断的一方为胜。斗百草也称斗花,那要较量花茎的韧性,不管怎么说,胡须并不是用的材料,安乐公主为什么打谢灵运遗胡的主意,还是比较费解的,难道要以须充草来作弊不成?

《南村辍耕录》载,中书丞相史天泽本来"须髯已白",然而"一朝忽尽黑",把元世祖忽必烈吓了一跳,惊问曰:"史拔都,汝之髯何乃更黑耶?"史天泽说,我染了。问:染了干什么呢?答:"臣揽镜见髭髯白,窃伤年且暮,尽忠于陛下之日短矣,因染之使玄,而报效之心不异畴昔耳。"忽必烈听得非常高兴。史天泽或许是真心实意,但宋朝寇准的"促白须以求相",后人则说他"溺于所欲而不顺其自然者也",语出明朝陆容《菽园杂记》。该书亦云,晋代张华《博物志》即有染白须法,然以前大都用以"媚妾",如今"大抵皆听选及恋职者耳",所以,"吏部前粘壁有染白须发药,修补门牙法"。我猜,那时当官的如果想赖在官位上,无须在档案上改动年龄,而在外貌上加工一番以示仍然"年轻"大概就行了。

白须染黑或者黑须染白以示老成,只是胡子的实用功能之一。元朝时有一位窃贼,夜入浙省丞相府偷盗,时"月色微明,相于纱帷中窥见之,美髭髯,身长七尺"。该相并不急于抓贼,"虑其有所伤犯",暴露了可能要杀人灭口,而是来个欲擒故纵。第二天,按照记忆中的样子,画影图形责令有司官兵闭城搜捕,而"终不可得"。第二年却无意中擒获此人,原来他的偷盗方式是"脚履尺余木级,面带优人假髯"——用胡子打了个马虎眼。唐朝重臣李勣有次生病,是用太宗的胡子治好的。医生说得服用龙须灰,太宗于是"剪须以疗之",李勣"服讫而愈"。这个李勣,就是单田芳评书《瓦岗英雄》里和程咬金他们并肩作战的徐懋功,原本是与李渊父子共同逐鹿中原的李密的部下。李密降唐,乃被赐李姓;李密复叛被诛,是他敛葬的,且"为密服缞绖,葬讫乃释"。按道理,这是一个"贰臣",但李渊父子不这么看。

李渊认为他是"纯臣",世民更认为"公昔不遗李密,岂负朕哉?"李勣病好后,"顿首泣谢",太宗客气地说:"吾为社稷计,何谢为!"后留宴,感激涕零的李勣更"啮指流血",大醉之余,太宗还"亲解衣覆之"。瞧,几根胡须,收到了密切君臣感情的功效。

除了"实用意义",胡子在后世更多的却是符号意义。典型的莫过于梅兰芳先生的"蓄须明志"——不过,据徐城北先生考证,梅先生是做到了这四个字的,然而事情并没有那么轻巧、那么流畅,而且事情远没有到以死相拼的地步,这是另话。姚明的意思,很有些"蓄须铭耻"。宋朝蔡君谟号"美髯须",仁宗有天问他:"卿髯甚美,长夜覆之于衾下乎?将置之于外乎?"君谟没把这当过问题,晚上就寝的时候,麻烦来了,"以髯置之内外悉不安,遂一夕不能寝"。好在中国男篮进了前八——尽管只是第八,不然,胡子问题恐怕也要困扰姚明了。

2004年9月3日

借书·还书

今年5月,天津一家中学在校门口举办了"诚信借书"活动,只要过往路人填写"诚信卡"并承诺一周后归还,就能拿走一本书免费阅读。报道说,该校搞这样一次活动,"可以看作是同学们用自己的稚嫩给坚硬的社会开列的一道准道德考题,说明同学们潜意识里对社会、对他人的诚信度抱有很高的期望"。到了约定还书的日子,借出的48本图书,有42本"完璧归赵"。于是,同学们认为这座城市的"真实道德水准"为"明媚大于阴暗,守信多于爽约"。

42本归还的书是否具备检测社会诚信的功能,我是存疑的,当然,这不表示怀疑天津人的"道德水准",只是检测方式。古人同样面临借书还书的问题,他们的态度没这么"君子",比方明朝的陆容就很干脆地说:"以书借人,是仁贤之德,借书不还,是盗贼之行!"(《菽园杂记》)陆容这番感慨,是针对一则古谚,该谚初始的面目是:借书一嗤,还书二嗤。后来有人说,"嗤"其实是"痴",且加以演绎,谓"借一痴,借之二痴,索三痴,还四痴";后来又有人说,"痴"本作"瓻",瓻,酒罐子。到底是哪个 chi,真把人弄得糊涂了。如果是后一个,"借时以一瓻为质,还时以一瓻为谢",就是书不白借;如果是前面的,套用电影《哈姆雷特》的台词,有些"既不要借书给人,也不要向人借书"的味道,不过在电影里,"书"的位置是"钱"而已。

《清波杂志》记载,唐朝杜暹在家书中谈及藏书:"清俸买来手自校,子孙读之知圣道,鬻及借人为不孝。"作者周煇认为,把书给卖了可称不孝,借给人家也这样认为,太过分了。今人亦多责杜暹自私。其实,评价杜暹的行为不能脱离时代背景,在活字印刷尚未发明、雕版印刷也并不兴盛之际,图书得之不易,对一个爱读书的人来说,宝贵程度更不言而喻。如米芾那种人,借人古帖而以自制的赝品归还,恐怕还是好的,弄不好就是"肉包子打狗——有去无回"。柳公权的哥哥柳公绰是著名藏书家,经史子集皆有三本。为什么呢?挑一本最好的"镇库"——收藏,一本差一点的"长行披阅"——自己读,再一本"后生子弟为业"——借阅。柳公绰的儿子柳仲郢继承了其父的衣钵,以唐代藏书家中抄书最勤奋而闻名,"小楷精谨,无一字肆笔"。抄书,可以看作是使读书生活更加丰富,也能从侧面佐证印刷业的并不发达。宋人宋敏求所藏之书均为其亲手校定,世人视为善本。所以,古人对借书还书如此看重,也与藏书凝结了自己的心血相关。

清代康熙朝的汤斌同样有一封家书涉及借书还书的问题。当时他还在官位上,书云:"家下书籍用心收著,一本不可遗失。有人借,当定限取来。书册愈旧者,愈当珍之,不可忽也。我回家赖此延年,此要务也。"汤斌在这里把书看作致仕之后的生命支柱。这位汤文正公很有些事迹可谈,最著名的要算使郭琇洗心革面了。据说他抚苏时,闻吴江令郭琇有墨吏声,面责之,郭琇辩道:"向来上官要钱,卑职无措,只得取之于民。今大人如能一清如水,卑职何敢贪耶?"在郭看来,上梁不正才有下梁之歪,前任苏抚余国柱"征贿巨万",当时谁敢不满足他呢？汤斌知道他这不是强词夺理，乃曰："姑试汝。"当然他这一试的前提，也是把自己捆绑在一起的。郭回任，乃"呼役汲洗其堂"，在形式上显示决心之余，行为上果然大改前辙。康熙二十六年（1867年），郭内升御史，才半年，即参罢三宰相、两尚书、一阁学，直声震天下，被称为"铁面御史"，成了康熙朝的刚正名臣。

古代的图书固然宝贵，终究还有一些人士对借书还书持另外一种态度。比如西晋范蔚，藏书七千卷，别人慕名到他家看书，他都热情招待，还为他们准备衣食，"远近来读书恒常有百余人"。南朝崔慰祖，对到他家看书的邻里少年非常热情，"亲自与取，未尝为辞"。退一步，陆容的说法比较可取："积书不能尽读，而不吝人借观，亦推己及人之一端。若其人素无行，当谨始虑终，勿与可也。"借与不借，分清对象可也，不必如李逵劫法场，不问官军百姓，一概"排头砍去"。

国内有位先生去过美国硅谷的马丁·路德·金图书馆，说只要填上一份电子表格，就能成为该馆的会员，借书只需在一个扫描仪上自助扫描一下，还书则往一个专门的还书窗口一撂就行，没人检查，没人验收。该馆甚至还在临街的走道边专设了几个大铁桶，无论什么时候，还书人只要把书往铁桶里一扔便可以走人。在天津中学生的"试验诚信"面前，这真有点像是天方夜谭了。

2004年9月10日

陋吏铭

新一期《半月谈》杂志刊载文章说，在我国市场经济逐渐走向规范、成熟的同时，现行的盐业管理体制却成了政企不分的最后堡垒。全国绝大部分省、自治区、直辖市的盐业公司和盐务局都是"两块牌子、一套人马"，既是管理者，又是经营者。这种体制在抬高了食盐价格的同时，也使生产企业在被"盘剥"后微利或亏本经营，根本没有资金用于技术改造，使我国盐行业的生产远远落后于国际水平。

盐，是维持人类生命的必需品，像空气、粮食一样不可或缺。在古代，它享有"国之大宝"的美誉，经营的人也最能致富。当然，这也不是随便哪个人都可以从事的，必定要得到国家的某种特许权。《史记·货殖列传》里记载了战国时代的七个大商人，白圭、猗顿、郭纵等，其中有五个是以经营盐铁致富。西汉时以吴王濞为首的"七国之乱"所以能乱起来，除了强大的王国势力与专制皇权的矛盾之外，主要在于吴国盛产铜和盐。吴王濞招天下各地的逃亡者铸钱、煮盐，积累了雄厚的财富，有起兵的经济资本。唐末农民起义领袖王仙芝、黄巢，元末农民起义领袖张士诚、方国珍等，也都是私盐贩子出身。所谓私盐，是相对官盐而言，就是没有纳税、不能为国家提供法定财税收入的盐。前几年笔者偶然去了趟山西运城，看了著名的八百里盐池，传说中的黄帝大战蚩尤就发生在那里，一种观点认为，大战的目的正是为了争夺盐池。那首著名的《南风歌》——"南风之薰兮，可以解吾民之愠兮；南风之时兮，可以阜吾民之财兮"，据说也是帝舜在盐池之畔吟唱的。撇开神话传说不谈，运城确实是因为盐而造就了以此为代表的河东文化的辉煌，成为中华民族的重要发祥地之一。

盐在古代不仅能使个人暴富，而且因其具有经济命脉的作用，同时关系到地区的地位乃至社会的稳定，正是在这层意义上，古代国家即对盐业的管理高度重视。近人林振翰先生考证："我国之盐法滥觞于管子。"春秋时，管仲在回答齐桓公"何以为国"的询问时，提出了"官山海"、"正盐策"的主张，就是在把盐业资源收归国有的同时，建立盐的税征、专卖制度。在管仲看来，"十口之家，十人食盐，百口之家，百人食盐"；他还具体地算出，"终月大男食盐五升少半，大女食盐三升少半"等等，"国"内"国"外的人们，生活都须臾离不开盐，而齐国正有"渠展之盐"的优势。齐国一度成为"春秋五霸"之首，管子之功大矣。管子的盐政理论为我国的盐法创立了理论基础，并为后世所依循。有趣的是，在接受这一切的同时，齐桓公还跟管子抬了一下杠："然则国无山海不王乎？"

国家对食盐的垄断经营在西汉时期达到了高峰。先有汉武帝时采纳东郭咸阳的建议,在全国各地设立均输官和盐铁官;再有汉昭帝时著名的盐铁会议,御史大夫桑弘羊阐述了盐铁官卖对国家强盛的促进作用,后来,桓宽根据这次会议的文献进行加工和概括,著成流传至今的《盐铁论》一书,"盐铁官营",从此成为一些朝代不可动摇的国策。但政府专营在什么情况下才具有正当性?政府专营产生的弊病会不会抵消甚至超过它的正面作用?撇开今人这些宏观层面的质疑不谈,单就如何制约掌管盐业官员的行为就是一个难题。比如清朝雍正时期,浙江巡抚兼管两浙盐务李卫反映,浙省场官与巡役兵丁"功名之念轻,贪利之心重",经常售私纵私。为此,雍正帝还专门调整了政策,"各省(盐务)大使员缺于候选知县"等"身家殷实取具京官印结到部拣选引见,并将盐课大使、盐引批验大使给与正八品职衔"。由家境殷实作保证,且给以品级激励,朝廷显然是希望通过这种办法来抑制盐官的贪婪。

不过,《履园丛话》里有一首《陋吏铭》,不知道是不是针对这种新情况而言的。说"近日捐官者,辄喜捐盐场大使",因为这个职位跟知县的级别等同了,"而无刑名钱谷之烦",管的事却没那么杂。有人就借用刘禹锡的名篇《陋室铭》作了这首《陋吏铭》,铭曰:"官不在高,有场则名。才不在深,有盐则灵。斯虽陋吏,惟利是馨。丝圆堆案白,色减入枰青。谈笑有场商,往来皆灶丁(即煮盐工)。无须调鹤琴,不离经。无刑钱之聒耳,有酒色之劳形。或借远公庐(原注:署印有借佛寺为公馆者),或醉竹西亭(原注:候补人员每喜游平山堂,每日命酒宴乐而已)。孔子云:'何陋之有?'"把盐吏之所以陋,揭示得淋漓尽致。

现行的盐业管理体制是非改不可的了。但这首《陋吏铭》告诉我们,无论怎么改,都要把制约人的因素考虑进去。免不了"陋吏",就免不了把好经念歪。

2004 年 9 月 17 日

中秋

过几天就是传统的中秋节了。南宋张抡词曰:"光辉皎洁。古今但赏中秋月,寻思岂是月华别?都为人间天上气清澈。"800多年过去了,中秋时的天"气"依然清澈如故,但在人间,因为月饼——主要是包装的日益高档化备受抨击并给人以种种猜想,这股"气"已多少显得浑浊。

"人逢喜事精神爽,月到中秋分外明。"(冯梦龙语)不合时令的话此中还是不要多言。毕竟当"圆月"被赋予"团圆"的社会内涵之后,其中的情感色彩还没有浊气在内。有专家考证,中秋节虽然起源于先秦,添加赏月的习俗是到汉晋才形成雏形的;至于月饼,则是唐玄宗梦里飞到"广寒清虚之府"、受到嫦娥的酥饴仙饼款待之后才仿制而成的产物。那一梦令明皇如痴如醉,根据对梦的记忆,还编成了著名的《霓裳羽衣曲》。李商隐所说"嫦娥应悔偷灵药",幸而是在玄宗之后,如果在当时,就是跟皇帝抬杠了。

"听月楼头接太清,依楼听月最分明。摩天咿哑冰轮转,捣药叮咚玉杵鸣。乐奏广寒声细细,斧柯丹桂响叮叮。偶然一阵香风起,吹落嫦娥笑语声。"当中秋赏月的习俗勃兴之后,古人留下的相关诗词便汗牛充栋。在一些地方,赏月也叫做玩月,唐代大诗人刘禹锡被贬到朗州(今湖南常德)任司马的那一年,写有《八月十五夜桃源玩月》:"尘中见月心亦闲,况是清秋仙府间。凝光悠悠寒露坠,此时立在最高山。碧虚无云风不起,山上长松山下水。群动悠然一顾中,天高地平千万里。少君引我升玉坛,礼空遥请真仙官。云拼欲下星斗动,天乐一声肌骨寒。金霞昕昕渐东上,轮欹影促犹频望。绝景良时难再并,他年此日应惆怅。"宦途上失意的刘禹锡,对着皎皎圆月仍然引起无限遐想,并把落魄之时称之为"良时",说明月光确有抚慰人的功能,而不能认为只是他一时的自我解嘲吧。

对月光,向来是"照之有余辉,揽之不盈手"(陆机语),所以在《望月怀远》里,张九龄咏出"海上生明月,天涯共此时"后,感叹"不堪盈手赠,还寝梦佳期"。但《铁围山丛谈》里的一则故事不这么认为,说有位韩生夜不睡,抱个篮子,在院子里"以勺酌取月光,作倾泻入篮状"。人家问他在干什么,他说:"今夕月色难得,我惧他夕风雨,倘夜黑,留此待缓急尔。"时人皆笑其妄。其实,国人向来缺少奇想,20多年前的电影还有个把科幻片,今天则干脆缺了这个品种。所以如此,在于如韩生之举从来都是被嘲笑的对象吧。

中秋月最圆。每到中秋,最让人期盼的该是圆月早一点露面,别让天气什么的给败坏了兴致。陆龟蒙有《中秋待月》诗:"转缺霜轮上转迟,好风偏似送佳期。帘斜树隔情无限,烛暗香残坐不辞。"这是说,即便暂时没有,等一等也无妨。苏东坡的名篇"明月几时有?把酒问青天",从字面上看,大约也属于真的在等之类。他在该诗的小序里说:"丙辰中秋,欢饮达旦大醉,作此篇,兼怀子由(苏辙)。"度其这里的意思,好像又是并非实指而是寓意了。

但即使在今天,不可抗拒的天公往往也有作梗的可能。不过,无月可赏的中秋未必让人遗憾。沈德符《万历野获编》载,永乐时开中秋宴会,"月为云掩",成祖命学士解缙赋诗。解缙是大才子,《永乐大典》的主编,"墙上芦苇,头重脚轻根底浅;山间竹笋,嘴尖皮厚腹中空",就出自他那里。另外人们耳熟能详的则是那副对联:"门对千竿竹,家藏万卷书。"据说,对门那家因此把竹子砍了,然这边的联立刻改成:"门对千竿竹短,家藏万卷书长。"对门把竹子连根挖出,联再改为:"门对千竿竹短无,家藏万卷书长有。"解缙是很有些急才的,没月亮这点小事难不住他,当即口占一首《落梅风》:"嫦娥面,今夜圆,下云帘,拼今宵倚栏不去眠,看谁过广寒宫殿。"成祖大喜,再命解缙"以此意赋长歌",把它展开。沈德符认为,同样是没月亮的作品,金海陵炀王的《鹊桥仙》似更"雄快可喜",词云:"停杯不举,停歌不发,等候银蟾出海。是谁遮定水晶宫?作许大、通天障碍。虬髯燃断,星眸睁裂,犹恨剑锋不快。一挥挥断彩云根,要看嫦娥体态。"在此前弘治时,薛格也有阁试中秋不见月诗,考第一,传诵一时。其中一联云:

"关山有恨空闻笛,乌鹊无声倦倚楼。"沈德符认为这些都在解缙之上,纳闷成祖为什么对解缙的如此赏识。

近人樊增礼也有一首《中秋无月诗》:"亘古清光彻九州,只今烟雾锁琼楼,莫秋遮断山河影,照出山河影更愁。"樊增礼的事迹不详,但是显然,1846年出生、1931年辞世的他,是在感怀"国破",只不知在感怀哪一段。

2004年9月24日

重名

雅典奥运会中国代表团里一共有三个取得了名次的李婷:一个和孙甜甜合作夺得网球女双冠军,一个和劳丽诗合作夺得女子双人十米跳台金牌,另一个获得皮划艇女子单人皮艇500米第9名。早几年,运动员队伍里还有几个出了名的王涛,那个乒乓球世界冠军好说,另两个都踢足球,只有以年龄来称呼大王涛、小王涛。

李婷、王涛,都是寻常得不能再寻常的名字,重了很不足为奇。这里所说的重名,指的是名姓皆同。如战国时人们争名"勾践"那种则不在此列。勾践,就是卧薪尝胆同时也屈尊尝(吴王夫差)粪的那位,许是他终于雪耻之故吧,《孟子》里出现了宋勾践、《战国策》里出现了鲁勾践等等。这一种重名有点像《焦点访谈》今年55周年国庆制作的特别节目,征集生于10月1日并且名叫"国庆"的人们的故事,属于名重而姓不重。《浪迹三谈》披露的信息说,鲁勾践剑术极高明,倘若当年荆柯能够虚心学剑,"于人秦之举,未必无功",也就是说,把秦王真就给杀了是很有可能的。

明朝的唐寅字伯虎,鼎鼎大名,与文徵明、祝允明、徐祯卿并称"吴中四才子",亦说"江南四大才子"。《池北偶谈》云,宋朝时已先有两个叫唐伯虎的,一个以治《易》、《春秋》名世,另一个乃全州进士。当然,这两个唐伯虎与后来的毫无因果关联,前人耙梳出来纯粹为了寻趣。可巧的是，前一个唐伯虎字长孺，而今天又有一位历史学家也叫唐长孺。唐先生乃武汉大学教授，著作等身，笔者的书架上就有他的《魏晋南北朝史论丛》，以及他点校的《魏书》（中华书局版）等。如果说，这几个唐伯虎重名还有点隔了一层——宋朝的是"名"伯虎，明朝的是"字"伯虎，那么，分属宋朝和明朝的两个刘瑾则是名姓不差了，虽然严格地说，后面的刘瑾原来姓谈，因为靠一个刘姓宦官的引见得以入宫乃用刘姓。明朝的刘瑾谁都知道是个臭名昭著的宦官，当权不过五年，排斥异己，陷害忠良，到了令人发指的地步，最终被凌迟处死，实属罪有应得。宋朝的刘瑾也是史书留名的人物。《宋史·刘瑾传》称，此刘瑾是个进士，"素有操尚，所莅以能称，然御下苛严，少纵舍，好面折人短，以故多致訾怨"。他爸爸死后，张环起草悼词，他不满意，"泣涕不能食，阖门衰绖，邀宰相自言"，非要给老父争个待遇，至于令张环因此降职。从这一事实看，此刘瑾的"多致訾怨"不仅仅来自部属。

在古代，帝王的年号实际上也是一种用来纪元的"名字"。今天提到唐宗宋祖，讲的是庙号，对明清帝王的称呼，往往称的就是年号，洪武、永乐、雍正、康熙，等等。年号相重，当然是最忌讳的一件事。明朝朱厚照登基之后，改元"正德"。但正德这个年号此前至少已有三个，按年代顺序来说，第一个属于唐朝的李珍。在所谓大唐盛世，与正牌皇帝并存的其实还有好多杂牌皇帝：唐初有高开道的"始兴"、王世充的"开明"、刘黑闼的"天造"等；"安史之乱"时又有安禄山的"圣武"、史思明的"顺天"；唐末则有黄巢的"王霸"等。李珍的"正德"诞生于"安史之乱"时期，是近代罗振玉先生考证出来的。第二个属于大理段氏政权的段思廉，武侠小说大家金庸先生在《天龙八部》对段氏政权有过丰富的想象，只是这位段思廉似乎没露过面。但是显然，被浙江大学聘为博士生导师的金庸，不是不知道此人，而是他写的章节不是段思廉的时代。第三个属于西夏国的崇宗李乾顺。按道理，定年号这样的大事是要严格把关的，偏偏一干大学士们疏忽了，所以马文升有一年出科试题目，就来了一个"宰相须用读书人"，认为那几位根本没文化，可能是讥讽得过了头，没多久马文升就被弹劾去位，当然不是因为出题这件事被弹劾。

重名是不可避免的。"人从宋后罕名桧"，不要说姓秦的不再以桧为名，他姓也避之惟恐不及了。但这样的特例毕竟少有。陆以湉《冷庐杂识》里还列了三个姓名相同字亦相同的：王承字安期，一个是晋人，一个是梁人。张先字子野，一个是宋仁宗天圣二年进士，当过亳州鹿邑知县；一个是天圣八年进士，当过都官郎中，并且欧阳修同时认识他们两个。陈凤字羽伯，一个是明嘉靖时的进士，另一个则是布衣。陆以湉认为，"古今同姓名者不可胜数"，他本人知道三个，"典籍所载，恐尚不止此数"。的确如此。

重名问题在今天引起了高度重视，国家语委甚至在研制《汉语人名规范》。笔者以为，如今的重名主要是人们仅仅盯住常用的字眼所导致，多少显示了一种文化状态，这是任何所谓规范都无能为力的。

2004年10月15日

憾事

豫剧大师常香玉在作客央视《艺术人生》时曾表示自己一生有两大遗憾：一是她的后代没有人能完整地把她的常派唱腔继承下来，二是这么多年将所有的心思都放到了豫剧事业上，忽略了丈夫和孩子，对他们的照顾不够。读报得知，著名电影演员于蓝也有三大憾事：没有能够塑造更多的银幕形象、没有陪伴丈夫迎来改革开放、没有在孩子小的时候好好养育他们。于蓝是酷爱表演的人，但她演过的电影还不到十部。相信很多人对《英雄儿女》中的王政委印象至深，扮演者就是于蓝的丈夫田方，文革中，田方受到很大冲击，过早离开人世；他们的儿子田壮壮则是享誉国内外的第五代电影导演。

人皆有憾。古人所谓"天下不如意事十常居八九"，说的就是这层道理。汉光武帝刘秀没发迹的时候到新野，听说有个叫做阴丽华的姑娘长得不错,"心悦之";后来到了都城长安,见执金吾车骑甚盛,羡慕得很,就把两件事联系到一起发出感叹:"仕宦当作执金吾,娶妻当得阴丽华。"意思是实现了这两个既定目标,可谓人生无憾。而执金吾不过是一个小小的仪仗官,阴丽华的漂亮程度也有限,所以刘秀后来远远地超越了当年的理想:当上了皇帝;封了阴皇后,还封了郭皇后。即便如此,刘秀依然留下憾事,比如说封禅泰山的底气就很不足。在此之前,汉武帝刘彻明确提出了封禅的"资格":扫平宇内、一统天下仅仅是前提,还要做到在任上文治武功、四海升平。刘秀虽然有短暂的"光武中兴",然而与秦皇汉武的雄才大略相比还是相形见绌,可是他也要模仿他们登封泰山。也正是因此,从他开始,封禅泰山的意义受到了质疑。

唐高宗时的宰相薛元超富贵至极,平生也有"三恨"——三件憾事:始不以进士擢第,不娶五姓女,不得修国史。五姓女乃李、王、郑、卢、崔氏人家的女儿,这五姓当时把持朝政,参与权力分配,形成了一个独立于皇权之外的权力集团。薛元超如此遗憾,大约是他始终不能真正介入权力,只是一个傀儡吧。不过倘若薛元超生在今世,三件憾事会少去一多半,文凭不够硬可以"交易"一个;修史嘛,以他的身份地位,那些惯于"拉大旗"的学者请还怕请不来呢!宋朝有位胡旦,曾经豪迈地说:"应举不作状元,仕官不为宰相,乃虚生也。"结果,状元是考得了,但当什么级别的官,可不是凭自己本事的事情。读《宋史·胡旦传》,觉其仕途真是坎坷不已,动辄被贬,黄河决口而复塞,借题发挥来一篇《河平颂》,大吹"圣道如堤",拍马屁的文字也落下"词意悖戾"的罪名。两个宏愿只实现了一个,则胡旦之憾,要伴其人生了。金时的李冶诗词极好,李屏山曾赞誉他"仁卿(冶字)不是人间物,太白精神义山骨",说他爸爸"儒术吏事更精研,只向宦途如许拙",本领样样都行,可惜"当不好"官,而李冶当监察御史,"言纥石执中不法事,闻者悚然",看起来跟他爸爸也差不多。清朝吴文溥的诗"清逸出尘",著名学者阮元赞他为"两浙诗人第一";但吴文溥在《示儿》中承认自己"除却惊人诗句外,平生事事不如人",对自己的人生道路简直是遗憾不已。另一位王鑫祭也是如此,认为自己"任事太早、学业太浅、用心太苦而多忤人"。

陆以湉《冷庐杂识》对史震林的《西青散记》钦佩有加。《西青散记》是写苦命才女贺双卿的,双卿人称"清代李清照"。这部清代民间文士写民间才女的书,实际上是男性文人心目中的理想女性的记录和想象。正所谓一部《红楼梦》,有人读出了爱情,有人读出了人生,有人读出了"万家血泪史"。陆氏读《西青散记》,"最爱其讽世之语隽而不腐",他推崇的有:"一生有可惜事:幼无名师,长无良友,壮无善事,老无令名。贫贱人可惜者二:面承唾为求利,膝生胝为求容。富贵人可惜者二:临大义沮于吝,荷重任败于贪。"此外还列举了聪明人、豪侠人"可惜"在哪里。陆氏所以极力推崇,显见是深表认同了。

因为欲望的不同,人而无憾,几乎是不可能的,憾之内涵不同而已。但高尚之士仍有自己的无憾观。明朝王琦说:"吾求无愧于心耳。心无所愧,虽饥且寒,无不乐也。"清朝王懋竑说:"老屋三间,破书万卷,平生志愿,于斯足矣。"如果说,这些无憾观取决于个人单方面的修养,那么明朝夏寅的"君子三可惜"理论,则可视为应当遵循的一条人生定理了。他说:"君子有三惜:此生不学,一可惜;此日闲过,二可惜;此身一败,三可惜。"这样一条定理,当时传为名言,然而今天又何不适用?

2004 年 10 月 22 日

乐坊

当红的女子十二乐坊正在打官司,起诉媒体。概因今年 8 月杭州一家报纸在报道中引述中央音乐学院副教授、硕士生导师章红艳的话,说她们在表演时是"对手形"的,"现场演出时,所发出的乐器演奏声并非来自于她们的亲手弹奏,而是来自幕后早已准备好的音乐磁带或 CD"。报道还说,章红艳说假唱曾毁了不少歌手,假演奏也会毁掉很多民乐团,这是令人痛恨的行为,女子十二乐坊的作假行为是对艺术的不尊重,也是对观众的不尊重。对此,章教授虽然"澄清"自己并非针对女子十二乐坊,但还是跟着当了被告。

文艺圈和足球圈,是非多得让人目不暇接。笔者比较喜欢的"黑鸭子"演唱组合,也忽地冒出了"两支"在争"正统",原来的一分为二,各自拉起了队伍。2+1(两个旧人、一个新人)这一边,数量对比上要强得多;而1+2(一个旧人、两个新人)那边的那个1,是创始人,"质"上找到了许多平衡。对女子十二乐坊我始终没大留意,一大群美女台上一站,注意力容易偏离音乐;如今感兴趣的,也只是"乐坊"的称谓,因为这名字颇有点古意,就引起了探寻的兴趣。

坊的释义很多,最普遍的是对城市中街市里巷的通称。《唐六典》云:"两京及州县之郭内分为坊,郊外为村。"两京,即长安与洛阳。手头有一部杨鸿年先生的《隋唐两京坊里谱》,极有趣,因为读这部书,你不仅能知道隋唐时两京的街道布局、名称,而且还能知道哪条街上当时住过谁。比如说,新昌坊住过杨於陵、牛僧孺、路岩、白居易。(引此例概因这几位均在前面文字里出现过。)"凡遇史料载有某一坊名者,即为列出",所以在使用这部书时,你不能不惊叹前辈涉猎的广博、耙梳的细密。坊,除此释义之外还有官署名称——隋太子宫署有典书坊,工场——即后世之作坊(乐坊之得名似与此接近),以及牌坊等。唐德宗时"五坊小儿"之说中的五坊,乃雕坊、鹘坊、鹞坊、鹰坊和狗坊。就机构来说,从唐到清,管理宫廷音乐的官署都叫教坊,专管雅乐以外的音乐。何谓雅乐?就是皇帝祭祀天地、祖先及朝贺、宴享时所用的音乐。定义是如此明确,不知怎地,在元朝关汉卿的戏剧里,教坊又可以指代妓院。《金线池》第二折云:"我想这济南府教坊中人,那一个不是我手下教导过的小妮子?"

音乐在古人日常生活中占有很重要的地位,早在战国时,曾侯乙就把庞大的编钟组合随葬在自己的墓穴。后来,有权或有钱人家拥有自己的戏班子都是正常不过的事,这样的记载汗牛充栋。《古夫于亭杂录》有一则趣事:有天宴会时,来宾恭维主人家:"闻尊府梨园甚佳。"对方瞪大了眼睛,对梨园不明所以,以为讲他家的后园子呢,赶快谦逊地说:"如何称得梨园?不过老枣树几株耳。"后来大家就把他家的戏班子称为"老枣树班"。唐玄宗时,乐工李龟年、彭年、鹤年三兄弟,一个善舞、两个能歌,"特承顾遇",因此兄弟三人"于京都大起第宅,僭侈之制,逾于公侯"。——亮亮嗓子即能富贵至此,在我们也是深有文化渊源的。后来,龟年流落江南,"每遇良辰胜赏,为人歌数阕"——肯定不是走穴而是卖唱为生,令大文豪杜甫很有点同病相怜,因有著名的《江南逢李龟年》留世:"岐王宅里寻常见,崔九堂前几度闻。正是江南好风景,落花时节又逢君。"看得出,当年杜甫是常捧李龟年场的,或许把他当成偶像也说不定。

风雅作为一种门面,越是粗人——谈不上有多少文化修养的人,往往越要起劲地追逐。《明皇杂录》载,导致大唐由盛及衰的安禄山,在攻克两京大肆烧杀抢掠之余,也"尤致意乐工,求访颇切",于是,"旬日获梨园弟子数百人",在凝碧池大开宴会,为了达到演出效果,安禄山对伶人采取"露刃持满以胁之"的卑劣手段,但有个叫雷海清的,还是"投乐器于地,西向恸哭",显示了不为屈服的气节,最后被"肢解以示众"。王维闻而赋诗曰:"万户伤心生野烟,百官何日更朝天。秋槐叶落空宫里,凝碧池头奏管弦。"这位雷海清,算得上是歌者的楷模了。

在女子十二乐坊之后,广州今年上半年又出了个"芳华十八",同样是由国内各大音乐学院学生组成的女子民乐组合。我想,组合人数继续攀升,三十六、七十二,直到一百单八,满满地站它一台,恐怕也不是不可能的事。白居易诗曰:"古人唱歌兼唱情,今人唱歌惟唱声。"看起来,在千百年前的唐朝,机械地模仿或者有口无心,即为香山居士所唾弃。"兼唱情",音乐天赋不高的人是办不到的,但是,避免"今人唱歌兼弄情"应该是可以的。

2004年10月29日

文字何曾值一钱

10月20日出版的第10期《南方人物周刊》有篇金庸先生访问记,其中的一问一答很有意思。问:以您80高龄的见识,做了一辈子新闻工作,相信"一支笔比得上三千毛瑟枪",新闻真有那么大力量吗?答:(笑)没有。你拿一支毛瑟枪就把我打死了。记者这一问,令我想起毛泽东1936年12月赠丁玲的《临江仙》词,"纤笔一支谁与似?三千毛瑟精兵"。金庸之虚话实说,尽显其幽默风趣的一面。

此番对话,还让我想起了清人吴祖修的一首《芜湖绝句》:"关吏狞狞去复还,客囊颠倒在江船。书签莫怪无人检,文字何曾值一钱!"这首绝句要是提前在唐代,韩昌黎等人可能不以为然。韩先生为文"必索润笔",因而刘禹锡《祭退之文》有"一字之价,辇金如山"的语句。此外,以"元白"并称的白居易给元稹作墓志铭,元家也要"酬以舆马、绫帛、银鞍、玉带"。宋时谚还有"苏文熟,啖羊肉"的说法,当时有位姚姓殿帅每得东坡手帖,不是收藏,而是换几斤羊肉改善生活。东坡知道后,对再来的姚某谐谑地说:"本官今日断屠。"东坡当然也意识得到自己的文字是"值钱"的。他从儋耳北归,以诗别黎子云,诗罢写道:"新酿佳甚,求一具理,临行写此。以折菜钱。"记载此事的张邦基在《墨庄漫录》里说,宋徽宗宣和年间,"南州一士人携此帖来",他亲眼见过,"粗厚楮纸,行书,涂抹一二字,类颜鲁公《祭侄文》,甚奇伟也"。

其实,金庸先生也曾被他的好友倪匡称为"千古以来以文致富的第一人"。"飞雪连天射白鹿,笑书神侠倚碧鸳",15部洋洋大作,一而再再而三地出版、被拍成影视,都是"值钱"的佐证。但吴祖修的"值钱"说,显然并不是真的指白花花的银两,而是指文字的用处。他那首诗说得明白:气势汹汹的关吏怀疑旅客的行李中夹带私货,回过头来再搜了一通,但对于抖搂在地的书却不屑一顾。在关吏眼里,文字果真不值一钱,在吴祖修那里,就只有借自嘲表达愤懑了。

不过文字终究是有一点用处的。三国时的陈琳为袁绍写的讨曹操檄，骂了曹操的祖宗三代，说他是"赘阉遗丑"；"初唐四杰"之一的骆宾王为徐敬业写的《讨武曌檄》，骂武则天身事父子，惑乱宫闱，杀子废子，人神共弃。两篇文字都震动一时，乃至在袁、徐兵败之后，曹、武这两个爱杀人的人对陈、骆的才华不约而同地表现出了钦佩有加，没有置两人于死地。至于这两篇文字对后世的影响就更大了。但倘若把文字的力量夸大到无以复加，也说不上理智。还说那位昌黎先生吧，他在广东潮州，"运雷霆斧钺之笔，而鳄鱼尽徙"；不过头脑清醒的后人不这么看，说此事扯淡，"自来为贤哲作传，多附会其奇行异闻，以为不如此不足表其气概"（《蕉轩随录》）。乾隆十八年（1753年）闹蝗灾，有大臣又想起了韩夫子遗事，请乾隆亲自出马，"御制祭文，颁发有蝗郡县"。不料乾隆答复说："蝗蝻害稼，惟当实力扑灭，此人事所当尽。……若欲假文词以期感格，如韩愈之祭鳄鱼，其鳄鱼之远徙与否，究亦无可稽求，未必非好事者附会其说。朕非有泰山北斗之文笔，似此好名无实之举，深所弗取，所请不必行。"（《郎潜纪闻二笔》）这就是说，乾隆对韩愈文章驱鳄的事也采取不信任的态度。

唐人李德裕《文章论》云："文章当如千兵万马，风恬雨霁，寂无人声。"那是强调文章的气势，不料后人直接与兵马等同。三千毛瑟还算少了，民国时的陆朗斋谓得章太炎作一篇文字，胜过用十万兵马；这已经够夸张，参谋次长陈宧还觉得"彼犹轻视太炎耳"，他认为"太炎一语，足定天下之安危"。为什么给章太炎戴这么高的帽子？因为章太炎刚见陈宧时说过一句话："此中国第一等人物，然他日亡民国者，必此人也。"陈宧于是常对人说："太炎云殁，世间无真知我陈某为何如人者，太炎真知我，我亦真知太炎。"这番表白，显示出当年的陈宧是很有些野心的。（事见《世载堂杂忆》）当然，后来的事态发展与太炎的预测南辕北辙。"当如千兵万马"与"胜过用十万兵马"之用，一如《史记·蔺相如传》记相如持璧却立倚柱，"怒发上冲冠"，而《晋书·王逊传》来了个"怒发冲冠，冠为之裂"，无疑，前者描摹传神，后者狗尾续貂。

但金庸先生在接受采访时同时认为,如果你真的能够将真相暴露给人民大众,那么人民大众的力量就要强过三千毛瑟枪。新闻只是一支笔,一个人就可以拿起来写,因此中国新闻界每个人都有一支毛瑟枪,但不是每个中国的新闻记者都可以做到。大侠的这一番话,不能不发人深思。

2004 年 11 月 5 日

鸦片

克里在日前的美国总统大选中落败,小布什成功连任。在选举尚未揭晓之时,有国人翻开历史一看,原来克里的祖先早在 19 世纪前半叶就与我们中国打过交道。1839 年,美国"旗昌洋行"的福布斯家族,曾成功地迷惑了清朝钦差大臣林则徐,使其鸦片贸易逃避了打击,一跃而成为与英商"太古"、"怡和"比肩的"鸦片巨头";而"旗昌洋行"的拥有者,就是克里母系的祖先。(11 月 3 日第 2 期《新周报》)

对鸦片,国人一向是恨之入骨的。当年,"虽十室之邑,必有烟馆,游手之人嗜之若命,有心世教者无不痛心疾首。"因为鸦片而引发的战争,使 1840 年成了中国古代与近代的分野。实际上,在此前的一个世纪,国人已经多少认识到了鸦片的危害。陈其元《庸闲斋笔记》载,雍正七年(1729 年),商户陈远贩卖鸦片 34 斤被捉,漳州知府李国治拟将其充军。然而陈远在过堂时,"坚称鸦片原系药材必需,并非做就之鸦片烟"。让药铺的人来作证,也说:"药名鸦片,熬膏药用的;又可制鸦片丸,医治痢疾。"陈远贩的是并未做成烟的鸦片。于是福建巡抚刘世明下了结论:"鸦片为医家需用之药品,可疗病,惟加入烟草始淫荡害人,为干犯例禁之物。李国治以陈远家藏之鸦片为鸦片烟,甚属乖谬。"陈其元说,读了这个奏折自己不禁失笑,"夫鸦片即鸦片烟,岂又须加入烟草乃成鸦片烟之事?"不过他也认为,可能是"当时吸食者极少,故尚不识鸦片烟为何物耳"。

谈到禁烟，人们的目光往往首先集中在林则徐身上，起因却实乃黄爵滋。黄爵滋是道光三年(1823年)进士，道光帝评价他"遇事敢言"，故"特加擢任"，并且还告诫他"勿因骤得生阶，即图保位"，一旦官当上了，舒舒服服，就不吭声了。有部自署"闲园散人"的《烟海纪闻》，煌煌八巨册，专门记载道光年间禁烟。该书"首录黄鸿胪(爵滋)折子；次廷臣会议折及谕旨；次林文忠(则徐)拟议章程折二、片奏二，附戒烟药方；次林文忠为钦差大臣谕各国夷人文一道"，按照时间顺序，黄爵滋排在第一位。《清史稿·黄爵滋传》完整地收录了这篇奏折，奏折指出"上自官府缙绅，下至工商优隶，以及妇女僧道，随在吸食"的现状，强调"以中土有用之财，填海外无穷之壑，易此害人之物，渐成病国之忧"的严重性，然后开出了治理药方：从严禁海口转为严禁吸食，给一年的戒烟期，戒不了的，杀头！至于黄爵滋的建议为什么遭到多数方面大员的反对而最终回到了林则徐去严禁海口，茅海建先生在《天朝的崩溃》一书中有详细的论述，其中，内地的官员们试图把责任推向广东一地以摆脱干系、乐得轻松的做法，给我的印象很深。

"粤省奸商勾通兵弁，用扒龙、快蟹等船，运银出洋，运烟入口。故自道光三年至十一年，岁漏银一千七八百万两；十一年至十四年，岁漏银二千余万两；十四年至今，渐漏至三千万之多；福建、浙江、山东、天津各海口合之亦数千万两。"(黄爵滋语)那么，怎么防止"漏银"呢？有"留心国计者"出主意了，说干脆"请令直省普种罂粟花，使中原之鸦片益蕃，则外洋自无可居奇之货"。这个问题，黄爵滋也考虑到了，但他担心国内种植的品种不行，"食之不能过瘾"，搞不好，非但外烟未绝，反而内地又生一害。也有人说，干脆还是准许夷商将鸦片照药材纳税，"入关后，只准以货易货，不得用银购买"，在这种观点看来，纳税的费用如果小于行贿的费用，夷商们一定会乐意的。(《浪迹丛谈》)诸如此类的信息，透露出的实际上是官员怎样的不作为和胡乱作为。

《世载堂杂忆》载，有一次江苏议禁鸦片烟事，全省司道重要职掌人员会集于江宁都署，大家都到齐了，独藩司孙衣言久候不至。藩司是主管一省民政与财务的官员,他不来,会议开不起来。派人骑马去催促,还不来;等到孙衣言终于来了,却是进门就说:你们究竟要议什么催得这么急?我还有两三口鸦片烟没抽完呢,议事提不起精神。大家一听,"瞠目相视,不能作一语",开会的目的是讨论禁烟,而藩司当场自认吸鸦片,首先犯禁,怎么办呢?一点辙也没有,只有"改议他事,敷衍了局"。因为孙衣言的"清德、名望、辈行俱高",人们"不便奏参",使其"在江南任内,终莫可如何"。

虽然在100多年前,"旗昌洋行"几乎就是"鸦片贸易"的代名词,但其后代之一的克里表现出的禁毒态度十分坚决,在竞选演说中他甚至声称:"如果怀疑是运毒的飞机,我们可以把它打下来。"国人今天也在不断反思历史,除了记取前人的民族气节和强烈的爱国主义精神,恐怕更多地还得检讨当时官员们的作为。养痈成患,他们难逃干系。

2004年11月12日

前苏联·故明

12月8日,将是标志苏联解体的《独联体章程》签署13周年纪念日。当年,在别洛维日,这个在专供苏联党和国家领导人修养的所在,俄罗斯、白俄罗斯和乌克兰领导人作出了震惊世界的决定:解散苏联,成立独联体。苏联作为国际法主体从此消失,从那以后,国内媒体涉及苏联的文字,大抵都在国名前面加个"前"字,成为"前苏联"。在这样用的人看来,没有苏联了嘛,可不是"前"?

这种称呼妥当与否,已有不少人士论之,但类似的问题其实在古代已经出现过。比方明朝遗民王弘撰曾经质疑:"今人称明曰'故明',不知何所本?"《池北偶谈》载,康熙二十二年(1683年),陕西平凉府盗发韩康王、定王二冢,"法司按律拟罪"。韩康王与定王是爷孙关系,乃明宗室的世袭藩王,领地即在平凉。这件事引起了康熙的关注,"特令加等";与此同时,要求对历代帝王陵"应加守冢人户",禁称"故明"、"废陵"等语。康熙说:"凡云废者,必如高煦等有罪废为庶人,然后可。彼生为藩王,谁废之耶?"这里的高煦,是成祖的二儿子;成祖曾想立他为太子,但迫于立储的惯例,只好封之为汉王。而宣德皇帝一上台,汉王即起兵造了反。显然,在康熙眼里,明就是明,天下丢了也不是故明;陵就是陵,当时废才叫废。这倒是很有点历史唯物主义的态度。

扬州十日、嘉定三屠,清兵入关之后,对明朝百姓犯下了惨绝人寰的罪行,但他们对明朝一头一尾两个皇帝却表现了特殊的一面。顺治帝对崇祯简直是推崇备至。《郎潜纪闻四笔》载:"本朝入关定鼎,首为崇祯帝后发丧,营建幽宫,为万古未闻之义举。"虽然有一种说法认为,那动用的是明朝国库的银两,清政府自己并没花钱。1657年,顺治谕工部曰:"朕念明崇祯帝孜孜求治,身殉社稷。若不急为阐扬,恐于千载之下,竟与失德亡国者同类并观,朕用是特制碑文一道,以昭悯恻。"在谒崇祯陵的时候,顺治也曾"失声而泣",呼曰:"大哥大哥,我与若皆有君无臣。"这种称谓,不只是让我们觉得有趣,也能窥见顺治的真情。

对崇祯的书法,顺治也是如此。《山志》记载,僧弘觉向顺治索字,顺治说:"朕字何足尚,崇祯帝乃佳耳。"说罢叫人一并拿来八九十幅崇祯的字,一一展示,"上容惨戚,默然不语"。看完了,顺治说:"如此明君,身婴巨祸,使人不觉酸楚耳。"又说:"近修《明史》,朕敕群工不得妄议崇祯帝。"顺治的话,连弘觉都给感动了:"先帝何修得我皇为异世知己哉!"大学者王士禛说他在京城的一位士大夫家,见到过崇祯御书王维诗句"松风吹解带,山月照弹琴",评价为"笔势飞动"。

康熙帝则更看重明太祖,表现在他拜祭孝陵之频,《池北偶谈》里就记载了好几次。1681年那一次,"诸公卿三品以上皆从,多赋诗纪事"。这当中,王士禛最推崇魏象枢的,诗曰:"蓟门西望望皇畿,共侍銮舆展谒归;礼罢袯门云自阖,梦回寝殿泪频挥。老臣将去填沟壑,何日重来拜翠微;廿载承恩无寸补,钟鸣漏尽尚依依。"王又格外称赞第五句和第六句,说"最沁人心脾",想来也是他自己的内心写照了。1684年冬那一次,"上由甬道旁行,谕扈从诸臣皆于门外下马",并且"上行三跪九叩礼,诣宝城前行三献礼;出,复由甬道旁行",恭敬得很。与此同时,"赏赉守陵内监及陵户人等有差。谕禁谯采,令督抚地方官严加巡察。1689年春下江南,康熙"再谒孝陵"。这一回,"父老从者数万人,皆感泣"。作秀也罢,但康熙显然还是达到了他所要的效果。

康熙对前代开国皇帝如此谦卑,另一方面,清代最著名的文字狱却也首先发生在他当政的这一朝,庄廷拢《明史》狱、戴名世《南山集》狱,等等,令天下读书人为之寒心。庄廷拢把大学士朱国桢的明史遗稿当成自己的著作出版,不料被人找到了不少"悖逆"的词句——不过是用了南明的年号而已,于是凡作序者、校阅者及刻书、卖书、藏书者均被处死。后来,更发展到捕风捉影,明、清并提的诗句也容不得。雍正初年,徐骏因诗有"明月有情还顾我,清风无意不留人"之句,即被强指讪谤而掉了脑袋。

有学者研究认为,相对于历朝历代,清朝统治者们要收敛一些,要节俭一些,要勤政一些;但是,他们做人为政更加虚伪、手段更加残暴、心胸更加狭隘。到11月5日,清史纂修工程已完成第四轮招标评审,150项课题明年有望启动,届时这部浩繁之作会使答案更明朗吧。然康熙的"不得称'故明'",不论是收敛还是虚伪,应当说都没有用错,倒是今天的"前苏联"大有商榷的余地。

2004年11月19日

鹦鹉

11月中旬在广东美术馆看了"黄永玉八十艺展"。看永玉先生的画,不懂绘画技巧不要紧,看画里面的文字。老先生的画皆有文字,有的长篇大论,构成独立于的文章;有的三言两语,足以令人捧腹。这种独特的幽默,使作品的内涵深邃。举一例说,作品中有一只色彩斑斓的鹦鹉,很普通的造型,很普通的表情,但说明文字是:"鸟是好鸟,就是话太多。"同样的题材,同样的文字,居然又看到了第二幅,可见永玉先生有强调的意味,未必是一时兴致,可能深有感触。

鹦鹉是一种鸟,舌大而软,特性是能够模仿人的语言。《侯鲭录》载,河间王琛有妓朝云,善歌;又有绿鹦鹉,善语。朝云每唱歌时,鹦鹉都要附和,"声若出一",因此这只鹦鹉又号为"绿朝云"。有人翻开史书,考证出咱们中国是世界上最早人工饲养鹦鹉的国家,理由是《礼记》中有"鹦鹉能言,不离飞鸟"的记载。很有可能吧,《礼记》不是由孔夫子亲手删定的吗?距现在都两千多年了。从那时起,围绕鹦鹉就有了说不完的话题。东汉祢衡即席作过一篇《鹦鹉赋》,那是黄祖的儿子黄射大会宾客,有人献来鹦鹉,黄射举着酒杯对祢衡说:"愿先生赋之,以娱嘉宾。"祢衡乃"揽笔而作,辞采甚丽"。后人还把类似祢衡的高超文笔称为"鹦鹉笔"。《明皇杂录》载,杨贵妃也养过一只白鹦鹉,称之为雪衣女,聪明到不只是学舌,明皇"令以近代词臣诗篇授之,数遍便可讽诵"。而且,还很会理解主人的心思。明皇在宫里玩"博戏",倘落下风,"左右呼雪衣娘,必飞入局中鼓舞,以乱其行列,或啄嫔御及诸王手,使不能争道"。有一天,雪衣女玩得正高兴呢,"忽有鹰搏之而毙",这场意外令老夫少"妾"伤心不已,专门为鹦鹉立了坟,后世又有了"鹦鹉冢"这个词汇。

《玉壶清话》载,宋朝有位段姓巨商养的鹦鹉也不得了,"能诵《陇客》诗及李白《宫词》、《心经》",有客人来了,"则呼茶,问客人安否寒暄",跟人差不多。陇客,是鹦鹉的别称,以其多产于陇西而得名。宋代李日方曾在园亭中畜养了五种珍禽,各以"客"来命名,除了鹦鹉为"陇客",还以鹤为"仙客",孔雀为"南客",白鹭为"雪客",白鸥为"闲客"。段家鹦鹉能诵的是名曰《陇客》的诗,还是写"陇客"的诗,不是很清楚,倘是后者,那可就多了。比方唐朝诗人中,李白有"落羽辞金殿,孤鸣托绣衣。能言终见弃,还向陇山飞",抒发的是对故土的眷恋。皮日休有"陇山千万仞,鹦鹉巢其巅。穷危又极险,其山犹不全。

蛩蛩陇之民，悬度如登天。空中觇其巢，堕者争纷然。百禽不得一，十人九死焉"，写的是陇山百姓捕捉鹦鹉以为贡物所历经的艰险。罗隐有"莫恨雕笼翠羽残，江南地暖陇西寒。劝君不用分明语，语得分明出转难"，借用向鹦鹉说话的形式来吐露自己的心曲，表面上劝鹦鹉实际上是安慰自己。

段家的鹦鹉还有后话。有一天，段某忽然被捉进了监狱，半年后才放回来，一到家，他就到鸟笼前面和鹦鹉说话："鹦哥，我自狱中半年不能出，日夕惟只忆汝，汝还安否？家人喂饮，无失时否？"不料鹦鹉答曰："汝在禁中数月不堪，不异鹦哥笼闭岁久。"鹦鹉在这里很有些抱怨的意味，你在"笼子"里关那几个月算什么呢？我在笼子里都待半辈子了。联想到自己的遭遇，段商人大有感悟，许愿说，我要亲自把你送回老家，"乃特具车马携至秦陇，揭笼泣放"。这一段故事，亦为丰子恺先生看中，画在他著名的《护生画集》第六集里，取名《归山》，不过丰先生的文字出自《乐善录》。

鹦鹉是这样的聪慧，但在人的词汇里，"能言鹦鹉"却是绝对的贬义。明代著名的理学家陈献章云："夫学贵自得，苟自得之，则古人之言，我之言也。"通过自己的思考悟出前贤悟出的真谛，当然不是古人眼中的"能言鹦鹉"，什么才是呢？罗大经《鹤林玉露》载南宋朱熹说："今时秀才，教他说廉，直是会说廉；教他说义，直是会说义。及到做来，只是不廉不义。"这种秀才才真正叫做"能言鹦鹉"，罗大经并借此发挥道："夫下以言语为学，上以言语为治，世道之所以日降也。"就是说，"能言鹦鹉"不仅是学舌，而且还为害不浅。也正是这层因素吧，《礼记》记载鹦鹉，不是要给后人留下"之最"之类的骄傲资本，而是告诉人们怎样区别人与禽兽："鹦鹉能言，不离飞鸟；猩猩能言，不离禽兽。今人而无礼，虽能言，不亦禽兽之心乎！"

显然，永玉先生在画里调侃的不是鹦鹉能言与否，而是说得太多而聒噪。落笔之时，想他一定确有所指。不过在我看来，话多不是问题，但要看说得是不是废话。

2004年11月26日

六字箴言

10月22日,著名画家罗工柳辞世。罗工柳先生的作品,我印象最深的是油画《地道战》、《整风报告》,以及他为吴运铎《把一切献给党》画的一组插图。看《罗工柳年表》得知,1951年他创作前两幅享誉后世的作品时,不过才36岁。11月2日《人民日报》有一篇综述性的报道,又知罗工柳先生还在1950年至1985年间主持设计了第二、三、四套人民币,因其完美的设计而入选奥地利出版的《国际钱币制造者》一书。罗工柳怎样取得如此辉煌的艺术成就?报道披露了他给青年画家的"六字箴言",曰:人民、祖国、传统。罗工柳的作品、理论一生都没有离开这六个字。

箴言者,规谏劝戒之言也。这样的六字箴言,历史上也有不少。在北宋杨亿口述、门人黄鉴笔录的《杨文公谈苑》里,杨亿提出了"学者当取三多":看读、持论、著述,可视为对学者的六字箴言。杨亿是有资格讲这个话的。《杨亿年谱》作者李一飞先生评价道:"杨亿作为宋初文臣和文学家,生前有名于时,身后常为人论道。以杨亿为中坚的西昆派,是北宋诸文学集团中最早、影响也较大的一个。而且,他的创作,非西昆一派所能包;他的成就,非西昆一体所能限。"欧阳修在当时对杨亿就钦佩得不得了,他在《归田录》里写道,杨亿每当要写文章的时候,"则与门人宾客饮博、投壶、弈棋",一心数用"而不妨构思"。想着想着,"以小方纸细书,挥翰如飞,文不加点,每盈一幅,则命门人传录",写作速度之快,令"门人疲于应命",顷刻之际,几千字的文章就写成了。欧阳修因此评价杨亿:"真一代之文豪也。"杨亿认为"三多之中,持论最难",那意思,学者不要沾沾自喜于自己出了多少本书,关键要看有没有自己的思想。

金代刘祁在《归潜志》里认为人生有三乐:志气、形体、性命。他这个"志气"跟今天的概念不大一样,包括事业、功名、权势、爵位,因此,志气之乐为"得时者之所有";形体之乐呢?包括酒色、衣食、使令、车马,为"富厚者之所备";性命之乐则包括仁义、礼知、忠信、孝悌,不需要那些先决条件。他这样说,首先是在感慨自己,"居荒山之中,日惟藜藿之为养,其所享无一毫过于人,舍性命其何乐哉?"藜藿,乃粗劣的饭菜。那么,刘祁的六字箴言就可以引申:有权有钱的人固然有自己的快乐之处,不具备二者的人们也不要紧,用不着悲观,因为能够体味到人之所以不枉为人的快乐!

《冷庐杂识》载,清朝的循吏李化楠对如何当官也有六字箴言,他自己名之曰"居官六字诀":眼到、身到、心到。李化楠先以进士宰余姚,复摄平湖县事,"前令某七年积案三千有奇,(化楠)司马计日定程,早、午、晚决讼各数事,纵民观听,三月尽理",百姓高兴地说:"云雾七年,三月见天。"促使李化楠能够为百姓着想的,就是这居官的六字箴言。在我看来,这六字当中,如果套用杨亿的话,叫做"心到最难"。就拿李化楠的事例来说,那么多积案,眼睛即使看见了,可以装作没有看见,或者来一个新官不理旧事,"眼到"就说了白说;"身到"呢?视察什么的,也是常下去走走,人算是到了,但可以是认真调研,也可以是作秀,或者摆谱,"平生跋扈飞扬气,消尽官厅一坐中"。这样的"到",还不如不到。赵慎畛《榆巢杂识》有一则《解惑十则》,其中针对官员之惑云:"居官,则只知有上官,不知有百姓。"不能做到"心到",大抵就是这种结局了。

清朝李石渠论吏治云,居官者,"要济事,勿喜事;要惜名,勿沽名;要任怨,勿敛怨;要近情,勿徇情。"这样的话,前人已经说过,今天也还在说,其实早已无需多说。此所谓"知",关键是"行"。康熙皇帝的时候,言不由衷的官员可能就是个普遍现象,所以就讨论过"知"与"行"的问题。《池北偶谈》载,康熙问:"知行孰重?"大臣叶方蔼答:"宋臣朱熹之说,以次序言,则知先而行后。以功夫言,则知轻而行重。"康熙说:"毕竟行重。若不能行,则知亦空知耳。"康熙的这句话,说到了点子上。谁能对腐败分子的智商有什么怀疑呢?论讲道理或现实乃至深远意义,更有长篇大论、滔滔不绝之辈,结果呢?就是"知亦空知"!

李化楠的"居官六字诀"总结的是怎样"当好官",怎样用之于贴近百姓;可惜的是,现实生活中的实例,却是许多人不自觉地应用于怎样"当上官"。对上级时刻察言观色,是之为"眼到";"不跑不送原地不动,又跑又送提拔重用",是之为"身到";对上级的"歪主意"也能够心领神会,是之为"心到"。例子恐怕就不用再举了。

2004 年 12 月 3 日

做事·做官

在母校中山大学怀士堂的墙壁上,镶嵌着由商承祚先生篆书的孙中山名言:"学生要立志做大事,不可要做大官。"话虽有一点拗口,但并不影响对意思的理解。那是 1923 年 12 月孙中山先生在岭南大学演讲时所说,后来成了对中大学子的告诫(1952 年,岭南大学并入中山大学。);当然,这种告诫也完全可以延伸为所有学子。按我的理解,中山先生不是要使二者截然对立,事实上,母校学子做官、"做大官"的,在从前和现在都为数很不少,未必就不是遵从教诲,时事使然,舍我其谁? 只要不是一心想着当官就是了。

历史上很有一些人对做官没有丝毫的兴趣。《南村辍耕录》载,元朝学者许谦隐居金华山著书立言,"四十年不入城府"。搜寻"遗贤"的人们访到了他的名声,"以学行荐于朝",想请他出山来做官,也确实都铺垫好了。然而"有录其举文至者,先生方讲说,目不少一视",看都不看一眼。参见《元史》,可以对许谦的行为有一个大致完整的了解。许谦天资极高,很小时父亲就去世了,母亲陶氏"口授《孝经》、《论语》,入耳辄不忘",长大后,到了"于书无不读"的地步。许谦读书,不是一味死读,"有不可通,则不敢强;于先儒之说,有所未安,亦不苟同也"。后来,他开门延徒,也很讲究方式方法,"惰者作之,锐者抑之,拘者开之,放者约之",使"著录者千余人,随其才分,咸有所得",至于"四方之士,以不及门为耻"。然许谦的原则,是"独不以科举之文授人",乡闱大比,请他去评卷他都不干。许谦认为读书、科举,"此义利之所由分也",读书如果为了科举,性质就变了。作为精通《论语》的人,许谦对"学而优则仕"这句话当然是清楚得很的,那么,在这件事上,我们不仅见到了许谦对做官的态度,而且见到了其对先儒甚至圣贤"不苟同"的实证。

《榆巢杂识》载,清朝周郘生本来是刑部主事,当着官,而且当得好好的,忽然有一天"淡于仕进",于是"未华颠即抽簪去",回去的时候,行囊是满满的一船书。后来,他直截了当地教育学生们:"书可读,官不必作。"华颠,即白头,指的是年老;抽簪,谓弃官隐退。《后汉书》有"唐且华颠以悟秦、甘罗童牙而报赵"的典故,说的是九十岁的唐且与十二岁的甘罗同样能为国家有所贡献,不必刻意强调年龄。通俗地说,周郘生是还没到退下来的年龄即自己带着铺盖还乡了,他是自己想通了,还是在官场上受了刺激,看透了,不大清楚,但诸如此类的思想,想必对中山先生构成了一定影响的。

不过,在有些情况下,"做大事"与"做大官"却是不可分割的一个整体。在全国各地热播过的反腐电视剧《绝对权力》里,齐全盛被调到"镜州市"担任市委书记,省委问他有什么要求,他要求自己要有"绝对权力"。为了让齐全盛放开手脚搞改革,省委乃将市长刘重天调离了"镜州"。而电视剧的剧情表明,齐全盛确实是个好官,对"绝对权力"并没有滥用。因此,齐全盛要做"镜州"再造辉煌的大事,但他首先得做大官,还得是拥有"绝对权力"的大官,否则,他将一事无成。就耳闻目睹的社会现实来看,电视剧除了人物、地点之外,其他的倒未必是虚构。

所以,我觉得,即使有了"做大官"的思想也并不可怕,可怕的是"做大官"之后的作为。宋朝王元之的家里以磨面为生,有位官员试探他的才能,让他作一首《磨诗》,元之立刻吟道:"但存心里正,无愁眼下迟。若人轻着力,便是转身时。"以之喻官,可以理解为在一点见不得人的手段面前就浑然忘了国法,这种官才可怕。王元之也许正有这层意思。丁柔克《柳弧》里记述清朝的一位太守,没有点名,说他

"官气甚重",每天的行为就是"以官为题,而以身为文章,而日夜做之者也"。对该太守,丁柔克恨之入骨:"其骄人也,令人眦裂;其谄人也,令人肉麻。总之,一举一动,一言一行,皆不忘官字。"这样一种官当然也可怕。更可怕的,还是明朝被招安了的海盗郑广,当了一段官后所观察到的那种——"众人做官却做贼",在郑广看来,这些人还不如他这个"做贼还做官"的呢。

"学生要立志做大事,不可要做大官。"80年来,中山大学的学子确是作为励志格言看待的。有一年怀士堂大修,一位恰回母校的著名学者没见到那块镌石,乃撰文在一家著名杂志上发表感慨,大意是说母校不该不要这个传统了。由该学者的痛心疾首,实际上可以窥见以之为代表的中大学子的纯净胸怀。"做大事"与"做大官",尽管没有互为因果,尽管在很大程度上相互依存,但是较之立志于"做大官",立志于"做大事"显然有境界上的高下之分。

2004年12月10日

下围棋(续)

12月9日,第九届三星火灾杯世界围棋公开赛冠军再次旁落,我国的王檄以0:2完败给韩国的李世石。用中国棋院院长王汝南的话说,"输得无话可讲"。李世石也在接受韩国媒体采访时,直言赛前赛后都丝毫没把王檄放在眼里。这样,在"中韩四大决战"中,中方先失一阵。接下来,常昊将在应氏杯、丰田杯决赛中分别与李世石和崔哲瀚、周鹤洋将春兰杯决赛与李昌镐一决雌雄。在一些人看来,胜负如何将涉及中国围棋的尊严问题。

以前——古代的人下棋有没有这么沉重的精神负担还真不大清楚。唐朝设立的"棋待诏"算是当时的专业人士。那时,不仅文词经学之士,而且医卜技术之流,亦供直于内廷别院,以待诏命,因此就有了棋待诏以及医待诏、画待诏等等。欧阳修《归田录》载,宋太宗时棋待诏贾玄，号为国手，"以棋供奉"。但在贾玄之后几十年，"未有继者"，好不容易出了个李憨子，棋艺是"举世无敌手"，但因为"状貌昏浊，垢秽不可近"，失去了"置之罇俎间"的机会。这就可见，那时要当国手光有本领还不行，还得有仪容；但棋待诏的"专业"水准会不会因此打个折扣呢？宋朝的状元胡旦这样说过："以棋为易解，则如旦聪明尚或不能；以为难解，则愚下小人往往造于精绝。"话虽然有一点居高临下，却说出了一些道理。

据说曾国藩每天饭后都要下一盘棋，叫做"养心棋"。从前无论在民间还是在官场上，围棋都是很流行的，其时所以睥睨天下大约正得益于雄厚的群众基础。《南部新书》载，唐朝的李讷性子特别急，但是一坐到棋盘边上就能安详下来，"极于宽缓"。所以每当他"躁怒作"的时候，家人"则密以弈具陈于前，讷睹便忻然改容"，至于"以取其子布弄，都忘其恚矣"。但棋迷李讷却不是一个好官。《新唐书》有一则他的小传，记载了一公一私两件事。私事是：他的房子和宰相杨收的挨着，杨收"欲市讷冗舍以广第"，搞扩建，惹得李讷大怒："先人旧庐，为权贵优笑地邪？"公事是：他当河南尹的时候，"时久雨，洛（水）暴涨，讷行水魏王堤，惧漂汨，疾驰去，水遂大毁民庐。议者薄其材。"唐时李远曾以"长日唯销一局棋"的诗句受到宣宗质疑，虽然证据不足，但李讷确有坐实李远"诗人之言"的意味。

《浪迹三谈》转引魏瑛《耕蓝杂录》载，乾隆年间福州有位围棋高手薛师丹，把围棋划分为"士大夫之棋"与"市井之棋"。薛师丹的名字即与围棋有关，其自解曰："尧以围棋教丹朱，余岂敢言师尧，但窃愿师丹而已。"魏瑛小的时候想学下围棋，薛师丹告诉他："若有志学棋，但务学士大夫之棋，不可学市井之棋。"什么叫市井之棋呢？"偶有一知半解，即自是甚高，一局未终，而鄙倍嚣陵，令人不可向迩。"这就是说，在薛师丹眼里，市井之棋是那种井蛙之棋、山中无老虎时的猴子之棋。可惜什么叫士大夫之棋，他没有接着说，只有借助一点旁证。魏瑛说有个福州官府里的皂役叫做王登碧的，"人颇粗俗"，又好喝酒，像李讷一样，一下起棋来，人就完全变了，"甚觉温雅"。有一天魏瑛跟他下棋，他一边打瞌睡一边落子，魏瑛问他怎么那么困，他说："昨夜伺候本官坐堂，彻晓未睡。"但睡归睡，魏瑛未尝"得其一着之差也"。于是，魏瑛想起了上面那个李憨子，他与人对弈，也是一副昏睡的模样，"但随手应之，多出人意表"。魏瑛讨教他下围棋的秘诀，王登碧说："士大夫之棋，自有根器，不可如我之下流，但须处处出人头地，不被人笼罩，即得之矣。"用这番话去逆向推理，大约就能窥见一点士大夫之棋的影子了。

北宋著名诗人林和靖经常说自己："世间事皆能之，惟不能担粪与著棋耳。"当时即有人认为这话说得太过分，下围棋那么高雅的行为怎么能与挑大粪的粗俗不堪相提并论呢？这话要是由别人说，肯定会招来一顿臭骂，而林和靖则不同，因为他不是寻常人物。林和靖一生不娶不仕，以梅为"妻"，以鹤为"子"，因而有"梅妻鹤子"之说。他的"疏影横斜水清浅，暗香浮动月黄昏"，更成了咏梅的千古绝唱。人们猜度，可能是林和靖"自嫌其棋力之不高，故为此谰语以自解耳"。据说，后来管棋下得不好的人称为臭棋，即发源于此。齐白石有一幅《竹院围棋图》，题诗曰："阖群纵横万竹间，且消日月雨转闲，笑侬尤胜林和靖，除却能棋粪可担。"这是老先生诙谐地赞美竹子尚强过林和靖，虽不会下棋毕竟还能挑粪，而林和靖却两样都不行。

赛前被普遍看好，同时也自信十足的王檄，还是暴露了与对手在棋力和心理上的差距。不知道，这是不是暗合了整个中国围棋的差距。

2004 年 12 月 17 日

读书

两年一度的"全国国民阅读与购买倾向抽样调查"发现，五年来我国国民的读书率持续走低。据分析，众多新兴媒体对传统纸质媒体市场形成了分割，是一个因素，但主要还在于现代人生活节奏紧张,人们"没有时间"读书。与此同时得出的数据显示,国民中有读书"习惯"的只占5%左右。

没有时间,很气壮的一个理由。那么,读书多的人都是悠闲一族了?不见得吧。宋朝参与编修《册府元龟》的钱惟演说自己:"坐则读经史,卧则读小说,上厕则读小辞,盖未尝顷刻释卷也。"从中可见,他的读书时间就是挤出来的,而这前提,则取决于他"平生惟好读书"。宋太宗也是如此。他曾"诏诸儒编故事一千卷,曰《太平总类》。文章一千卷,曰《文苑英华》。小说五百卷,曰《太平广记》。医方一千卷,曰《神医普救》"。在《太平总类》编纂完成之后,太宗坚持每天阅读三卷,"一年而读周",并赐名《太平御览》。这部综合性类书因为门类繁多,征引赅博,后来还被视为"类书之冠"。要说没有读书时间,宋太宗最说得出口。因此,读书与否绝不是时间问题,而应该是"习惯"问题。

古人因为读书有"头悬梁,锥刺股"的,有"凿壁偷光"的,有"囊萤映雪"的,《三字经》概括得好,"彼不教,自勤苦",全凭的是一种自觉。现代人早就笑其愚笨,实则古人也并不是鼓励机械地模仿,而是倡导勤读、苦读的精神。所以司马光批评一种人读书,"罕能自第一卷至卷尾,往往或从中,或从末,随意读起,又多不能终篇"。(清朝时有位叫做何涉的学士,大约看到了这句话,案上"惟置一书,读之自首至尾。若未终卷,誓不他读"。)所以近人瞿兑之说:"能看毕《二十四史》殊不为难,然肯用此功者殊不多见。"他认为如史学家陈垣先生用一年时间把《四库全书》翻了一遍,才是了不起的。的确,中华书局标点本《二十四史》,不过区区240余册,3000多卷罢了;而《四库全书》共收书3400多种,总计79000多卷!

《邵氏闻见录》载,王安石读书是非常刻苦的,及第之后在韩琦手下当个佥判——文案一类的工作,仍然"每读书至达旦,略假寐,日已高,急上府,多不及盥洗"。韩琦误会了,以为安石年轻,"夜饮放肆"才弄成这般模样,有一天便教育他:"君少年,无废书,不可自弃。"这个小小的误会却深深伤害了安石,他当时一声不吭,退而言曰:"韩公非知我者。"等到韩琦明白了真相,已经晚了,想把安石收为弟子,安石"终不屈";不仅如此,安石还常常大讲韩琦的坏话,什么"韩公但形相好尔"等,并作《画虎图》诗诋之。安石变法,反对声起,韩琦也说了不同意见,致安石"怒甚",拿韩琦的文字"送条例司疏驳,颁天下",欲借此打倒韩琦,赖神宗庇护而不得。韩琦逝后,安石挽诗云:"幕府少年今白发,伤心无路送灵辆",对当年仍然耿耿于怀。安石读书的精神令人钦佩,但气量终究小了些。

《杨文公谈苑》记载了一件事,说后周精通历法的王处讷乃知识神授。王做过一梦,有人"持巨鉴,众星灿然满中,剖其腹纳之,后遂通星历之学",说得一本正经。蒲松龄《聊斋志异·陆判》也讲述了一个类似的故事,说"素钝"的朱尔旦因为胆子大,跟人家打赌把十王殿里"貌尤狞恶"的木雕判官给扛到酒桌上,结果那判官居然复活,且鉴于朱尔旦"作文不快",便在冥间千万颗心中"拣得佳者一枚",剖开他的肚子给换上,令朱尔旦"文思大进,过眼不忘"。不料朱尔旦得寸进尺,嫌自己的老婆不够漂亮,让判官给换个头;换成后,先把晨起览镜自鉴的老婆本人吓了一跳,因为临近出现了无头女尸又差点惹出官司。这一庄一谐两件事实际上寄托了懒于读书者的共同愿望:不"读"而获。有报道说,这一美景在21世纪的前10年或20年就可能成为现实,届时,把高性能硅芯片和人脑直接相连,一部《大英百科全书》之类装入大脑就变得轻而易举。这样看来,对国民阅读指标下降倒没什么可虑的,反正以后有办法解决。

前几年有个地方搞家庭读书"一二三活动",在规定时间内,使他们那里的每个家庭都有"一个书柜、两份报纸、三百本藏书"。不知道如今进展得怎么样、还搞不搞。古人说过,"田连阡陌心犹窄,架插诗书眼不瞅",那么,书柜立起来了,书摆进去了,跟阅读与否终究是两码事。还是上个月金庸先生在深圳第5届读书月论坛演讲时说得形象,读书就像追男朋友、女朋友一样,最重要的是要自己喜欢。喜欢读书的人,总能找到时间读书;而不喜欢读书的人,则总能找到种种未读的理由。

2004年12月24日

后　　记

　　1998年1月,当我写出第一篇《可以避免的恶果》的时候,想到了此类文字可以写成一个系列,但是没有想到日后可以结集成书,而且是由商务印书馆这样的知名出版社出版。

　　稍往前溯,1992年7月,当我获得硕士学位走出中山大学,进入广东省政协机关的时候,没有想到日后可以动笔写一点与工作毫无关联的读史随笔。

　　再往前溯,1978年11月,当我初中毕业进入技工学校学习铸造专业的时候,没有想到7年之后还能够通过自学全部高中课程,考进高等学府……

　　也许,这一切正如本书书名——意外或偶然。我相信,许多人的人生经历都存在意外或偶然的成分,并不足奇;而世事亦然,则要感慨良多了。鲁迅先生说过:"仿佛时间的流驶,独与我们中国无关。"(《忽然想到·四》)谁要是有兴趣读一遍《资治通鉴》、《二十四史》、《历代史料笔记丛刊》等等,谁对这句话的理解自然会深刻一层。今天的许多事情,至于讲的话,原已见于"文言"记载,甚至连口气都一般无二。把它们挑出来,集合排队,也不失为一项有趣的工作。

　　我现在所从事的职业是新闻,具体地说,是新闻评论。回过头来看,可能,我在当初正是自觉或不自觉地把这些文字当作了新闻评论。请百忙之中的鄢烈山先生作序,道理也在于此;当然,还因为我们同在一个报业集团旗下谋事,彼此熟悉。这评论,充其量也是小评论,如鄢先生所说,"下编露出了时评的本相"。因而与纵横捭阖的人们不同,我更注重细节上的东西,当然,这与缺乏宏大的胸襟和气魄也有关系。读者一定已经注意到,文章中的双引号极多,甚至包括结论。这样做，一方面是为了标识征引的为原文，其神韵译过来的话要打折扣；另一方面，广东的明代理学家陈献章（白沙）说过："夫学贵自得，苟自得之，则古人之言，我之言也。"如果再啰嗦一点：李士宁赠王安石诗，多全用古人句，王安石问之，则曰："意到即可用，不必皆自己出。"

　　成书之际，若干往事不由得浮现眼前。当上世纪90年代中，家里还舍不得出"巨资"购买《二十四史》的时候，我和妻子"意外或偶然"地发现：不同年份出版的"绿皮书"（中华书局版）定价不同。于是每至书店，先找自己书架上尚缺的品种，再翻到最后一册的封底，看看是不是"便宜"版本。此外，初动笔的时候，要把准备引用哪本书、在哪一册开列出来，由当时在中山大学人类学系工作的她"照单抓药"……

　　书中的各篇，均曾发表于《南方日报》，得到了报社领导的支持和鼓励，栏目之一的"野史新说"还曾获得过广东新闻奖专栏奖。然当斯时，难免诚惶诚恐，深知水平所限，包括硬伤在内的错漏在所难免，诚恳希望方家教正。

田东江
2005年9月于广州